文春文庫

約束の冬

下

宮本輝

文藝春秋

約束の冬　下

第六章

――ある著名な女性作家が、源氏物語についてのさまざまな考察や感想を、古典の苦手な人々に語りながら、物語そのものをわかりやすく講じていくという本が出版されて、面白く読んだ。その本のなかで、女性の作家は、ひとつだけ源氏物語に不満があると述べている。それは源氏が嫉妬を知らない男だということだ。多くの恋のなかで生きながら、嫉妬を知らないなどということは有り得ることであろうか、と。――

謝翠英からの電子メールには、そのような意味の文章で始まり、自分はこれまで何度も源氏物語を読んだが、極めて日本の古典に造詣の深いその女性の作家が指摘したことに気づかなかったとつづいていた。

上原桂二郎は、パソコンを使うためだけの部屋となったかつての倅国の部屋に、新しく買った葉巻用の灰皿を置き、「モンテクリスト」の「No.1」を喫(す)いながら、「桐壺」の章から始まって、いまは「若紫」の半ばまで読んだ源氏物語の表紙をめくった。

――どんなに障害のない恋でも、そこには多少の嫉妬というものが、あるときは男のほうに、あるときは女のほうに生じるのが自然ではないかと思うのです。お互いが完璧に信頼しあっていても、相手が異性の誰かと親しそうに喋っていると、ひょっとしたらと勘ぐって、嫉妬してしまう……。でも、源氏はたしかに一度も自分の恋人に関することで嫉妬してはいません。上原のおじさまは、それについてどんなお考えをお持ちになりますか？――

翠英はそうつづけていた。

桂二郎は、深夜のゴルフ練習場で右の肋骨にひびが入って以来、もう癖になってしまったポーズをとって、

「また難しい質問だな」

とつぶやいた。

左手を常に右の脇腹にあてがうという癖は、深呼吸をしたり、くしゃみをしたときに走る激痛を用心するあまりに、いつのまにか身にそなわってしまっていた。

「俺はまだ『若紫』のとこで足踏みしてるんだから……」

肋骨の二箇所のひびの痛みだけでなく、その周辺の肉離れも重症の部類に入るらしく、夜、ベッドで眠っていて寝返りをうつと、その痛みで目を覚ますという状態がつづいている。痛みをやわらげるというコルセットを買ったが、まったく効果はないのだった。

桂二郎は、おとといの夜遅く、またフリーズしてしまったパソコンを直すために家を訪れた俊国が、アパートを引き払ってここに帰ってきてもいいかと訊いたとき、やはり

嬉しさという以外にない感情に包まれて、そのつもりになったのなら、一日でも早く帰ってこいと言った。

それで俊国は、あさっての土曜日に友だちに手伝ってもらって引っ越してくることになった。

いまのところ、桂二郎のパソコンに電子メールを送ってくれる人物は、謝翠英と俊国の二人だけだったが、俊国が帰って来て一緒に暮らすようになれば、いわゆる「メル友」なるものは、謝翠英だけということになってしまう。

翠英からの電子メールは、いつも日本の歴史や古典に対する質問が主で、まるで桂二郎を学校の先生と錯覚しているのではと思えるふしがある。だが桂二郎は、翠英の質問に「自分にはよくわからない」と答えるのでは、あまりに日本人としての沽券にかかわると思い、なんとか自分なりの考えや意見を述べようと、参考になる書物をパソコンで検索して探したりした。

お陰で、これまで読もうと思いながらも、仕事に追われたり、面倒臭かったりでそのままになっていた何冊かの書物を読むことができた。

とりわけ、近代に入ってからの歴史は、日本と中国、あるいは日本と台湾、それに必然的に絡み合う日本と朝鮮半島、中華人民共和国と台湾といった問題を避けて通ることはできず、それに関する書物は桂二郎の机の上に増えつづけていた。

上原桂二郎は昭和二十一年の生まれだから、「戦争を知らない世代」で、小学校からずっと戦後教育なるものを受けてきて、戦前戦中にかけて、日本がアジアに何をしたのかということは正確には教えられずに来たのだった。

日本が、中国や韓国、それ以外のアジアの近隣諸国がいまなお糾弾しつづけるような野蛮で悪辣な非道な行為を本当に行ったのかどうかという点に関して、桂二郎は真実を知りたいと思った。真実を知らずに己の考えを述べるわけにはいかない。真実を知らないということは、一種の悪でもある……。

桂二郎は何冊かの書物を読みながら、そんな思いが日に日に強まっていくのを感じるのだった。

「正しい総括をすべきなんだよ。それが急務だ。そこからすべてが始まるんだよ」

おとといの夜、桂二郎は俊国に日本とアジアの問題について少し話した際、そう言った。

「ある史家は、アジア諸国が訴える百の悪行のうち、日本が本当にやったのは三か四程度だと力説する」

桂二郎は何冊かの書物をテーブルの上に持って来て、

「ところが、百どころか二百も三百も、とにかくこれが人間かというほどの残酷なことを日本はやったのだって確信をもって語る人もいるんだ」

と俊国に言い、

「とにかく正しい総括を急ぐべきだよ。そうじゃないと新しい時代は本当には始まらない」

と珍しく語気を強めたのだった。

桂二郎は、自分が実際に目にしたもの、実際に耳にしたもの以外は決して信じないという信念といっていい考え方を強く抱いていた。

人の噂や風聞というものが、いかに実際とは異なっているかを数多く体験してきたので、いまでは週刊誌などの新聞広告すらあえて見ないようにしていた。

自分の会社でも、役員が社長の桂二郎の耳に入れる社員への評価を鵜呑みにはしなかった。下請けの工場に対する担当者の報告も、自分が実際に確かめるまでは、単なる私見として受けとめるようにしている。

人間そのものへの評価にも、仕事への評価にも、たとえそこに悪意はなくても、いかんともしがたく個人的感情が微妙に介入するものだと桂二郎は思っている。そしてその個人的感情というものは、厄介なことにじつに流動的なのだった。

——ご質問の件、私見を申し述べれば……。

桂二郎は、左右の人差し指と中指の四本を使って、パソコンのキーを打った。

——源氏の君に女性たちへの嫉妬の感情が皆無だったのは、所詮、彼が「高くやんごとなき人」であったからではないでしょうか。——

「徒然草」の「友とするにわろき者、七つあり」の部分を思い起こしながら、桂二郎は

翠英の問いに、自分の考えをただそれだけの短い言葉で伝え、行を替えて、

――お母さまの病状、いかがでしょうか。私は思いがけない怪我で、もうしばらく外国への旅は控えたほうがよさそうです。なにしろ、背広の上着も自分ひとりでは着られないありさまですので、台湾に行くのは七月に入ってからになります。苦しい病状にあって、見知らぬ日本人からの突然の問い合わせにお返事を下さるようお願いすること、誠に心苦しい限りですが……。

そこまでキーを打って、あとがつづかなくなり、桂二郎は、いつのまにか消えてしまった葉巻の先端部分を注意深く小さなハサミで理髪師が髪の先端を丁寧に整えるように少しずつ切っていった。

燃えて炭化した部分にあらたに火をつけると苦みが強くなるので、桂二郎はいったん消えた葉巻を再び喫うときには、いつもそうするのだった。

炭化した葉巻の先端をシガーカッターでひと息に切ると、表面の繊細なラッパーという部分が割れてしまう。

いかにも趣味人的に凝るわけではないが、桂二郎は、自分の気に入った葉巻だけは、「うまい」と感じながら喫わないと一日の終わりをとりあえず「これでよし」として迎えることができなくなっていた。

たかが葉巻だ。それも葉っぱを人間が手で巻いたものだ。だからどんなに名品とされる葉巻でも出来不出来がある……。

そう承知していても、寝る前の一本が、雑な着火のやり方で味が苦くなったり、片面だけが燃焼したり、きちんと湿度七十パーセントで保存してありながら、湿気すぎていたり乾きすぎていると、妙に気持ちがおさまらなくなり、仕事における些細な問題にこだわりが生じて、そのことに考えをめぐらせて眠れなくなるのだった。

……誠に心苦しい限りですが……。桂二郎は、その部分でまた行替えし、炭化した部分を取り除いた葉巻に火をつけた。「心苦しい限りですが」で話題を変えても、自分が伝えたいことは翠英には充分通じるはずだと思った。

――やっと左右四本の指でキーを打つことができるようになりました。もうこれで充分と思っています。十本の指すべてを使うなどということは私には到底無理な芸当です。あさって、長男がこの家に帰って来て、また一緒に暮らすことになりました。ですから、私のパソコンの置き場所を変えなければなりません。長男はパソコンに詳しいので、電話回線をどうするか。新しく専用の回線を引くのか、それとも電話回線以外の方法を選ぶのか、彼にまかせるつもりです。

それでは私は葉巻を喫って、休みます。どうか楽しい夢を。おやすみなさい。――

桂二郎は送信する前に自分が打った電子メールを読み返し、なんとも無味乾燥な内容だなと思った。

どこか肩肘張っていて、味わいというものがない。二十八歳の翠英は、こんな電子メールを貰ってもおもしろくもなんともないであろう……。

そう思いながらも桂二郎は送信をクリックした。

自分のなかに何かささくれだっているものがあった。それは、今夜だけでもなく、肋骨のひびやその周辺の肉離れの痛さのせいでもない。

翠英と電子メールを交わすようになって以来、自分のなかに獰猛な何かがうごめいて、それが自分にとって邪魔で仕方がないのだ、と桂二郎は思った。その獰猛なものは、鬱屈した肉欲でもなく、生活への不満でもなく、仕事への何らかの渇仰でもない。なんだかわけのわからない荒ぶるものが、一日に一度か二度、烈しく身内で暴れだす……。

桂二郎は、自分が翠英という女に恋の感情を抱いているとは思えなかった。もしやと思って、第三者的に冷静に自己分析をしてみたが、やはり恋愛、もしくはそれに近いものを翠英に向けてはいないと思った。

だが鬱屈した肉欲が、自分のなかの理由のさだかではない獰猛な何かの中心ではないにしても、桂二郎は、自分が女の体を求めていることを否定できなかった。

「おつむの中身なんかどうでもいい。ただ体だな。それも若い体。その場かぎりの若い体で、あとくされなしってのがいい」

桂二郎はそう胸の内で言って、パソコンのスイッチを切ろうとした。すると新着メールが送られてきたことを示す短い文章が画面にあらわれた。

――あした、台湾に帰ります。

タイトルにはそう書かれていた。

──いま兄から電話があり、母の容態が急に悪くなったとしらせてくれました。それですぐに飛行機のチケットを予約しました。覚悟はしていましたが、こんなに早くそのときが来るなんて……。大事な研究発表が来週あるのですが、そしてそれは私の卒業に大きな影響を持っているのですが、そんなことにこだわってはいられません。

いつ日本に戻れるか、いまは見当がつきません。これから急いで荷造りをします。翠英。

桂二郎は、なにか励ましの電子メールを送ろうと思ったが、翠英の荷造りの邪魔をするだけだと考え直し、パソコンのスイッチを切った。

鄧明鴻の娘に、あの懐中時計の弁償金を支払うことができないとなれば、須藤潤介の三百万円は、誰に渡るべきものなのか……。

やはり、翠英の兄ということになるのであろう……。

桂二郎はそう考えながら、短くなった葉巻を指に挟んで居間へ行き、戸締まりを点検した。

そして居間の明かりを消し、台所の明かりだけにして、南側の窓のところに置いてある鉢植えにそっと近づいた。

丈は短いが、幹の太さは直径三センチほどに育ったねむの木の葉っぱは完全には閉じていなかった。ねむの木の葉は、日が落ちると左右対称となった葉が合掌するかのように閉じるのだが、室内に置いてあるために、居間の明かりが灯っているときは、閉じ切らず、半開きの状態になっている。

妻が、亡くなる三週間ほど前に病院から外泊を許されて帰って来た日、その何年か前に友人から貰ったねむの木の種を自分の小物入れの奥にみつけて、二つの鉢に植えたのだった。

二つの種は、妻が死ぬ少し前に芽を出した。

桂二郎は、庭いじりとか植物を育てるというようなことには興味がなかったが、二つの鉢に植えられて芽を出したねむの木だけは自分で水をやり、断じて枯らさないぞという思いでつねに気を配った。だが、ねむの木が寒さに弱いのを知らず、冬、室内に入れないで小さなベランダに置いたままにしてしまって、二つのうちのひとつは最初の冬に枯れたのだった。

枯れなかったもうひとつのねむの木は、夏になると花を咲かせる。

二つのうちのひとつを枯らしてしまったのは自分のせいだと思っているらしい富子は、かろうじて枯れなかった一鉢にそれ以後慎重すぎるほどの神経を注ぎ、たとえ夏でも、日が落ちると居間に入れ、南側の窓のところに置くようになっていた。

桂二郎は、鉢植えのねむの木に妻のおもかげを抱くほど感傷的ではなかったが、

「私ったら、こんなところにしまってたのね」

とつぶやいて、ハトロン紙にくるまれた二粒の西瓜の種に似たものを、なにか切羽詰まってせかされるかのように二つの鉢に植えていた妻が最後にこの家に残したものとし

て、赤い小さな綿帽子に似た花が窓辺に浮游するさまを見つめると心が落ち着くのだった。

「若い女の肌がいいな」

と桂二郎は、ねむの木のかなり大きくなった新芽を指でつつきながら言った。死んだ妻に語りかけている気分だった。

「俺も、すけべなおっさんだ。若い女の体が欲しいよ。若くないと駄目なんだよ。若けりゃいい」

自分が実際そう思っているのかどうかも怪しかったが、桂二郎はそう言った。

「俺には大事な何かが足りないな」

といってそれはあらたな伴侶でもなければ若い愛人でもない。自分の会社が販売する調理器具のシェアのさらなる拡大への意欲でもない。

だが、間違いなく何かが足りないのだ……。

桂二郎はそう思った。

その足りない何かを、自分という人間の命が強く求め始めたのではないのか。自分の内部の獰猛な波立ちは、上原桂二郎という人間の命が発するシグナルではないのか……。

桂二郎は、七月に入ると小さな蕾(つぼみ)をつけるであろうねむの木の葉っぱを指先で撫でながら、自分の命はその何かをやりたがっているのだと次第に強く確信していった。

いったい何をやりたがっているのだろう。

だが、命というものは喋ってはくれない。自分で考えなければならない。考えるという頭脳活動も命の所作だ。自分が考えて出した結論は、つまるところ自分の命が下した結論だということになる。

桂二郎は、自分でもなさけなくなるほど人恋しくなって、この時間に誰か話し相手をしてくれる人間はいないものかと思った。すぐに「くわ田」の女将の顔が浮かんだ。

いまごろは仕事を終えて、家に帰り、着物から普段着に着替え、一息ついている時分だが、客につきあって祇園のお茶屋風のこぢんまりしたバーで相手をしているかもしれない。

桂二郎は、もし鮎子が大事な客と一緒だと具合が悪かろうと思い、携帯電話ではなく、自宅のほうにかけてみた。五回鳴らして出なければ切るつもりだったが、すぐに鮎子の声が受話器から聞こえた。

「いやァ、こんな時間に珍しい。なんかあったん?」

と鮎子は訊いた。

「うん、何かあったんだよ」

桂二郎はそう冗談めかして言い、今夜はもう一本葉巻を喫おうと思い、ヒュミドールの蓋をあけた。

「えっ？　どないしたん?」

鮎子が心配そうに訊いた。

「人恋しくてね。なんだか寂しくって……」

「また珍しいことを……」

安心したように笑いながら、鮎子は言った。桂二郎が人恋しくなり、寂しくなるということが珍しいのではなく、それを他人に口にすることを珍しいと言ったのだと桂二郎にはわかった。

「はっきり言うとだな、人恋しいっていうよりも、つまり女恋しいって感じなんだよ」

「いやァ、光栄やわァ。女恋しいときに、私を思い出してくれるなんて」

「つけくわえれば、若い女恋しいってとこかな」

「私も若いやんか。まだ五十四。花も恥じらう五十四」

「どこかに、都合のいい女はいないかね。若くて可愛くて、そんなに馬鹿じゃなくて、気立てがよくて、恐ろしいヒモがうしろにくっついてなくて、ベンツを買ってくれなんて言わなくて、家や会社に電話してこなくて、こっちが逢いたいときだけ相手をしてくれる名器の持ち主ってのは。歳は二十五。まあ二十七までは譲歩するがね」

「アホクサ」

と鮎子は言った。

「そんな女、世界中のどこにもいてへんわ。私にしときき。いちばん無難や。長いこと空家やねんけど」

「亭主持ちは駄目だよ。それに『くわ田』の女将なら、ベンツどころか、京都の嵯峨野のどこかに料亭を一軒買えってせびられそうだな」

受話器から猫の鳴き声が聞こえた。鮎子の家には、彼女の帰りをひたすら待ちつづけている三匹の猫がいるのだった。

「若い女の子とちょっと冒険をしてみるのもええけど、どこの馬の骨かわからんようなのはあかんえ」

と鮎子は言った。

桂二郎は、葉巻に火をつけるので、ちょっと待ってくれと頼み、受話器をヒュミドールの横におき、「ラファエロ・ゴンザレス」のプチコロナに火をつけた。

「おまたせ」

桂二郎がそう言っても返事がなく、遠くでグラスが軽くぶつかり合う音が聞こえた。

不和による別居というよりも、本田家の入り組んだ事情によって別々の家で暮らしている鮎子の夫の健康がおもわしくないことを、桂二郎は人づてに耳にしていた。だが鮎子は、親しい桂二郎とも、夫の話題に及ぶのを避けたがるので、噂の真偽を直接確かめたことはない。

「ごめんね。ミルクティーをいれてたの」

と鮎子は言い、こんどは滋賀県でゴルフをしないかと誘った。いいゴルフ場を紹介してもらったのだという。

「この肋骨のひびが、いつ完治するかだなア。まだ寝返りをうつと痛みで目が醒める状態なんだよ。ここ一週間ほど、ずうっと寝不足でね」

その桂二郎の言葉に、ひびも立派な骨折なのだと鮎子は言った。

「みんな、骨折やのうて、ひびでよかったなんて言うけど、ぽきんと折れてないだけで、ひびはつまり骨折やねん。そやから治るのに時間がかかるねん」

「でも、治ったら、練習に通うよ。とにかく一年間はあきらめず練習するって決めたし、レッスンプロとも約束したからね。評判のいいレッスンプロなんだ。まだ若いけど、教え方がとてもわかりやすい。わかりやすく教えることができるってのは、有能なんだよ。それに、自分の型にはめようとしないそうなんだ。そのレッスンプロの理想とするスウィングは確立されてるんだけど、それを基本として、人それぞれの個性に合わせてくれるらしい。物事は簡潔明瞭じゃなきゃいけない」

家の近くに、夫に先立たれて、女手ひとつで四人の子を育てあげた婦人がいる。ことし六十三歳だが、四人の子供たちがそれぞれ社会に出てから五十八歳でゴルフを始めた。次男がスポーツ用品メーカーに就職し、ゴルフ用具の部署に配属になったのがきっかけだった……。

「その人に紹介してもらったんだよ。あのレッスンプロに教えてもらったらいいって」

と桂二郎は言った。

「五十八歳の身長百五十三センチ、体重四十二キロのご婦人が五年で百を切るようになったんだぜ。ドライバーなんて、百六十ヤードくらいしか飛ばないのに。次は九十を切るのが目標だって元気いっぱいだよ。小学校の先生だったんだ」

自分は十回ゴルフをすれば五回は百を切るが、ひどいときは百三十近く叩いてしまうと鮎子は言った。

「我流やからやねェ。そやけど私はこれでええねん。お客さんより上手になったら困るもん。そやけど、上原桂二郎さんに負けるようになったら、ちょっと考えなあかんわ」

そう言って笑い、鮎子は、自分の友人知人のなかで、上原桂二郎はゴルフ三ヘタのひとりなのだと明かした。

「三ヘタ？　誰だい、あとの二人は」

と桂二郎も笑いながら訊いた。

「丸岡物産の会長さんと、桐谷先生」

と鮎子は言った。

丸岡物産の会長は七十歳で、建築家の桐谷は六十五歳だった。

「その三ヘタのなかでも、いちばんヘタなのは……」

そう言ってから、

「傷つけへん？」

と鮎子は訊いた。桂二郎は身をのけぞらせて笑い、「いたたた」と叫び声をあげ、葉巻を持っているほうの手で脇腹を押さえた。

「大丈夫？」

と鮎子は訊きながら笑っている。

「せっかくくっつきかけてるひびの部分と肉離れの部分が、くしゃみと笑いではがれちゃうんだ。くしゃみと笑うのとは、この怪我が治るまで御法度だって固く己に誓うんだけど、笑うのは意識的に我慢できても、くしゃみだけはどうしようもないよ」

桂二郎はそう言って、右の脇腹をさすりつづけた。そして、鄧明鴻の娘が、どうやらそう長くはなさそうだというよりも、死期が間近に迫っているらしいと説明した。

「こんな怪我をしなけりゃあ、もっと早くに台湾へ行けたはずなんだよ。時計の弁償金、どうやら鄧明鴻っていう謎の女からはどんどん遠くへ離れていくね。娘がいなくなったら、その息子にってことになる。遺産と同じ扱いをするなら、息子だけじゃなくて、その妹にもってことになるからね」

「俊国さんのおじいさんの気が済むんなら、そのお金が鄧明鴻さんの血を引く誰かに確かに渡ったってことでええんとちゃうの?」

と鮎子は言った。

桂二郎は、ほとんど毎夜、謝翠英と電子メールのやりとりをしていることは、鮎子には喋っていなかった。

「怪我が良うなったら、気晴らしに京都へ遊びに来たら? 琵琶湖の畔でゴルフをして、そのあとうちの店でおいしいもんでも食べて……」

「うん。そうするよ」

「花も恥じらう五十四歳の美女がお相手いたしますわいのお」

鮎子は女形(おやま)の声色を真似てそう言い、電話を切った。


翌朝、全国の支店長会議を終えて社長室に戻り、四月の人事異動で福岡の支店長になった男から九州の売り上げの低下についての説明を訊いていた桂二郎に、秘書の小松が緊急の用向きを伝えるときに使う合図を送りながら入って来た。

桂二郎は、福岡支店長の労をねぎらい、

「これ、俺からのお祝いだ」

と事前に用意しておいた祝いの金の入ったのし袋を出した。

福岡支店長のひとり息子が、二浪したあと、ことし国立大学に入学したことを、今朝、小松から教えられたからだった。

「親御さんも大変だったろうけど、二浪して初志貫徹した息子さんの頑張りは立派だ。おめでとうって伝えといてくれよ」

桂二郎の言葉に、恐縮して祝い金を受け取ると、福岡支店長は羽田空港へと急ぐために小走りで社長室から出て行った。

小松聖司は、支店長を見送り、社長室のドアを閉めて、近くに人がいないことを確かめると、

「いま、こういう方が社長に面会を求めてお越しになりまして」

と言い、一枚の名刺を桂二郎の机に置いた。

事前に面談の承諾もなく訪ねて来た見知らぬ人間のことなど社長に伝えたりはしないので、桂二郎は幾分警戒心を抱きながら、その名刺に目をやった。

「得揚交易公司代表　呉倫福」と太い明朝体の活字で刷られてあった。

「何者だい」

と桂二郎は訊いた。

「鄧明鴻さんのことでお話がしたいって仰言るんです。私がご用の向きをお聞きしますと言っても、上原社長に直接お話ししたいの一点張りでして」

と小松は言った。

「社長はお留守なので、日を改めてもらいたい。それにご用の向きがわからない方に社長はお逢いにはなりませんと言おうと思ったんですが、何となく厄介なことになりそうな気がしましてして」

「厄介なこと？　たとえば？」

「わかりません。でも、なんとなく、そんな気が……」

「どんな男だい？」

「歳は六十くらいでしょうか。こざっぱりした身なりで、痩せて背が高くて……。でも、なんだか気味の悪い目つきなんです」

それから小松聖司は、声を落とし、

「上原社長には何の災いも降りかかることじゃない、日本の法律では、殺人は十五年で時効ですからって……。それで、無下に追い返さないほうがいいと思いまして。私も同席します」

と言った。

「殺人？　俺には関係のないことだな、帰ってもらえ」

面談を求める際に、あえて相手の気を乱すようなこけおどしを使う輩にろくなのはいない……。そう判断して、呉倫福なる男の名刺を小松に返すと、桂二郎は、さっさと言われたとおりにしろというふうに小松を睨んだ。

だが、そのような対処の仕方は、すでに小松の頭のなかでは想定されたはずだった。それなのにあえて桂二郎につないだということは、やはりよほど気にかかる何かを感じたのであろう……。

桂二郎はそう考え直し、

「殺人か……」

と微笑みながら立ちあがった。

「三階の応接室です」

と小松は言い、エレベーターのところまで先に歩いて行った。

「お前が一緒じゃないほうがいいだろう」

「でも……」

「いや、俺ひとりで逢おう。殺人とは、また尋常じゃないな」

桂二郎は笑みを小松に向け、エレベーターに乗って三階へ降りた。

「近くにおりますので」

小松は、桂二郎が社のなかに五つある応接室のなかでもいちばん広い応接室のドアのノブをつかんだとき、そうささやいた。

呉倫福なる男は、大柄な男五人がゆったりと坐れるほどに大きな革張りのソファに腰かけていたが、桂二郎が応接室に入ると立ちあがって、あらためて名刺入れを出した。

「名刺は私の秘書がすでに頂戴しておりますので」

と桂二郎は言い、自分の名刺は渡さずに、呉倫福と向かい合う格好でソファに坐った。

「どんなご用向きかは知りませんが、いわばこういう強引な押し掛け方をなさる方のお話に、私がまともに耳を傾けるとお思いですか？」

桂二郎は、真夏に着る麻の薄地の白い背広姿の呉倫福の人相を観察しながらそう言った。

「仰言るとおりです。私もまずお手紙で上原さんのご都合をおうかがいしてからと考えたのですが、そうすればかえって逢ってはいただけないだろうと思いまして……。心ならずも、こんな非礼な訪問の仕方を選んでしまいました」

中国人特有の訛りのない、流暢(りゅうちょう)な日本語であり、語調も静かすぎて、耳を澄まさなければ聞き取りにくいほどだったが、呉倫福の細い目には、ちょっとやそっとでは物事に動じないような、別の言い方をすれば感情というものを喪失したような鋭さと淀みが同居していた。

「上原桂二郎さんが、ある事情から、鄧明鴻という女を捜していらっしゃることと、その理由とを耳にいたしまして、これはあるいは私が四十年近く捜しつづけてきたものと深い関係があるのではないかと思いました」

と呉倫福は言った。

「私が鄧明鴻さんを捜していることや、その理由などを、どうして呉さんはご存知なんですか？」

桂二郎の問いに、

「横浜の中華街で起こったことは、ネズミやゴキブリが死んだなんてレベル以外なら、全部私の耳に入ります」

と呉倫福は薄い笑みを交えて答えた。

「で、ご用の向きは？」

と桂二郎は訊いた。

「どうにも修復不能なまでに壊れてしまったという懐中時計を見せていただきたいのです」

「それだけならお安いご用です。懐中時計はいまここにはありません。私の自宅にありますので、日をあらためて社のほうにお越し下さい。秘書にその旨伝えておきますので存分にご覧になって下さい」

　なぜ壊れた懐中時計を見たいのか、桂二郎は訊く気もなかった。さあ、帰ってくれ……。そんな自分の意思を伝えるために立ちあがりかけると、呉倫福は、

「あの懐中時計を鄧明鴻から盗みだした少年は、本当に死んだのですか？」

　と訊いた。

「私と所縁のある当時中学生だった少年が時計を盗んだのではありません。そのとき一緒に遊んでいた別の少年が盗んだんです」

「共犯者てのは、まあたいていそう言うらしいですな。あいつがやったんだ、俺はたまたまその場に居合わせただけだ……」

　桂二郎は呉倫福の言葉を無視してソファから立ちあがった。殺人という言葉が気にならないわけでもなかったが、それへの問いを呉に投げかければ、相手の術中にはまるだけだと思ったのだった。

「たかが中学生のしでかしたことで、それももう四十年近い昔の出来事だというのに、壊れた懐中時計の弁償をするために、ひとりの中国人を捜すなんて、まったく誠意と正義の権化のようなお方ですな。弁償金と称した口止め料なんでしょう？」

　呉倫福の言葉で、桂二郎は、あるいはこの男は須藤潤介の存在を知っているのかもしれないと思ったが、いったいなぜ知っているかという点に関してはまるで見当がつかなかった。

須藤潤介から懐中時計の一件を聞かされたあと、桂二郎は仕事柄多くの人脈に通じている本田鮎子に相談を持ちかけた。鮎子はあいにく横浜の中華街に詳しい人間を知らず、そのために華僑の友人が何人かいるという「とと一」の主人に仲介を頼んで、黄忠錦（こうちゅうきん）を紹介された。

懐中時計の弁償をしたいという人物が、上原桂二郎とは血のつながりのない息子の祖父であることを、鮎子は誰にも喋ってはいない。「とと一」の主人にも、黄忠錦にも……。

桂二郎もまた懐中時計に絡む詳しいいきさつは、「とと一」の主人にも黄忠錦にも語らず、ただ「鄧明鴻」という女性に弁償しなければならないものがあると説明したにすぎなかった。

だから「誠意と正義の権化のようなお方」が、上原桂二郎をさしているのか、あるいは上原桂二郎に弁償金の支払いを託した人間をさしているのか、桂二郎は咄嗟（とっさ）に判断に苦しんだが、

「呉さんの仰言りたいことが、私にはよくわかりませんね。弁償金は、その言葉どおり、壊してしまった懐中時計への弁償金です。必ず弁償しますと約束したんだから弁償する……。約束は守らなければならない。それだけのことです」

と桂二郎は立ったまま言った。

「私がなぜその壊れた懐中時計を見たがっているのか、上原さんはまったく訊こうとも

なさいませんねェ。たいていの人は、どうしてかって訊くでしょう。それが普通の人間の極く普通の振るまいだと思うんですが……」

と呉倫福は言った。

「私とは関係のないことですから」

と桂二郎は言い、応接室のドアをあけた。

「あなたがなぜ四十年近い昔に壊れてしまった懐中時計を見たいのか、私には興味がありません。お見せするだけなら簡単なことだからお見せするんです。呉さんには、どうしても見なければならない理由がおありになる。しかし、私には呉さんの理由なんて、どうでもいいことです」

呉倫福も立ちあがり、外していた麻の上着のボタンをとめ、当時中学生だった人が死んだというのは本当なのかと再び念を押した。

「亡くなりました。二十五歳のときに仕事中の事故で」

さあ、さっさと帰ってくれといった態度で、桂二郎はあけたドアのところでズボンのポケットに両手を突っ込んだままそう言った。廊下には小松聖司がいて、応接室のなかの男に視線を注いだ。

「二十五歳で……。若死になさったんですね。生きていらっしゃれば、私の妹の頭を鈍器で殴ったのが誰なのか、教えてもらえたかもしれないっていうのに。ひょっとして、やったのが当のご本人だったとしたら、知らぬ存ぜぬを押し通されるでしょうが」

呉倫福の言葉を無視して、桂二郎は手で、

「さあ、お帰り下さい」

と示した。

「上原さんのお知り合いの、その当時の中学生と一緒に中華街で遊んでいたというもうひとりの少年のことは、ご存知ありませんか？」

呉は応接室から出て、廊下で立ち止まってそう訊いた。

「知りません」

と桂二郎は、いかにもうんざりしたといった表情と口調で言った。

この男の妹を鈍器で殴った？　殺人という言葉を使ったのだから、その女はそれが原因で死んだと解釈すべきなのであろう。

この呉倫福なる男が四十年近く捜しつづけてきたのは、自分の妹を横浜の中華街で殺した犯人だというわけだろうか。

そして、その犯人かもしれない人間のなかに、俊国の父・須藤芳之も入っているというのか……。

そんな馬鹿なことが有り得るはずはない。

桂二郎はそう思いながら、エレベーターのところへと歩いて行く呉倫福と、彼が社のビルから出るのを見届けるつもりらしい小松聖司のうしろ姿を見た。

呉倫福はふいに振り返り、

「その四十年前中学生だった少年と上原さんとは、どういうご関係ですか?」

と訊いた。

「生きていらっしゃれば、上原さんとほとんど歳は違いませんね。お友だちだったんですか?」

桂二郎はそれには応じ返さず、廊下の奥にある階段へと歩いて行き、五階の社長室に戻った。

突然の見知らぬ来訪者に逢ったのが間違いだったという後悔の念があった。だが、あの呉倫福なる男は、社で面談できなければ、自宅に訪ねて来たであろう。その程度の食い下がり方はやってみせる覚悟を定めた目だ……。

そう思い、桂二郎は不快な気分を変えようと、各支店長の提出した報告書に目を通した。札幌支店の、入社して三年目の社員が今月の最後の土曜日に結婚式を行うということが、報告書の最後に記されていた。

桂二郎は月に一度の本社での全国支店長会議の際、業務報告だけでなく、それぞれの社員たちの身に起こった主だった出来事も報告させることにしている。

その報告のほとんどは冠婚葬祭にまつわることであったが、先月は名古屋支店の入社二年目の女子社員が帰宅の途中でひったくりに遭い、その際、転んで頭を打ったと記されてあり、桂二郎はすぐに見舞いの品を送った。

ことしの正月には、大阪支店の営業部の中堅社員が交通事故を起こし、同乗していた七十歳の母親が膝の骨を折った。

二月と三月には、受験生の子を持つ社員たちの、悲喜こもごもの結果も報告されている。

それらのすべてに社長である桂二郎が反応するわけではなかった。社長就任時から半ば義務化させた各社員の仕事以外での出来事報告に関してプライバシーの侵害を訴える者もいた。

だが、そんな意見もいつのまにか消えてしまい、上原工業という会社の独特の雰囲気――社全体の一種の家族的結束の根幹をなす要因として、社長が古参社員から新入社員に至るまでの私的出来事を、私生活にまったく介入しない形で知っているという暗黙の親密感を作りあげる結果となったのだった。

桂二郎は秘書室に電話をかけた。小松聖司はまだ自分の机に戻ってはいなかった。女子社員に、

「札幌支店の小野正義くんに結婚の祝い金を送っといてくれ」

と言った。

「もちろん、俺のポケットマネーからだ。いま渡すから取りに来てくれ」

桂二郎は財布から一万円札を五枚出し、また報告書に目をやった。

秘書室の女子社員がやって来たので、桂二郎は五万円を渡し、新札と交換してから送ってくれと頼んだ。

女子社員は、五万円を受け取り、

「あのォ……」

と言った。

「社長は、根本理香をご存知でしょうか?」

「根本理香……。ああ、総務部の? 去年、入社した子だな」

「根本さん、全国女子空手道選手権大会の神奈川代表に選ばれたんです。神奈川から全国大会に出場できるのは二人だけですから、つまり彼女は女子空手では神奈川県のナンバー2に入るわけなんです」

「ほう、それは凄いな。彼女、空手をやってたのか……」

いったんしまった財布をまた出しながら、桂二郎は驚き顔で訊いた。根本理香は日本人の若い女のなかではかなり小柄で、社のなかでも目立たない存在だという印象があったのだった。

「神奈川県で二本の指に入る腕前だってのは、そりゃあ強いぞ。たいていの男どもは一撃で倒されるね」

その全国大会は日曜日に行われるので、社の数人で応援に行くのだと女子社員は言った。

「大会はどこでやるんだ?」

と桂二郎は訊いた。

「大阪です。前の晩に長距離バスで行って、帰りは新幹線に乗ります」

桂二郎は、長距離バスは疲れるらしいぞと言いながら、財布から一万円札を五枚出し、

「何人で行くのか知らないけど、食いだおれの街で、何かおいしいものでも食べてきなさい。これだけあれば、タコ焼きが死ぬほど食えるだろう」

と笑った。

女子社員は、両手でうやうやしく紙幣を受け取り、礼を言い、社長に何かおみやげを買って帰って来ますと大きな声でつけくわえ、社長室から出て行った。

「俺の財布から、あっというまに十万円が消えたな」

桂二郎は中身の寂しくなった財布を自分の顔の前で握り、そうつぶやいて、また報告書に目をやった。

小松聖司が戻って来て、呉倫福なる男は、社から出て地下鉄に乗ったと報告した。

「面談の目的は何だったんですか？」

と小松は訊いた。

桂二郎は、かいつまんで男の話を説明し、

「俺が鄧明鴻を捜してることや、その理由を、あの男はどうして知ったのかな」

と言った。

「黄さんのお友だちからそんな話が何人かの人に伝わって、それが廻り廻ってあの男の耳に入ったんじゃないんでしょうか」

と小松は言った。

「横浜の華僑の生き字引みたいな老人が、鄧明鴻さんのことを『あのひとでなし』って言ったわけですから、その老人の口から誰かに伝わった可能性もあるでしょうし……」

「懐中時計を持って来るから、お前、あずかっといてくれ」

「ほんとにお見せになるんですか？」

「見せるだけだよ。あの男から連絡があったら、社に見に来るように言ってくれ。俺はもう逢わない」

小松は、承知しましたと言い、桂二郎の机の上の小さな置き時計を見た。

「昼食はどうなさいますか。一時からT会館で例の会合ですが」

「軽く食べて行くよ。俺は立食パーティーで何か物を食べるのは苦手でね」

社の地下にある喫茶室から、コーヒーとサンドイッチを運んでもらってくれと言い、桂二郎は報告書を机の上に戻した。

午後の一時からは、関東甲信越地区に主要店舗を持つスーパーマーケットの経営者たちを招待しての懇親会があるのだった。桂二郎は、その懇親会で挨拶をし、十数人の経営者に日頃の礼を述べると、会の途中で退席して、すぐに世田谷のS商事の社長宅に行かねばならなかった。S商事の社長夫人の葬儀が午後三時から行われる。

「喪服は車に積んでありますので、T会館で着替えられるようにしておきました」

と小松は言い、社長室から出て行った。

葬儀に参列したら、また服を着替えて、五時から赤坂の料亭でイタリアのM社の社長夫妻と食事をすることになっている。M社はイタリアでは二百年の歴史を持つ調理器具メーカーで、上原工業とは五つの製品の技術提携をしている。

夫妻は十年前も仕事と観光を兼ねて来日したが、その際、夫人の相手を妻のさち子がつとめた。大相撲を観戦し、箱根の温泉に案内して一泊した。さち子が死んだとき、夫妻は長文の心のこもった手紙をくれている。

そしてM社の社長夫妻も、その一年後に娘を交通事故で亡くした。

「殺人か……。中学生が自分の妹を殺したかもなんて、あの男、本気で疑ってるのか？」

桂二郎は、身だしなみの良さとは対照的な、呉倫福の気味の悪い目を思いだしながら、そう胸のなかで言った。

須藤潤介に逢いたくなっていた。総社市の高梁川の畔にもう菜の花は咲いていないであろうが、田圃には水が張られ、稲が植えられる時期だ……。

俊国が引っ越しの作業を終えて、手伝ってくれた会社の同僚と駅の近くにあるイタリア料理店に行ってしまうと、桂二郎は、まだ俊国の部屋に置いたままの自分のパソコンのスイッチを入れた。

電子メールの受信を試みると、二件の受信を示す表示があらわれた。

——やったぜ。

とタイトルに書いてあって。

——ふう、丸一日かかった。でもなんとか私もパソコンを設置したよ。でも、これは店の節子ちゃんに打ってもらっています。

とつづいていた。

本田鮎子からであった。

桂二郎は笑みを浮かべ、もう一件の電子メールをひらいた。

——翠英です。

というタイトルで、

——今朝、母が亡くなりました。あの時計のことも弁償金のことも、話せないままでした。私はしばらくこっちにいて、それから日本に戻ります。

という本文で終わっていた。

お悔やみの電子メールを送ろうかと考えたが、パソコンは翠英のものではないかもしれないので、桂二郎はあえていつもの翠英の電子メールアドレスに返信した。日本に戻って来て読めばいいと思ったのだった。

桂二郎のパソコンは寝室に設置することに決め、パソコン専用の電話回線を新たに引く段取りになっている。工事はあさってらしい。

途中で翠英の電子メールを読んだので、桂二郎は鮎子からの全文に目を通していなかった。

——肋骨の具合はいかが？　私は大腸にポリープが二つみつかりました。

妻を亡くして以来、腫れ物とかポリープとか腫瘍とかの言葉に過敏になっている桂二郎は、眉をひそめて鮎子からの電子メールに目を近づけ、さらに読みにくくなってしまって、老眼鏡をかけた。

世間の五十四歳の男と比べると桂二郎は視力は良く、よほど目が疲れていないかぎりは老眼鏡なしで新聞が読める。けれども、いちおう最も軽い度数の老眼鏡を持っている。新聞の字は読めても、パソコンの電子メールの文字は老眼鏡なしでは読みづらいときがあるのだった。

——たった二泊の入院で済むそうなので、あさっての昼過ぎに病院に行き、翌日の午前、ポリープを取って、その翌日に家に帰って来る予定です。

電子メール、ときどき私にも頂戴ね。女は、若い中国娘だけやおまへんえ。私も自分でキーを打てるように練習するからね。バイバイ。鮎子より。

きょうは土曜日だから、鮎子は週明け早々に入院するのか……。文面から察するに、大腸のポリープは、たちの悪いものではないのであろう……。

桂二郎はそう思い、鮎子に電子メールを返信した。

ポリープ除去を機に、少し体を休めたらどうか。女将が顔を出さない料亭の座敷には花がないが、体調が悪いと知れば客も文句は言うまい。病院から出たら、その足でどこか温泉にでも行って、二、三日何にも考えず、ぼんやりとすごすことを勧める。いいホテルや旅館を何軒か紹介できるが、その世界のことは「くわ田」の女将のほうが顔が利くだろう……。

そんな意味のことを書き、念のために京都から一時間以内で行ける温泉と、自分が気に入っているホテルや旅館の名をつけくわえて、桂二郎はそれを鮎子に送信した。

きのうの朝から急に肋骨の痛みがやわらいだが、油断は禁物だと思い、左の掌で右の脇腹をかばいながら居間へ行った。富子が門扉のところから戻って来ると、いま新川という女性が訪ねて来て、こんなものを渡していったと言いながら、桂二郎の前に一通の封筒を置いた。

封筒の表には「上原桂二郎様」と書かれ、裏には「新川千鶴子」と達筆でしたためられてあった。

「新川……。知らんな。何かのセールスか？」

「いえ、訪ねていらっしゃったのは、この新川千鶴子さんのお嬢さんだそうです。亡くなった母からこれを上原さんに渡してくれって頼まれたのでって」

受け取っていいものかどうか迷っているうちに、その女は足早に駅のほうへと歩いていってしまったと富子は言った。

桂二郎は封を切って、中身を出した。小切手と手紙が入っていた。小切手の額面は二百二十万円だった。

「どんな女だ？　どんな服を着てた？」

そう訊きながら、桂二郎は玄関へと走り、サンダルを履いた。

年齢は三十歳前後。紺色のパンツスーツを着ていた……。

富子の声を聞きながら、桂二郎は門扉を乱暴に押し開き、駅へと走った。

「新川」という姓に覚えはなかったが、「千鶴子」という名と、二百二十万円という金額には思い当たる節があった。

駅の手前で紺色のパンツスーツを着た女に追いつき、桂二郎は声をかけた。

自分は上原桂二郎だと名乗り、これは受け取ることはできないと封筒を突き出し、桂二郎は、二十六、七にも見えるし、三十二、三にも見える細面の、どことなく気弱そうな女を不安がらせないように、息を弾ませたまま無理に笑みを作った。

「千鶴子さんて、依田千鶴子さんですよね」

と桂二郎は言った。

「はい。旧姓は依田です」

と女は困ったような表情で答えた。

「亡くなったって、いつです？」

桂二郎の問いに、ちょうど二週間になると女は言った。

「あなたは千鶴子さんのお嬢さんだそうですが、お名前は？」

「緑です。漢字一字の緑……」

「ここで立ち話もなんですから、あそこでコーヒーでもいかがですか」

桂二郎はパン屋の隣にある喫茶店を指さした。

「はい。申し訳ありません。突然、ご自宅にお訪ねして」

と新川緑は言い、母からあずかったこの封筒を渡すだけの用事だったので、直接、お目にかかるつもりはなかったと、なんとなく震えているような声でつづけた。

「封筒のなかに何が入ってるのか、緑さんはご存知なんですか？」

桂二郎は喫茶店へと歩きながら訊いた。新川緑は、はいとだけ答え、桂二郎の二、三歩あとをついて来た。

喫茶店に入ると、桂二郎は道路に面した席に緑と向かい合って坐り、コーヒーを二つ註文して、それからやっとまだ読んでいない千鶴子からの手紙を読んだ。

――お仕事、ますます順調なご様子、とても嬉しく思っています。お借りしたお金、お返しするときがとうとうやってまいりました。もっと長生きをしたかったという気持ちと、自分はもう充分に生きて、疲れて、そろそろ休みたいという気持ちとが交互にせめぎ合っていますが、いまはとても平安な心の中にいます。ありがとうございました。どうかお元気で。新川（依田）千鶴子。――

桂二郎はそれを読み終えると、自分は確かに三十年前、あなたのお母さんにお金をご用立てしたが、それはお貸ししたのではなく、いろいろな事柄を含めてのお礼のつもりだったので、返していただく必要はないのだと緑に言った。そして、あなたはお幾つかと訊いた。

「二十九です」

と緑は答えた。

「お母さまは、たしか五十……」

と桂二郎が言いかけると、

「五十四歳でした」

そう緑は言い、ハンドバッグから出したハンカチで、隠すようにして掌を拭いた。緊張して手に汗をかいているのかと思いながら、

「そうですね。私とおない歳でしたからね」

と桂二郎は言い、もう一度、あえて強い口調で、

「これは、いくらあなたのお母さまの遺志だといっても、私は受け取れません」

と封筒を新川緑の前に突き出した。

「故人のご遺志に反して誠に申し訳ないのですが、これは千鶴子さんが私に返す必要のまったくないお金です。お気持ちだけで、私はあなたのお母さまのお人柄のすばらしさに、陳腐な言い方ですが、いま深く感じ入っています。私は、断固、このお金は受け取れません」

そして桂二郎は、自分は二十四歳のとき、あなたのお母さまに仕事のことでとてもお世話になったのだと言った。

「千鶴子さんは、私からこのお金を借りたと解釈なさっていたようですが、私は仕事をしてもらったことへの当然の報酬としてお渡ししたつもりなんです」

「母は、どういうお金なのか、私にはひとことも話しませんでした。いまの二百二十万円も大金ですけど、三十年前の二百二十万円は……。私にはちょっとその貨幣価値がわかりませんが、とても大金だったと思うんです。二十四歳の母が、二百二十万円も頂戴できるような仕事って、いったいどんな仕事だったんですか?」

緑にそう訊かれて、桂二郎は咄嗟に納得させられるだけのうまい作り話が浮かばなかった。下手な嘘をつけば、知らなくて済むことをこの娘は知ってしまう……。

「私が父の会社を継いだのは三十三歳のときですが、いずれは跡を継ぐことに決まっていたのです。ですから、大学を卒業してから、自分の父の仕事に関連のある業種に就職しましたが……」

話しながら、桂二郎は、さあどんな作り話をでっちあげようかと慎重に考えをめぐらせた。

この二百二十万円は、桂二郎にとっても、上原家にとっても、つまるところ千鶴子との手切れ金だったのだとは決して明かすことはできなかった。

「そのころ、まだ社会に出て二年しかたっていない私は、まァつまり、若気の至りの功名心というやつで、勤め先にも、自分の父の会社にも、いいところを見せたくなって、当時まったく取引のなかった二つの会社に取引関係を結ばせようとしたんです。それで失敗して……。そのとき、あなたのお母さまに助けてもらいました」

この作り話には無理があるな……。そう思いながらも、桂二郎は嘘をつきとおすしかあるまいと決めた。

新川緑が二十九歳であるとわかったとき、桂二郎のなかに胸騒ぎとしか言いようのないものが生じていたので、二百二十万円という金の性質について、かえって余計な説明をしなければならないと慌てたのだが、冷静に考えてみれば、それだけの金額に見合う仕事をしてもらったから支払ったのであって、返す必要はないとあえて不親切に言えばよかったのだと桂二郎は後悔した。

「……そうですか」

緑はそう応じただけで、二十四歳のときの上原桂二郎が冒した失敗についても、自分の母親がその際いかなる助けをしたのかも訊いてはこなかった。

「緑さんのお母さまには、お兄さんがおひとりいらっしゃったと記憶してますが……」

桂二郎はそう言いながら、千鶴子の兄とは到底思えないダニかヒルを思わせる細い三白眼の、いやに太い血管が腕や手の甲に浮き出た男のたたずまいを脳裏に描いた。

「母の兄ですか?」

と緑は訊き返し、少し考えるような表情で、運ばれてきたコーヒーを見つめ、

「もう随分前に亡くなりました。たぶん私が二歳か三歳のときだと思います」

と言った。

若死にした伯父がいるという話は耳にしたことがあるが、なにぶん顔も覚えていないうえに、母のアルバムにはその人の写真は一枚もないし、思い出話のなかにも、母は自分の兄についてはまったく語らなかった気がする……。

そんな意味のことを喋り、緑は桂二郎を見つめた。少し緊張が解けてきたのか、肩の線が柔らかくなり、それが本来のものらしい優しそうな目が、緑を二十四、五歳に見せていた。

千鶴子の兄は死んだのか……。それも二十七、八年も前に……。どうせろくな死に方ではあるまい……。

桂二郎は、ほっとして、この二百二十万円が、兄に悟られることなく千鶴子の夢に役立ったことを何物かに感謝する思いがこみあがってきた。

「いまも、あの新橋のお店はあるんですか?」

と桂二郎は訊いた。

「はい。ママはいなくなりましたけど、父がバーテンとして、またきょうからお店に出ることになりました。母が死んでから、ずっとお店を閉めてたんです。自分ひとりでは、もうあの店をやっていく気力がないなんて言ってたんですけど、たくさんのお客さまから再開するようにって励ましてもらって、やっとその気になったんです。これからは、私もときどきお店を手伝おうかと思っています」

そう言ってから、緑は、

「新橋のお店にお越し下さったことはおありなんですか?」

と訊いた。

「いや、とうとう一度も行かないままでした」

近くにまで行ったことはあるが、それは千鶴子のバーを捜してではなく、他の用事で近くを通り、たしかこのあたりに彼女のバーがあるのだなと思いながら、桂二郎は、無意識のうちにそのバーからできるだけ遠ざかろうと歩を速めたことが二、三度あった。

「母が新橋でお店を持つまでは、給食会社に勤めていたらしいんですが、上原さんの会社とお仕事でのおつきあいがあったんですか?」

と緑は訊いた。

「私と千鶴子さんとは、おんなじ会社に勤めてたんです。あなたのお母さまは高校を卒業して就職しましたから、私とは歳が同じでも、会社では四年も先輩ということになります」

千鶴子のあの兄は、もうとうの昔に死んでいたのだとわかって、桂二郎のなかから警戒心は薄らぎ、そのせいかいつになく多弁になっていた。

それに気づくと、桂二郎はコーヒーカップを持ち、それを口に運ぶことで喋るのをやめた。

「お店の常連さんのなかには、上原工業の社員の方が五人ほどいらっしゃいます」

と緑は初めて笑みを浮かべて言った。

「ほう、そうですか」

「みなさん、もう二十年来のお客さまです。母のお葬式にも来て下さいました。母の山歩きのお仲間でもあったそうなんです」

五人も……。それも二十年来の馴染みだということは、四十歳以上の社員だな、と桂二郎は考えた。

「これからはときどきお店を手伝おうかと思ってるって、さっき緑さんは仰言いましたが、いままではまったくお店を手伝ったりはしなかったんですか？」

という桂二郎の問いに、緑は自分は建築設計事務所に勤めているのだと答え、ハンドバッグから名刺入れを出した。

〈小倉勇策建築設計事務所・一級建築士　新川緑〉と刷られてあった。

「一級建築士……。ほう、二十九歳で一級建築士の免許を得るってのは、かなり優秀ですね。それに小倉勇策さんといえば、たいていの人が知ってますよ」

「いまは建築家としてよりも、テレビタレントとしてのほうが有名ですけど」

と緑は言い、居を正すと、封筒を再び桂二郎の前に差し出した。

「どんな事情かはわかりませんが、私は母から頼まれたんです。これを上原桂二郎さんに確かにお返ししてくれるようにって」

「いや、受け取れません。受け取る理由のないお金です。たぶん、三十年前、お母さんはなぜか勘違いをなさったんでしょう。これはいつか返さなければならないお金だって。

でもそれは違います。このお金は、新川千鶴子さんが受け取るべき正当な報酬です」

桂二郎は、そう言って封筒を緑のほうに押し戻した。

社員たちから、じろっと睨まれると身がすくむと陰で言われている自分の「怖い顔」を、桂二郎はさらに怖くさせようとして、緑を睨んだ。

この二百二十万円を上原桂二郎は断じて受け取らないと緑に観念させたかった。

緑は困った顔で、意外なくらい長く桂二郎を見つめ返した。その目には臆したところがなかった。

「はい、わかりました。母は残念がるでしょうけど、このお金、私が持って帰ります」

と緑は言い、OL時代の母は、どんな女だったのでしょうかと訊いた。

「一見、かぼそくて頼りなさそうなんですが、芯の強い、頭の回転のいい、仕事のできる女性でしたよ」

と桂二郎は言った。

「だから、バーのママにおさまった千鶴子さんを一度見てみたかったんですが、とうとうその機会がなくて……」

そう微笑みながら言って、桂二郎は緑の生年月日を知りたいと思った。

千鶴子と最後の体の関係をもったのは、たしか五月の半ばあたりだったと記憶している。そのときは、すでに二人は別れる方向へと進まざるを得ないことを覚悟していた。

千鶴子の母の再婚相手には、千鶴子よりも二歳上の男の子がいた。それが竜郎という血のつながりのない兄で、十五歳のときに万引きで補導され、高校を一年で中退してしまうと、こんどは傷害事件を起こした。

千鶴子は、新しい父も、そんな兄も嫌悪して、高校を卒業すると静岡から上京し、大阪を本社とする給食会社東京支店の経理部に就職した。

そのころには、義理の兄は静岡を拠点とする暴力団の組員になっていたという。社の人事部は、そんな女を雇いたくはなかったが、断るに断れない何らかのコネが千鶴子にはあったらしい。

千鶴子は三年間経理部に勤めたあと、各企業の社員食堂を請け負うための部門へと転属した。千鶴子は競争も烈しく、旧習とか担当者と業者との癒着の多い学校給食の分野での開拓に努力し、女を武器にして仕事をしているのではないかと陰口をたたかれるほどの実績をあげた。

ちょうどそのころ、桂二郎は大学を卒業して千鶴子の勤める会社に就職し、二年目に東京勤務となって同じ部署に配属されたのだった。

桂二郎は、自分のほうから格別に千鶴子に惹かれたという記憶はない。うぬぼれではなく、千鶴子のほうが自分に強く思いを寄せてきたと思っている。

誰かの送別会のあと、夜の新宿の街で他の社員たちとはぐれてしまい、桂二郎は千鶴子と二人きりになってしまった。それで飲み直そうということになり、どこかのバーで帰りの電車がなくなるまで飲み、酔ったなりゆきで最初の関係をもった。千鶴子は桂二郎が初めての男であった。

なるようになるだろう……。桂二郎は千鶴子と自分とのことに対して、その程度の考え方をしていた。熱く惹かれるものはないが、女としては並以上で、なによりも気立てがいい……。つきあっているうちに、二人のあいだで熟すものがあれば、結婚してもいいが、こちらから積極的にそれを求めるという気にもなれない……。桂二郎の千鶴子への思いは、言葉にすればそのようなものであった。

だが、男女の仲になって一年近くがたったころ、千鶴子の兄が桂二郎を訪ねてきた。見るからにその筋の男とわかる風態と人相で、どうやって調べたのか、桂二郎が上原工業の跡を継ぐらしいということも知っていた。

妹をどうするつもりかと竜郎は慇懃な口調で訊き、これから俺と上原さんとは義兄弟だと何度もしつこく言った。その義兄の出現で、桂二郎は千鶴子に対して及び腰になり、到底、結婚の対象としては考えられなくなってしまった。だが、それからも桂二郎と千鶴子の関係はつづき、桂二郎の父の知るところとなった。

父親の勘というものだったのかもしれないが、桂二郎の父は千鶴子について事細かく調べ、あの女を上原家の嫁として迎えることができない以上、もうこのへんで決着をつけるようにと命じた。

商売女と遊んでも金がかかる。血のつながりはないとはいえ、戸籍上では兄であるあの男のこれまでの行状を考えれば、そう簡単に別れられるとは思えない。

女と話し合って、慰謝料という形で金を払え。金を払ってこちらの誠意を示したという証拠さえあれば、あとはいくらでも打つ手がある……。金を払って別れるということが肝要だ……。

弁護士と相談しての結論だと父は言った。

桂二郎も、そうするのが最善の策だと思った。父から聞かされた竜郎の行状は、桂二郎が生きてきた世界の尺度では量りようのないほど悪辣なものだったのだ。そのような人間を兄に持つ女とは別れるしかない。女には何の罪もないが、先の長い人生を考えれば、渡り切れない橋を渡り始めるなどという愚は冒せない……。

桂二郎は正直に自分の考えを千鶴子に伝え、いかにも金持ちの御曹司のやり方だが、別れるために必要な金額を提示してくれと頼んだ。

千鶴子は意外なほどに冷静に桂二郎の話を聞き、十日ほどの猶予をくれと言った。

その言葉どおり、ちょうど十日目に、千鶴子は、

「新橋にお店が売りに出てるの。もうお役所とか教育委員会とか、保健所とか、そんなところを相手に苦労するのやめたいし、いまの会社にもいたくないから、そのお店を買うお金を用立てて下さい」

と言った。

金額は二百二十万円だった。

それが多いのか少ないのか、桂二郎にはわからなかった。大卒の初任給が四万円くら

いの時代だった。

その新橋の店は、戦後に、ある女性がバーとして開店したもので、千鶴子は経理部で働いていたころ、夜、週に三日、そこでアルバイトをしたのだという。ホステスのいるクラブ形式のバーではなく、バーテンとママだけの小さなバーだが、ママは去年大病をして、店を手離したがっている。バーテンさんの腕はいいし、人柄も良く、質のいい常連客もついている。バーの経営などまったくの素人だが、蓄えた金も多少はあるし、二百二十万円がそこに加われば、自分の店として開店することができる……。

義理の兄のことで心配や迷惑をかけて申し訳ない……。千鶴子はそう言って、桂二郎に頭を下げた。

頭を下げて詫びなければならないのは、この意気地なしの自分のほうだ。桂二郎はそう言って、千鶴子に深く詫びた。その夜、別れの儀式のように、どちらからともなく、いつも使っていたホテル街へと歩いた。

それからすぐに千鶴子は会社をやめた。

とりわけ親しかった同僚や上司に開店の案内状が届いたのは、一年半後だった。

そしてそれ以後ついに一度も、千鶴子からは音信はなかったし、たぶん押しかけてくるだろうと覚悟していた義理の兄も姿をあらわさなかった。

「緑さんのお父さまは、開店以来、新橋のお店でずっとバーテンをなさってるんです

「はい。父は、いまのお店がまだ『キャメル』っていう名前だったころからバーテンをしてたそうなんです」

という緑の言葉で、そうだ「キャメル」という名だったなと桂二郎は思った。千鶴子に店を売った女は、アメリカ製のキャメルという煙草しか吸わないので、店名も「キャメル」としたのだと、千鶴子が言ったな、と。

「お父さまはお幾つですか？」

「六十三です」

緑は封筒をハンドバッグに入れた。千鶴子とそっくりの指だなと思いながら、

「お母さまはどんな病気で亡くなられたんですか？」

と桂二郎は訊いた。

「乳癌でした。三年前に手術をしたんですけど……」

腕時計に目をやり、緑はこれから仕事があるのでと言って立ちあがった。

「仕事……。建築の設計のほうですか？」

「はい。あしたのお昼までにやってしまわないといけない仕事が手つかずのままで」

と言い、緑は何度もお辞儀をして喫茶店から出て行った。


か？」

と桂二郎は訊いた。

桂二郎が家に帰ると、引っ越しを手伝ってくれた同僚に駅近くのイタリア料理店でご馳走してきた俊国が段ボール箱を自分の部屋に運んでいた。

「俺のパソコン、お前の部屋から外してもいいよ」

と桂二郎は言い、まだ腹はへっていないので、自分はあとでひとりで食べると富子に告げて、寝室へ行った。

休日、家にいるときは、食欲があろうがなかろうが六時きっかりに富子と一緒に夕食をとるのが、妻の死後、決まり事のようになっている。

「お体の具合でも……」

と富子が訊いたが、桂二郎は返事をせず寝室のドアを閉めた。

――お金なんか要求して、ごめんね。

最後の夜、千鶴子はそう言ったのだった。

なにを言う。お前が要求したのではない。俺の父が、別れるにあたっては何らかの形ある誠意を示せと厳命したからだ……。

桂二郎はそう言い返したが、千鶴子は自分の義理の兄の出現が、この金を桂二郎から引き出す結果になったのを恥じていた。

それでもなお、二百二十万円という金は、新橋に店を持つためには、どうしても必要な金だった。

あのとき、「貸す」とか「借りる」という言葉は、俺と千鶴子とのあいだではただの一度も出なかったはずだと桂二郎は思い、ベッドにあお向けになって横たわった。千鶴子は馬鹿ではない。それどころか、一を聞いて十を知るといったところがあって、別れ話があの義理の兄の出現によるものだと知ると、上原家の考え方は当然だと理解し、あっさりと身を退いた。千鶴子自身、あの兄にはそれまで何度も自分の道をさえぎられてきていた。

だから、二百二十万円が、あとくされなく別れるための手切れ金であることは、暗黙のうちに千鶴子にもわかっていたはずなのだ。

それなのに、自分の死に際して、これはお借りしたお金だから返しておくようにと娘に言い残していった……。

それには何か大きな含みがあるのではないのか。緑という娘の存在を上原桂二郎に教える……。

「二十九歳か」

桂二郎は何度も、二十九歳、二十九歳と胸のなかでつぶやき、新川緑の顔を脳裏に甦らせた。

やはり生年月日を訊いてみるべきだったと思ったが、考えてみれば、それは緑にとっては奇妙な質問であるにちがいない。

桂二郎は学生時代の友だちで、いまは大阪で開業医をしている大木田雄市に電話をしてみようかと思い、寝室の窓ぎわに置いてある机の引き出しから、仕事関係以外の知人の住所と電話番号を書いてある手帳を出した。

「たとえば五月一日に性交渉があったとしてだな……」

大木田が電話に出るなり、桂二郎はそう切り出した。

「そのときのことで、つまり……妊娠したとしたらだよ、子供が産まれるのはいつごろになるんだ？」

桂二郎の問いに、大木田は太い声で笑い、

「おい、出来たのか？　相手は若いんか？　ええなァ、上原桂二郎、五十四歳で若い女を妊娠させる、かァ……。奥さんに先立たれたのは不幸やけど、自由な身になれたのはご同慶の至りやで」

と言った。

「いや、俺のことじゃないよ。ちょっと医学的知識として知りたいだけでね」

桂二郎も笑いながら言った。大木田は、

「五月の初めかァ……。えーっと」

そうつぶやいて計算をしているかのようにしばらく小声で数をかぞえ、

「二月やなァ」

と言った。

「二月のいつと正確な数字を出すには、その女の最終月経が始まった日から割り出すんやけど、それも正確やあらへん。予定よりも早く産まれることもあるし、その逆の場合もあるからなア。しかし、早産でないかぎりは、二月や。来年の二月」

「そうか、二月か……」

「おい桂二郎、お前、来年の二月には五十五歳やなァ」

「いや、だから、俺のことじゃないんだって」

そのまま礼を言って電話を切ってしまうわけにもいかず、桂二郎は大木田雄市の近況を訊いた。

「来週、白内障の手術をするんや」

と大木田は言った。長年、内視鏡で患者の検査をしてきたが、その際の内視鏡のための光が強いために、白内障にかかる医師や検査技師は多いのだという。

「職業病や。まあ、それに、来月、初孫が産まれる。女の子やっちゅうことはわかってるんやけど、男やろか女やろかと、あれこれ考えたり、家族でどっちかに賭けたりしてた昔が懐かしいなァ」

「息子さんのほうかい？　それとも娘さん？」

「息子の嫁のほうや。娘はまだ独身や。ことしの末に三十になるっちゅうのに、韓国の伝統芸能の研究で一所懸命や。一年のうち十ヵ月は韓国に行っとる」

桂二郎も自分の近況を少し話して電話を切ると、

「二月……」

とつぶやき、

「三月の初旬の場合もあるんだな」

そうさらに胸の内で言った。

緑が父と呼ぶ男は、前の経営者の時代からそのバーでバーテンをしていたというが、自分と千鶴子が別れたころ、千鶴子には別の男とのつきあいはなかったはずだ……。

このような疑念は解決しなければならない。ひょっとしたらと思いながらも放置しておく事柄ではない。

新川緑の生年月日をどうやって調べようか……。

思案しながらも、桂二郎の心には、自分を見つめる緑の、いま思えば奇妙なほどに深い目が繰り返し甦っていた。

居間に戻ると、富子はメモ用紙に、夕飯のおかずの温め方を書いて帰ってしまって、俊国の部屋からはモーツァルトのピアノ協奏曲が聞こえていた。

このような私的な問題を秘書の小松聖司に相談し、新川緑という女の生年月日を調べてもらうわけにはいかない……。

そう考えているうちに、桂二郎は自分には真の友人というものがいないことに気づいたが、葉を閉じたねむの木の鉢植えを手に持って、その小さな木全体が合掌しているかのようなさまに見入り、

「いや、俺にはひとりだけ親友がいるよ」

と微笑みながらつぶやいた。

「くわ田」の女将・本田鮎子の、沈思黙考しながら正確な歩調で前へと歩いているかのようなゴルフ場での姿が浮かんだ。

あしたは日曜日だが、ある旧知の財界人の末娘の結婚披露宴に招かれている。その娘は、女子大を卒業してから三年間、上原工業に勤めたことがあるので、桂二郎はかつての勤め先の社長として祝いのスピーチをすることになっている。

披露宴は午後一時からだから、どんなに長びいたとしても夕方五時の新幹線には乗れるだろう……。

鮎子が病院に入院するのは、あさって。あしたは「くわ田」も休業日だ……。

大腸にポリープができているのならば、体調も良く食欲もあるという状態ではあるまい。それに、たったの二泊といえども、女が入院するとなれば、いろいろと準備も多いことだろう……。

桂二郎はどうしようか一時間ほど迷いつづけてから、鮎子の下鴨の自宅に電話をかけた。

「どうして大腸にポリープがあるってわかったんだ?」

という桂二郎の問いに、

「年に一回、私も含めて、『くわ田』の従業員全員が人間ドックで検査してもらうねん。それでわかってたん」

そう答えて鮎子は、だが何の自覚症状もないのだとつづけた。

「いやになるくらい食欲はあるし、ここ何日かは誘眠剤のお世話にならんでもよう眠れるし……」

「ちょいと思いも寄らなかったことが、我が身辺に出来してね」

と桂二郎はいい、受話器を耳にあてがったまま再び寝室に入ってドアを閉めた。

「あした、午後から予定があるんだけど、夕方の新幹線に乗れると思うんだ。五時頃に乗れたとしたら、京都に着くのは八時前だけど、その頃、時間をとってくれないかなア」

「わざわざ京都まで来るの?」

何事だろうと驚いた様子だったが、鮎子は理由を訊かず、高台寺の近くにあるお茶屋風バーの名を言った。

そこは鮎子につれられて二度行ったことがあるが、何軒かの名の知られた料亭が並ぶ一角のちょうど裏側にあって、細い路地が入り組み、外観はどれも古い仕舞屋で、看板も出していない店が多く、京都の祇園の近くで迷い子になるのもよかろうと思い、けれども、桂二郎は迷わずに辿り着ける自信がなかった。

「じゃあ、その店に八時半に着くようにするよ」

と言って電話を切った。

しばらくそのまま寝室の窓ぎわから、庭を見つめ、玄関の横だけでなく、家の東側の壁に沿って妻が植えた蔓バラの、目に沁みるような盛りの花々に目をやりつづけた。

さち子と結婚したいと言ったときも、父は反対したなと桂二郎は懐かしさとともに思い浮かべた。

「お前が気にいる女にまともなのはいないな」

父は、さち子が夫に先立たれて、二歳の男の子がいると聞くと、あきれ顔でそう言ったのだった。

「どうして上原家の息子が、子づれの女を女房にしなきゃあならんのだ。お前にふさわしい独身の女は他に幾らでもいるだろう」

「本人に逢いもしないで、何がわかるんです？」

「お前は見た目はなんとなくしっかりしてるようだが、精神年齢は十五、六歳だ。お前、自分の子ではないその二歳の男の子の父親になれる自信はあるのか」

「あります。自分の子のように愛せます」

「馬鹿な！　メロドラマの主人公みたいなこと言うな！」

だが、父は、結局さち子に逢ってくれて、

「意外と掘り出し物かもしれんな。お前みたいな甘ちゃんには、若くして夫を不慮の事故で喪くして、つらい思いをくぐり抜けてきたあんな女が向いてるかもしれんな」

と言ったのだった。

父は、二歳の子をつれたさち子と一緒に食事をして、父独特の人間観で、さち子を評価したのだが、それがどのような評価であったのかは、桂二郎には喋らなかった。

さち子との結婚に、父よりも烈しく反対した母を説得したのも、父だった。どのように説得したのか、それも桂二郎は知らない。

さち子の、何もかもテンポがずれているような、おっとりした話し方や物腰と、天性に具わった清潔感は、幾つかの小さな欠点など不問に付さざるを得ないだけの、人間としての豊かさを感じさせて、多少なにかにつけて意地悪な視線で観察する姑や上原家の縁者たちをたちまち気の置けない仲良しへと変えてしまった。

「親父には、お世話になったなァ」

と桂二郎は蔓バラを見つめながら、つぶやいた。父を理由もなく憎悪し、ことごとく反発した時期もあったし、そんな時期が過ぎ去ってからも、うちとけて話をすることもなかったが、いまになってやっと父の力というものがわかる……。

その父が会社としての上原工業の基礎を築いてくれたが、自分はシェアの拡大と、さらなる安定経営というところに心血を注ぎ、父の代からの社員を大切にして、多くの社員が豊かな人生をおくれる会社にしたという自負がある。

だが、事業というものには何が待ちかまえているかわからない。転がる石に苔はつかないという言葉があるが、上原工業もそろそろ人心を一新する時期であろう。思い切った人事異動をしよう……。

小松聖司は秘書として優秀だが、彼の今後のためにも、最もシェアと販売力の弱い支店で営業の苦労をさせたほうがいい。

小松のあとは、……営業本部の雨田を秘書室に異動させて、社長と常に行動をともにする仕事を三年ほど体験させよう……。

仕事のことに思いが移ると、桂二郎の心は静かになった。

寝室にやって来た俊国が、

「あれ？　まだ晩ご飯、食べないの？」

と訊いた。

「なんだか食欲がなくってね」

そう答えたが、食欲がなくても食べたほうがいいと思い、台所に行くと桂二郎は富子が皿に盛ったおかずを電子レンジで温め始めた。すると、俊国が、

「さっき、喫茶店にいた女の人が、あの中国人なの？」

と訊いた。

友だちをイタリア料理店でご馳走したあと、場所を変えてコーヒーでも飲もうということになり、パン屋の近くの喫茶店のドアをあけたら、父と若い女とが話し込んでいたので、これは遠慮したほうがよさそうだと思い、駅の裏手に新しく出来た喫茶店に行ったのだという。

「いや、謝翠英さんじゃないよ。俺の昔の知り合いのお嬢さんだ。その人が亡くなったことをわざわざしらせに来てくれたから、コーヒーでもご馳走しようと思って、あの喫

茶店に行ったんだ」

と桂二郎は電子レンジのなかを見つめたまま言った。

「いい女だなァって、友だちが言ってたよ」

「そうかな。いい女か……。とりたてて美人てわけじゃないと思うけどね」

「きれいだよ。いまどき珍しいよ」

「珍しいって、何が？」

「古風な顔立ちって言ったらいいのかなァ……。知的だし、身につけてるものも落ち着いてて、センスがあるし……。つまり、ちゃらちゃらしてないって感じで。まァ、ちらっと見ただけの感想だけど……。あの人、歳は幾つ？」

「二十九だって言ってたな」

「お父さん、なんだか最近、身の周りに若い女が集まってきてるんじゃないか？」

「集まってくるって……、謝翠英さんと、さっきのお嬢さんだけだろう。さっきの人は、喫茶店で少し話をしただけだ」

なんとなく風向きが悪くなりそうな気がして、桂二郎は、電子レンジで温めたおかずをテーブルに運びながら、

「さっきのお嬢さんがいい女なら、お向かいの氷見(ひみ)留美子さんと比べて、どうだい？」

と微笑みながら俊国をひやかしてみた。俊国が氷見留美子に自分の名を偽ったことはずっと桂二郎は胸にしまったままだった。

「十年前のひと目惚れの相手と、さっきのお嬢さんとは、お前の目からはどっちがきれいだ?」

「あっ、いやなこと思い出させるなア」

そう言って苦笑し、俊国は桂二郎のためにアサリの味噌汁を温めてくれた。

「彼女、あの手紙のことなんか覚えてないよ。当然だよね。もう十年も前のことだし。覚えられてたら、俺、この家に帰ってこられないよ。恥ずかしくて顔を合わせられないからね」

「いまのは答えになってないな」

さらにひやかすように笑顔を向け、桂二郎は、さっきのお嬢さんと氷見留美子とを比べたら、お前はどっちに惹かれるかと訊いた。

「うーん。やっぱり氷見さんだな」

と俊国は照れ臭そうに答え、桂二郎のヒュミドールをあけて、どれか一本喫っていいかと訊いた。

「初心者には、どれがお勧め? フィリピン産のタバカレラはこの前喫ったから、ハバナシガーがいいな」

「じゃあ、モンテクリストのプチコロナかな。マイルドだよ」

桂二郎は、葉巻を一本出して、パンチカッターで吸い口を切ってやり、

「火は丁寧に満遍なくつけるんだぞ。着火で手抜きをすると、葉巻ってのは、どんな上

等のものでも二束三文になるからな」

と言った。

そして、

「そうか……。いまでも氷見さんを素敵だと思うのか」

と俊国を見て笑った。

「氷見さんが、またあの家に引っ越してきて、びっくりしただろう」

「びっくりしたよ。心臓がどきどきしちゃった。それからすぐに佐島さんの事件があっただろう? あのときはもう駄目だと思って観念しかけたけど、彼女、俺の顔なんか覚えてなくて、ほっとしたよ」

「そりゃあ、十年もたってるんだ。十五歳の子供が十年たったら、顔も変わるしなァ」

「でも、彼女は変わってないよ。十年前よりもきれいになったなって思っちゃった」

「ほう……。でも十年前のひと目惚れの相手をまだ思いつづけてるってわけじゃないだろう?」

桂二郎の問いに、

「当たり前だよ」

と俊国は答えたが、桂二郎は息子の本心を見逃さなかった。

ほう、いまでも好きなのか……。そう思ったが、口にはせず、遅い晩飯を食べ始めた。

翌日、結婚式の披露宴に出席したあと、新郎の控え室で式服からジャケットに着替えさせてもらい、桂二郎はほぼ予定どおりの時間に東京駅から新幹線に乗った。

ホームまで見送りに来た小松聖司は、帰りの新幹線の到着時刻をしらせて下されば、ホームでお迎えしますと言って、桂二郎の乗った新幹線が動きだすまで立っていた。

京都駅に着き、タクシー乗り場へと歩いていると携帯電話が鳴った。小松からだった。

「無事にお着きになりましたか？」

「着いたよ。そんなに心配してくれなくても……。俺も子供じゃないんだから」

桂二郎は笑いながら応じ返し、京都に行くといつも泊まるホテルの予約は取れたかと訊いた。

「はい。取れました。いつもと同じ部屋だそうです」

桂二郎は礼を言って電話を切り、タクシーに乗ると、高台寺まで行ってくれと頼んだ。

京都市内の道はすいていて、約束の八時半よりも三十分早く高台寺の門前に着いたので、桂二郎は日曜日なのに意外に人通りの少ない石畳の道を、ときおり立ち止まったりしながらゆっくりと歩いた。

「くわ田」で食事をするときは、いつもタクシーで通過してしまう道だったが、奥まった場所にも門構えの立派な料亭があったり、高台寺参詣の人々のための、いかにも京都らしいこぢんまりした食堂があったりして、

「へえ、この家も食べ物屋さんか……」

とつぶやき、桂二郎はそのたびに店のなかをのぞき込んだ。

「くわ田」へと曲がる道を通り過ぎ、黒塀の、それも料亭らしい数奇屋造りの建物の横の路地を折れて、さらに細い石畳の道へと曲がり、さてこんどの道の左へと行くのか右へと折れるのかどっちだろうと思いながら歩を運ぶと、右へと曲がる道のところに鮎子が立っていた。そこは街灯の光の届かない場所だったので、桂二郎には鮎子の姿が見えなかったのだった。

「静かだねェ。目と鼻の先に祇園があるなんて思えないな。これ、みんなお茶屋風のバーなのかい？」

よほど注意して捜さないと看板がみつからない仕舞屋ばかりなので、周辺の家々を指差して桂二郎は訊いた。

「お茶屋さんもあるねん」

Tシャツの上に夏物のジャケットを着た鮎子は、おそらくこのまま進めば行き止まりであろうと思える左側の路地を指差して言った。

「あそことあそこは、古いお茶屋さんや」

そして鮎子は、桂二郎も名前だけは知っている歌舞伎役者の名を口にして、

「あのお茶屋さんの女将は、その役者さんのこれ」

と小指を立てた。

「若いときは、女の私でもうっとりするくらいきれいな芸妓はんやってん。もうじき七十になりはるねん」

その歌舞伎役者がお茶屋の女将と愛人関係になったのは、彼がいまの妻と結婚する五年も前なのだと鮎子は言い、路地の暗がりを指差したまま、その手を大きく廻した。

「罪深い人らばっかりや。この路地の向こうは……」

と微笑んだ。

「京都では『ろじ』じゃなくて『ろーじ』って言うんだったな」

桂二郎はそう言って、ジャケットを脱ぎ、その胸ポケットからシガーケースを出して、葉巻をくわえた。

「俺も罪深いことをやったかもしれないんだ」

その桂二郎の言葉に、

「いつ?」

と鮎子は訊き、路地の突き当たりから二軒目の格子戸の家に入ると、

「おかあさん、こんばんは」

と挨拶した。

狭い三和土(たたき)で履き物を脱いで畳の部屋にあがると、奥の六畳の間をバーに改装した日本間があり、低いカウンターにはすでに二人分のコースターと、桂二郎のためらしい葉巻用の灰皿が置いてあり、その前に二つの夏物の座蒲団が敷いてあった。

どうやらきょうは休みだったのだが、鮎子に頼まれて店をあけてくれたのだなと思いながら、桂二郎はカウンターの向こうの襖(ふすま)からもうじき七十歳になるという女将が笑顔

で出てくるのを見つめた。

「いやあ、ごぶさたでんなァ」

祇園の芸妓の名が染めてある丈夫そうな団扇でおいでくれながら、女将はそう言い、クーラーを入れたらいいかどうか迷っているのだと賑やかな声で笑った。

「入れたら寒いし、入れへんかったら蒸し暑いし、お二人が来はってから決めよと思て」

もうじき仕出し屋から弁当が届くが、その前にビールはいかがか……。女将はそう言って、ビールを運び、襖の向こうに消えた。

鮎子が好きだという中京区の仕出し屋の弁当は、出し巻き玉子がうまくて、桂二郎も好きだった。

「いいねェ、あの弁当。昼間からフランス料理で、夜はさっぱりしたものが食べたかったんだ。腹が減ったから、新幹線のなかで何か食べようかと思ったけど、もしかしたらあの弁当にありつけるかもって考えて我慢したんだよ」

と桂二郎は言った。

鮎子は桂二郎のグラスにビールをついでくれながら、

「どんなことが桂ちゃんの身に出来したん?」

と訊いた。

すべてを包み隠さず説明したころ、仕出し弁当が届いたので、桂二郎は再び姿をあらわした女将に冷酒を頼んだ。

砕いた氷を入れた小さな檜(ひのき)の桶に、ギヤマンの徳利が斜めに差し込まれて運ばれてきた。

切り子ガラスの猪口(ちょこ)にそのよく冷えた酒をついでくれて、

「私がその千鶴子さんやったら、どうしたやろ……」

と考えこみながら言った。

「どうもお前の父親は、上原桂二郎のようだって、告白するかどうかってことかい？」

桂二郎も鮎子が酒を飲めないとわかっていながらも、猪口に酌をしながら訊いた。

「うん、それも勿論あるけど、上原桂二郎と円満に終わったあと、すぐに他の男はんと深い関係になるやろか……。女はその点に関しては、男が想像してる以上に動物的やから……」

と言い、とにかく新川緑の生年月日を知ることが先決であろうという自分の考えを述べた。

「その気になったら、興信所を使うてすぐに調べられるやろ？　そやけど桂ちゃんは、結果がわかるのが怖い……。そやろ？」

「まあ確かに怖いといえば怖いけど、そんな子供みたいなことは言ってられないからな」

そして桂二郎は、千鶴子が自分と別れて日を置かずに将来の夫となった男と体の関係を持ったとしたら、千鶴子自身にも、お腹の子がいったいどっちの男を父としているのかわからないのではないのかと言った。

「たとえば、きのうAという男と寝て、あしたBと同じことをしたとすれば、さあどっちなのか、女にはわかるものかい？」

「そんなん、わかれへんわ。わかるはずがないやんか。私にはそんな経験はないけど……。ただ……」

「ただ？」

と桂二郎は訊き返し、手酌で冷酒をついだ。

「もし、どうにもわからへんかったら、私は産めへんわ」

「堕ろすってことかい？」

桂二郎の問いに頷き返し、

「罪なことやけど、たいていの女は、そうするんとちがうやろか」

珍しく、冷酒を「おいしい」と言って飲み、さらについでくれるようにと切り子細工の猪口を桂二郎の前に差し出し、鮎子は、どんなお嬢さんだったのかと訊いた。

「桂ちゃんに似たとこがあった？」

「うーん、母親の面影は確かに受け継いでたね。だけど、俺に似てるかどうか、俺にはよくわからなかったなァ」

「怖い顔やった？」

鮎子はそう訊きながら笑った。

「剛直な線は、あの子の顔のどこにもなかったね。それどころか、目鼻立ちの何もかもが柔らかいって感じだったよ。関西に『はんなり』って言葉があるだろう？ その言葉の正確な意味はわからないけど、『はんなり』した顔だったよ。顔だけじゃなくて、全体がね」

「もし、父親が上原桂二郎やってわかったら、どうするのん？」

と鮎子は訊いた。

「あの子の母親が、お前の父親は、もしかしたら上原桂二郎かもしれないってことを最後まで言わなかったとしたら、俺が自分の感傷で余計なことをしないほうがいいだろうな」

と桂二郎は言い、新川緑の、自分を見つめていた目を思い浮かべた。あの目は、何かを伝えようとしていた……。そんな気がしてならないのだった。

「さち子さんと結婚してから、何回浮気したの？」

その鮎子の訊き方があまりにもさりげなかったので、

「三回、……いや四回かな。一晩だけの相手だったらもう二、三回。顔も覚えてないけどね」

と桂二郎は正直に言ってしまい、仕出し弁当のなかの、からすみを食べた。

「いちばん長かったのは？」

と鮎子は訊き、祇園のクラブにいた女の名を口にした。

「彼女とは三ヵ月で終わった。二人だけで逢ったのは三回だけだ。彼女、いまどうしてる？」

もう十五年も前のことだったので、その女の顔立ちを正確に思い出せなかったが、皮膚が厚かったという手の感触は覚えている。

「先斗町で小料理屋をやってるわ」

と鮎子は言った。

「いちばん長くつづいたのは一年間だよ。あとは、半年で終わったのと、八ヵ月で別れたのと……。みんな、向こうが言い寄ってきたんだ」

その桂二郎の言葉に、

「あほくさ」

と言って鮎子はあきれ顔で見つめた。

「さち子さんが知らんかったと思てるの？」

「さあ、どうかなア。俺は、ばれないように細心の注意をはらったつもりだけどね」

「さち子さんは、えらい奥さんやった……」

その鮎子の言葉で、

「そうか……、ぜーんぶ、ばれてたのか」

とつぶやき、

「まあ、どれも浮気とも言えない、たいしたことのない、小さな出来事だよ」

桂二郎はそう言って、また鮎子の猪口に酌をした。

「女とそうなるときってのは、俺の場合、必ず酒に酔ってるね。それも並の酔い方じゃない。ろれつが廻らなくなるくらい酔ってるときだよ。それで、女のいる店で飲むときは、酒を控えるようになったんだ」

ご飯を少なめにしてある仕出し弁当を食べ終わるころには、三合入るというギヤマンの徳利を二本あけていた。

女将は、二人の話が終わったころを見はからって、もう四十年も使いつづけているという「ぬか床」で漬けた漬物を大皿に盛って、カウンターに置いた。

なすび、きゅうり、かぶら、ごぼう、白菜……。桂二郎はそのほとんどをひとりで食べてしまった。

「私は、あしたのお昼過ぎに入院して、夕方の五時に夕食をとって、それから夜の九時ごろに下剤を大きなコップに一杯飲んで、夜どおしかかってお腹のなかをすっからかんにして、あさっての朝の十時ごろから、下のほうから何かを入れられて、ポリープを取るねん。そやからきょうは、このお弁当だけで充分」

鮎子はそう言って、うんざりしたような顔で苦笑した。

「下からって?」

と桂二郎は訊いた。

「そんなこと、女性に訊かんとき。人間の体には出口と入口とがあるやろ?」

「ああ、なるほど」

ポリープの切除に要する時間は、だいたい三、四十分らしいと鮎子は言い、

「しあさってのお昼に退院したら、桂ちゃんの忠告に従って、三日ほどのんびりしてくるつもりやったけど、その日、十三人の予約がさっき入ってん。大事なお客さんやから、私がお座敷に出えへんわけにはいかんから……」

そう溜息混じりにつぶやいた。

「どこでのんびりするつもりだったんだ?」

桂二郎の問いに、三河湾の島にあるホテルの名を言うと、鮎子はひときれだけ残っていたかぶらの漬物を頰張り、いい音をたてて嚙んだ。

そして、

「その緑さんが、自分の娘やったらええのにって、ひょっとして思てるんとちゃうのん?」

と訊いた。

「冗談じゃないよ。そんなことになったら大変だ」

「何が?」

「何がって、上原家が大変だ」

少し大袈裟に困惑の表情をつくって答えたが、何がどう大変なのか、桂二郎にもわか

らなかった。もし新川緑が、自分と千鶴子とのあいだにできた子だったとしても、だから何がどうなるというものではない。自分が我が子だと認知すれば、将来、遺産の問題が生じるであろうが、そんなことは知ったことではない。遺された者たちでなんとかするだろう。

桂二郎はそう思った。

そんなことよりも、千鶴子が本当のことを緑に教えないまま死んだとしたら、自分も緑に真相を告げるべきではない、というのが常識的ではあろう。それとも真実は明かされなければならないのか……。

その選択のほうが自分に大変な精神的労苦をもたらすであろう……。

「きっと俺の子だ……。桂ちゃんにはねエ、そんな勘がはたらいてるのよ。人間のそういう勘て、当たるねん」

と鮎子は言った。

「そうでなかったら、わざわざ京都まで足を運んで、私に相談なんかせえへん……」

「何言ってるんだよ。五十四歳になって、突然、昔別れた女とのあいだにできた娘があらわれて歓ぶ男なんているもんか。何かののっぴきならない事情で、生木を裂かれるようにして別れた女とのあいだにできた子じゃないんだよ。もし俺の子だったらどうしようって、さすがにうろたえたよ。新川緑さんの生まれたのが、二月や三月じゃなくて、その年の十月とか十一月とか十二月あたりだと、どんなにほっとするだろうって、なんだか祈るような思いだよ」

　桂二郎はそう言いながらも、鮎子が指摘したような気持ちが、たしかにわずかながらも自分のなかにあると思った。

　無論、自分にとっては厄介な事柄の出来にはちがいない。だが、その厄介なことは、まさに自分が撒いた種であって、新川緑という娘の罪ではない。

　そして自分は千鶴子という女を、潔い、あっぱれな女だと思っている。

　当時の貨幣価値がどの程度のものだったのかは忘れたが、二百二十万円という額は決して法外なものではない。

　あのころの知り合いが郊外に土地付きの家を買ったが、たしか七、八百万円だったと記憶している。いまなら五、六千万円は下らないだろう。

　千鶴子は自分の生きる道を自分で決めて、そのために必要最低限の金額を求めたのだ。それ以上のものは求めなかった。

　もし、別れたあとに妊娠していることがわかれば、普通の女なら、そのことを連絡してきて、二百二十万円をご破算にして、あらためてそれ相応の金額を求めるであろう……。

　そしてこれはじつに手前勝手ではあるが、あの新川緑が底意地の悪さを内に秘めた、品のない、人間として貧相なところを感じさせる娘であったら、自分の困惑は並大抵のものではなかったはずだ……。

桂二郎はそう思い、もう一本、冷酒を註文した。

鮎子と別れてホテルへ行ったら、バーでスコッチを飲んで葉巻を喫おうとも思った。久しぶりに飲みすぎて、あした死ぬほどの二日酔いにかかろうとも、それはそれでいいではないかと思った。

「桂ちゃんは、その緑さんていうお嬢さんを、すごく気にいったのよ」

そう鮎子は言ってから、

「彼女の生まれた月を調べて、どう計算しても桂ちゃんの娘では有り得ないことがわかったら、いま私らがこうやってひそひそと話してることって、大笑いやわ」

とおかしそうに笑った。

お茶屋風のバーを出ると、石畳の暗い路地を歩いて、桂二郎と鮎子は大通りへとゆっくり歩を運んだ。

「若い女の体への荒ぶる思いは鎮まった?」

と鮎子が訊いたので、

「いや、いまもくすぶってるさ」

と桂二郎は答えた。

「男五十四歳て、そういうお年頃なんかな?」

鮎子はそう言いながら、わざとらしく体を寄せてきたが、すぐにこらえきれずに笑いだし、逃げるように二、三歩桂二郎から離れた。

「うん、俺はいまいやらしいおじさんだよ」

と桂二郎は言った。

「さち子さんが生きてたら、新川緑さんのこと、こんなふうになんとなく気楽に相談でけへんやろね」

「そりゃそうさ。さち子がいないから、俺も落ち着いてられるんだ。さち子が生きてたら『大変だァ』なんてもんじゃないよ」

タクシーを停め、桂二郎は鮎子の家のほうへ先に行こうとしたが、鮎子は、それでは遠廻りになりすぎるので、ホテルの前で桂二郎をおろしたら、そのままこのタクシーで家へ帰ると言った。

「内視鏡で見るかぎりは、良性のポリープやけど、それでも切除したものを精密検査するから、ほんとの結果は十日ほどかかるそうやねん。そのころには肋骨のひびも治ってたらええのに……」

「ゴルフかい?」

「うん。また黄忠錦さんと桂ちゃんとの三人でゴルフしたいわ」

「一週間で完全に治るかなァ。仮に治っても、俺はまだ当分はゴルフ場に行きたくないんだ」

「なんで?」

「レッスンプロについて、ちゃんと半年か一年、練習して、それからコースに出たいんだ。俺みたいなゴルフセンスのない五十男でも、一年間、プロに学んで練習をつづけたら、多少はましになるかもしれないだろう？　いまの俺のゴルフじゃあ、ゴルフの神様に失礼だし、ゴルフコースにも失礼だよ」

ホテルの玄関で桂二郎はタクシーから降り、鮎子に礼を言った。

「十三人の大事な客が帰ったら、旅の用意をしろよ。いまの鮎ちゃんにとって一番大事なのは、とにかく休むことだよ。心も体も休ませる。なーんにも考えないで、海を見て、温泉につかって、眠りたいときに眠り、食べたいものを食べて、ぼけーっとしてる。いいね？　約束だぜ」

その桂二郎の言葉で、鮎子はタクシーの窓から手を出し、指切りを求めた。

「うん。そうする。約束ね」

桂二郎は鮎子と指切りをして、ホテルに入り、チェックインの手続きをすると、部屋に案内しようとするボーイに、バーで飲みたいのでと断り、着替えを入れた小型のアタッシエケースを渡した。

「これを部屋に運んどいて下さい」

そう言って、桂二郎はバーに行き、カウンター席に坐ると、スコッチの水割りを頼んだ。

「氷なしで、冷たいミネラルウォーターだけで割ってもらおうか」

誰かの視線を感じて、カウンターの奥に目をやると、これまで座敷に三回ほど呼んだことのある祇園の若い芸妓が桂二郎とさほど歳の違わない男とカクテルを飲んでいた。

目が合うと、芸妓は男にわからないように右目をつむってから、桂二郎にそっと会釈を送ってきた。

桂二郎も同じように会釈し、ジャケットの内ポケットから葉巻入れを出し、コイーバのシグロIIの吸い口を切って火をつけた。

葉巻は、最初の一センチから二センチのあいだは、エンジンにたとえるとアイドリングなのだと桂二郎は思っている。その葉巻の本当のうまさが出てくるのは、そこから残り五センチまでのあいだだという桂二郎なりの原則があるのだった。

立ちのぼっていく葉巻の煙を目で追いながら、桂二郎は千鶴子の顔を思い浮かべようとした。けれども、目は目だけ、鼻は鼻だけ、唇は唇だけ、というふうに部分的には鮮明に甦るのだが、それらが合わさってひとつの顔とはならなかった。

甦ってくる部分を合体させて、千鶴子という女の顔をすべて思い描こうとすると、像を結ばないどころか、部分までが消えていってしまう。

母の代わりに、これからは自分が店に出なければならなくなりそうだと新川緑が言ったことを思い出し、桂二郎は、近いうちに一度そのバーに行ってみたいなと思った。

だが、上原工業の社員の何人かが馴染み客ならば、自分がそのバーに足を向けるのはやめたほうがいいと考え直した。仕事を離れて、一日の疲れを癒しに訪れるバーに社長が来るとなれば、その何人かの社員の足は遠のくであろう……。

桂二郎は、自分は前々から六十歳で会社の経営から身を退こうと考えていたことに思いを傾け、もし本当にそうするのなら、そろそろ俊国か浩司かを上原工業に入社させなければならないと考えた。

あと六年しかないのだ。

しかし、浩司は大学を卒業して就職したばかりだし、俊国もまだ二十五歳……。

「六十歳で引退は無理かな……。どっちが跡を継ぐにしても、せめて三十五、六歳までは他人の飯を食って、サラリーマンの悲哀ってのを味わったほうがいい。そのほうが本人にとっても上原工業にとってもいい……」

桂二郎はそう胸のなかで言った。

「あと十年、俺はリタイアはできないってわけだ……」

だが、仕事から離れたら、いったい自分には何が残るのか。

「五十四歳にもなって、人生の楽しみ方をまるで知らないんだから、俺はなさけないやつだよ」

桂二郎は、また胸のなかでそう言った。

すると、ふいに「約束」という言葉が何の脈絡もなく浮かんだ。さっき別れ際に鮎子が指切りをしながら「約束ね」と言ったからかもしれなかった。

たしか、千鶴子も最後の夜に「約束」という言葉を使ったような気がすると桂二郎は思った。

どんな約束だったのか……。

桂二郎は、コイーバ・シグロⅡの味わいが深くなったころ、久しぶりに煙を肺に入れたが、刺激が強くてむせそうになり、スコッチの水割りを飲んだ。

千鶴子は、あの二百二十万円が脅迫まがいの行為によって上原家としては出さざるを得なかったと思い込んでいた。この金を受け取ることは自分の本意ではないと何度も言った。そして自分が、義理の父と兄にどんなにひどいめに遭わされてきたかを語った。

自分が大学へ行くために用意してあった金が義理の兄に勝手に引き出されたとき、こんな男の父親と再婚した母を、どんなに恨んだかしれないとも言った。

やがて新橋に自分の店を持ったことを義兄はつきとめるだろう。そしてまた寄生虫のようにつきまとって金を騙し取ろうとするだろう。

あるいは、上原桂二郎からもっと金をせしめようと、さまざまないやがらせをするかもしれない。けれども、私はあの血の通っていない兄と断固闘う。私は、私に他に好きな人ができたので、上原桂二郎に頼んで別れてもらったのだと言い張りつづける……。

千鶴子が言ったその言葉は、あえて思い出そうと努めなくても桂二郎の記憶に残っていた。

だからそれは千鶴子があえて交わした「約束」ではない。だがたしかに千鶴子は「私、約束するわね」と言ったのだ。

その約束とは何だったのだろう……。

桂二郎は、思い出せない自分がまどろこしくて、スコッチの水割りをお替わりした。

芸妓とカクテルを飲んでいた男が席を立ち、部屋のキーを持ってバーから出て行った。

芸妓は小走りで桂二郎の横に来て、両手を胸のところで合わせながら、

「内緒どすえ」

と笑顔で言った。

「旦那に密告するかもしれんぞ」

桂二郎も笑顔で言い、了解したというふうに小さく頷いた。芸妓は男を追ってバーから出て行った。

最近の若い芸妓は隙(すき)だらけだなと桂二郎はいささかあきれながら思った。祇園の芸妓が、祇園と目と鼻のさきにあるホテルで男と密会している……。たちまち旦那の耳に入るであろうことを考慮していないのだろうか……。祇園という世界は狭くて、とりわけ男と女に関する隠し事は一夜のうちに気づかれてしまうのだ……。

あの芸妓の旦那は、九州で手広く商売をしている男だったな……。

桂二郎はそう思いながら、二杯目のウィスキーを飲んだ。

興信所に依頼した新川緑に関する調べは、三日ほどで桂二郎のもとに届いた。

緑の生年月日と、父親の氏名、そして「しんかわ」というバーについての二、三の事柄だけで、身辺調査は依頼しなかったので、結果は郵便でしらせてくれればいいと伝え

てあったのだった。

緑は、桂二郎が千鶴子と別れた翌年の二月二十七日に生まれていた。父親は新川秀道だが、秀道と千鶴子が夫婦として入籍したのは、緑が生まれる、二ヵ月ほど前だった。

「しんかわ」というバーは、もともとある人物の所有する三階建てビルのなかにあったのを、千鶴子が買った。客筋が良く、バーテンの秀道と、ママの千鶴子の二人だけで店をきりもりしてきて、女の従業員は一度も雇ったことがない。

夫婦二人で営むショットバーで、オムレツやジャガ芋料理に人気があり、他には野菜サラダを出す程度だ。もう十数年、無借金経営がつづいていて、客の大半は中堅のサラリーマンで、あとは数人の作家や編集者、建築家や商業デザイナーなどが混じっている。

新川緑はイギリスの大学に現役で合格し、建築学科を卒業して、帰国後、最初は公園とか保育園、幼稚園の建築を主とする会社に勤め、二十六歳のとき一級建築士となり、いまの会社に移った。

緑が直接手がけた仕事は、ある地方都市の小劇場と、山陰地方の美術館で、現在は某宗教団体が開設しようとしている美術館のプレゼンテーションに、何人かのチームの一員として参加している。

事務所での評判は良く、「ミードン」という愛称で呼ばれている。特定の恋人はいないようだ。吉祥寺の一軒家で父親と二人暮らしをしている……。

報告書には、その吉祥寺の住所も添えられていた。

二月二十七日……。

桂二郎は、ポリープを無事に除去して、十三人の大事な客の宴席も終えた「くわ田」の女将は、もう旅に出ただろうかと思い、鮎子の携帯電話にかけてみようとした。

そのとき、秘書室の小松から電話がかかった。

「いま例の男から電話がありました」

と小松は声を小さくさせて言った。

「これからあの懐中時計を見に来るそうです。社長は留守だと言ってあります」

「うん。よろしく頼むよ。俺の机の上には書類が山積みだ。全部に目を通すのに三、四時間はかかりそうだな」

桂二郎は電話を切り、再び鮎子の携帯電話の番号を押しかけてやめた。

もし旅に出ているとすれば、この上原桂二郎が相談事をもちかけるのはよくないと思った。

何も考えず、海を見て、温泉につかって、ぼーんやりするようにと言ったのは、この俺だからな。そう桂二郎はひとりごちて、

「ミードンか……」

とつぶやいた。

他人からうとまれていたり、嫌われていたりすれば、「ミードン」などという愛称で呼ばれたりはすまい。

桂二郎はそう思い、生まれた日が二月二十七日ならば、鮎子の言葉をもってすれば、新川緑の父は上原桂二郎ということになると考えた。

男がいうところの「女の恐さ」や「魔性」なるものを千鶴子も持っていたとしても、鮎子の考え方のほうが理にかなっている。そして自分が知るかぎりにおいては、千鶴子という女は、だらしない女ではなかった。それどころか、いささか己に無理を強いているのではと思えるほどの気位があった。

桂二郎は、社長室の天井を見つめ、さあ、自分はどうするべきかと考えているうちに、千鶴子が最後の交わりのあとに、かすれるような声で言ったひとことを思い出した。この二百二十万円を必ず自分にとって生きたお金にしてみせると言ったあと、

「こんなお金を受け取ったかぎりは、私は上原桂二郎という人に生涯迷惑をかけないわ。私、約束するからね……」

そうだ、あのとき千鶴子は「約束」という言葉を使ったのだ。

桂二郎はそれに気づくと、その千鶴子の言葉に対して自分がどんな言葉で応じたのかを思い出そうとした。けれども、それはまったく記憶からは消えてしまっていた。

いまはDNA鑑定というやつで、親子かどうかがかなりの確率で判定可能だという。だが、そんなことを新川緑に要求できるものではない。

桂二郎はそう思い、興信所からの報告書を机の引き出しにしまうと、営業本部や、商品管理部からの報告書に目を通した。

一時間ほどたったころ、小松から電話がかかり、社長室におうかがいしてもいいかと訊かれた。

「いいよ。あの男、来たのか？」

「おみえになりました。いまお帰りになって、地下鉄に乗りました。いちおうそこまでは見届けてきました」

と小松は言い、二分もたたないうちに、布に包んだ懐中時計を持って社長室へやって来た。

「あの呉倫福って人、まあ穴があくほどこの壊れた懐中時計を調べてました」

「それで？」

「このパテック・フィリップの懐中時計は、自分が思っていたものと相違はないと言って、カメラに収めていきました」

「カメラ？」

「ええ。カメラを持参してたんです。二十枚くらい撮りましたねェ。なかに刻印されてる数字とか、蓋の模様とか。それから……」

「それから、どうしたんだ」

「これを盗んだ少年の名を上原さんに訊いておいてもらいたいとのことでした」

「俺は知らんよ。これを盗んだ少年の名前なんて、俺が知ってるはずはないさ」

「はい。こんど電話がありましたら、そうお伝えしておきます」

小松は布に包んだ懐中時計を桂二郎の机に置き、社長室から出て行きかけた。

桂二郎は小松を呼び止め、

「米子支店で苦労してみないか」

と言った。

桂二郎は、すでにそのことを役員たちに相談して了解をとってあった。

「米子支店ですか……？」

小松聖司は、冷静を努めようとしていたが、驚きとか困惑とかの表情が一瞬のうちに細かく動いた。

米子支店は、上原工業の製品のシェアが最も低く、同業のT社の製品が市場の六十パーセントを占めていて、社内では「流人島」と呼ばれる支店であることは桂二郎も知っている。

T社の創業者が米子出身であり、その弟は地元の県会議員で、量販店や小売店の多くは、その県議の後援会員でもある。

「人事他言すべからずだ。お前の後任は営業本部の雨田くんを考えてるんだ。雨田くんには、営業本部長から、あす話をしてもらう」

「はい。他言しません」

「正式な内示は今月末になると思うが、準備しといてくれ」

T社の山陰地方での、とりわけ米子を中心とした鳥取県でのシェアは強固で、それは島根県や山口県にも及んでいる。

「逆転してこいとは言わんが、うちの製品のシェアを倍にして帰って来てくれよ」

「私はどういう立場で米子支店へ赴任するんでしょうか？」

と小松は訊いた。

「いまのところは、支店長代理ってのを考えてるが、夕方、役員と相談してからだな。最初から支店長として行ったら、お前が少々つらすぎるからな。あそこには古参の社員が五人いるしね」

「はい。頑張ります」

小松は一礼して出て行った。

桂二郎は、小松聖司が家を買ってまだ二年だということも、妻君が老人介護施設に勤めていて、娘がまだ幼いことも知っている。

営業本部長に電話をかけようとすると、桂二郎の直通電話が鳴った。黄忠錦からだった。

「いつ台湾からお帰りになったんです？」

と桂二郎が訊くと、三時間ほど前に自分のマンションに着いたと黄忠錦は言った。

「とても体にいい茶を手に入れましてね。薬茶です。コレステロールとか中性脂肪が正常値になりますし、茶としてもおいしいんです。たくさん手に入れて日本に持って来ましたので、ぜひ上原さんにもと思いまして。これを常飲してると血管の病気とは無縁でいられます」

「それはありがとうございます。そんないいお茶なら、今夜からでも飲みたいですね」

そう言って、桂二郎は「呉倫福」という男をご存知かと訊いた。

そして、呉倫福の名刺に刷ってある社名や住所などを読んで聞かせた。

黄忠錦は、しばらく考えていたが、

「それはたぶん呉見明でしょう」

と言った。

「呉見明のほうが本名です。幾つかの名前を使い分けてましてね。ときには日本名を使ったりもします。彼がどうかしましたか？」

桂二郎は、呉倫福が突然訪ねてきたことや、その目的を黄忠錦に説明した。

「殺人？」

黄忠錦はそう訊き返し、

「四十年前に呉の妹が殺されたなんて話、私はいま初めて聞きましたね。私の横浜の中華街についての記憶のなかに、そんな事件はありませんが、丁大老に訊いてみましょう」

と言った。

丁大老とは、横浜の中華街の生き字引的存在だと、以前黄忠錦が口にした老人らしかった。

「でも丁大老もかなり記憶がぼやけてましてねェ。病気をして以来、すっかり老けちゃって」

いずれにしても放っておかれるのが賢明であろうと黄忠錦は言った。

「呉は、悪い評判も、いい評判もない男です。物静かで、言葉遣いや身なりも、いつもきちんとしてますが、人を寄せつけないところがあります。だから、周りの者も彼を寄せつけません。一年のうち十ヵ月は台湾にいます」

そう言って、黄忠錦は話題を変えた。

「北海道に私の好きなゴルフ場がありまして、そこの支配人とは友だちなんです。北海道には梅雨がありませんし、七月に入っても涼しいので、ゴルフ旅行でもいかがと思って、きょうはお誘いの電話をかけたわけです。肋骨のほうも、もう治るころだろうと思いまして」

桂二郎は、ゴルフについての自分の考えを黄忠錦に話し、

「九月の末か十月の半ばあたりに、多少はうまくなった私を誘って下さい」

と言った。

すると黄は、おそらく半年後には自分はゴルフの出来ない体になっているであろうと言った。

「癌はしつこいですね。おとなしくしてた肝臓の癌がとうとう暴れだしたようです。医者は手術を勧めません」

札幌から近いそのゴルフ場は、これまで一回だけプレーしたことがあって、とても気にいったので自分もメンバーになりたいと思ったほどだ。またいつかもう一度ここでプレーしたいと思ったとき、いやそれは自分の人生の最後のゴルフに取っておこうと考え直したのだ……。

黄忠錦はそう言った。

「私と上原さんと本田鮎子さん、それに幼馴染みの呂。この四人で最後のゴルフをしたいんです。私にとっては最高のメンバーです」

桂二郎は、二度の大手術を乗り越えた黄忠錦という人間は、こんども甦るに違いないと言おうとしてやめた。

黄の静かな口調には、そういう言葉を跳ね返してきそうな何かが感じられたのだった。

それで桂二郎は、

「十月になって、またそのゴルフ場に行こうって、元気な声で誘って下さるに決まってますよ」

と言い、日を決めてくれと頼んだ。

「七月一日ってのはいかがですか?」

黄忠錦の言葉で、桂二郎は自分のスケジュール帳を見た。

来客が二組予定されていたが、それは相手との相談で変更可能だった。

「七月一日に札幌へ行って、翌日ゴルフをして、三日に東京に帰るプランをたてて ますが、上原さんにも鮎子さんにもお仕事があるでしょうから」

「いえ、その前日に外せない会議がありますが、私も一日と二日と三日はあけておきます。ゴルフにご一緒させていただきますよ」

桂二郎が鮎子には自分のほうから連絡してみると言うと、黄忠錦はさっきすでに鮎子の携帯電話にかけたのだと言った。

「留守番電話になってましたので、手短かに用件を吹き込んでおきましたら、すぐに折り返しお電話を下さいまして、おつきあい下さるということでした。鮎子さんは上原さんには自分から電話をかけてみると仰言ったんですが、こんなお誘いは私がしなければいけないと思って……。飛行機やホテルの手配は私におまかせ下さい」

黄は、あしたから三日間入院すると言って電話を切った。

桂二郎は椅子から立ちあがり、ゆっくりとゴルフのスウィングをしてみた。最初は小さく、次に少し大きく。ひびの入った骨よりも、これまで動かさなかった筋肉のほうが痛かった。

今夜、病院に行って診察してもらおうと思いながら、桂二郎は小松に電話をかけ、七月一日から三日間、休みをくれと言った。

「北海道でゴルフだ」

「えっ！　大丈夫ですか？　肋骨のほうは」

「いまスウィングしてみたけど、ナイスショットだったね。痛むようだったらコルセットをはめてゴルフをするよ。余計な動きができなくて、かえっていいかもしれん」

「そうです、そうです。変に体重移動なんかさせないで、コンパクトに腕だけで振るんです。社長は腕っぷしが強いですから、それだけで充分飛びますし、ボールも曲がりません」

「お前、ゴルフに詳しいんだなァ。ゴルフなんか死んでもやらないって言ったんじゃないのか」

「いえ、西崎部長の言葉の受け売りです」

小松は社で最もゴルフの上手な営業第二部の部長の名を口にして誤魔化した。

「お前、左の人差し指の第二関節のところにタコができてるだろう？　あれはグリップを強く握りすぎてるんだって、西崎が言ってたぞ」

桂二郎は笑いながら言った。

小松聖司はしばらく返答に窮していたが、

「はい……。正直に申し上げます」

と声をひそめて言った。

「社長に内緒で、私はひそかにゴルフの練習を始めておりました。それも、だいぶ前からです。もう少し練習してから社長に報告するつもりでした。すみません」

「へえ、やっぱりなァ……。俺にはあんなに固く誓ったのにな。ゴルフは一生やりませんって。裏切りだね」

「そんな……。でもご安心ください。私、ぜんぜんうまくなっておりませんので。このあいだの土曜日に親戚のおじさんにコースにつれて行ってもらいましたが、六十七と六十六でした。ボールを五つなくしました」

「勝手にうまくなったらいいだろう。俺は心配なんかしてないよ」

桂二郎は笑いながら話題を変えた。

「新橋に『しんかわ』ってバーがあるんだ。そこへちょっと行ってみたいんだけど、仕事のふりをして、お前、つきあわないか」

サラリーマンを主な客とするバーならば、夕方の五時過ぎには店をあけるだろうと桂二郎は見当をつけて、自分の社の誰かが来ないうちに、緑の父親を見てみたいと思ったのだった。

「そこにはうちの社の何人かも馴染み客で飲みに来るらしいんだ。俺は社員とバーで顔を合わせたくないから、早いうちに行って、さっさと店から出たくてね」

小松は、なぜ桂二郎が「しんかわ」というバーに行くのかを訊こうとはせず、

「ショットバーでしたら、早いところでは四時ごろから店をあけたりします」

と言った。

「うん、ショットバーだと思うな。女が客の相手をするバーじゃないらしいからね」

「四時半ごろに、そこに行くっていうのはいかがですか？　もしまだ開店していなかったら、どこかで待っていればいいことですし。ショットバーは、たいてい五時ごろには

店をあけるもんだと思います」

「よし。そうしよう」

電話を切ると、桂二郎は報告書に目を通した。すぐに携帯電話が鳴った。鮎子からだろうと思って出ると、電波状態が悪くてすぐに切れた。だが、最初に聞こえた「もしもし」という声は予想どおり鮎子のものだった。

五分ほど待つと再び電話がかかってきた。こんどは鮎子の鮮明な声が聞こえた。三河湾にあるホテルに来ているのだという。

「海の見えるテラスからは電波の状態が悪いから、部屋に帰って来てん」

と鮎子は言い、黄忠錦から連絡はあったかと訊いた。

「さっき、ゴルフのお誘いを受けたよ。ゴルフのクラブ、軽く振れる程度だろうけど、お招きにあずかることにしたよ」

「人生最後のゴルフやなんて……」

鮎子も黄忠錦からその理由を説明されていた。

「そやけど黄さんはしぶとい人やから、また元気になりはるわ。人生最後のゴルフがこれから十回くらいあるかもしれへん」

その鮎子の言葉に、

「うん、そうだな」

と応じはしたが、桂二郎は、北海道でのゴルフが、やはり黄忠錦の人生最後のゴルフになるような気がした。

そのことを最もよく知っているのは、当の黄忠錦なのだ。彼の話しぶりには、覚悟といった悲愴感もなく、悟りなどというどこかうさん臭いものも感じられなかったが、どこまでも静かで深い何物かがあったと桂二郎は思った。

「黄忠錦さんを知る人が、俺の周りに何人かいてね、俺が黄さんと親しいとわかると、彼の人となりや事業家としての人徳とかを話してくれた。黄さんを悪く言う人はいないよ。みんな何らかの形で黄忠錦さんのお世話になったことがある。在日華僑として生きた黄忠錦さんの奮闘ぶりに鼓舞されつづけた人もいるんだ。なかなか大変な人生だったらしい。そんなことはおくびにも出さないけどね」

そして桂二郎は、

「新川緑は二月二十七日に生まれてたよ」

と話題を変えた。

再び机のなかから興信所の報告書を出し、

「父親は新川秀道さんで、緑が生まれる少し前に依田千鶴子を入籍してる」

「えらいこっちゃ」

鮎子の笑いのこもった声が聞こえた。

「ほんとだ。えらいこっちゃ、だね」

詳しくは逢ったときに話すと桂二郎はいい、ひさしぶりの休暇はどんな具合かと訊いたが、詳しく話せるものはいまのところ何ひとつないのだった。

「お天気がええから、海がきれい……」

と鮎子は言った。

「なーんにも考えんと、つかりたいときに温泉につかって、お昼寝して、って思うんやけど、今夜の『くわ田』にお越しになるあのお客さまは生の魚がお嫌いやったなア、とか、別のお客さまは糖尿病やから、カロリー計算して、おいしいものをちょっとずつ、とか考えて、つい店に電話をかけそうになってしまうねん」

「ちゃんとわかってる仲居や板長が、そのへんは心得てるよ。まかせとくことさ」

桂二郎はそう笑いながら言った。

ドアがノックされ、小松が、車の用意ができたことを伝えた。

「北海道で逢いましょうってやつだな」

桂二郎はこれから出かけるのでと言って電話を切ると、興信所の報告書を二つに折って、背広の内ポケットに入れ、社の玄関の前で待っている車に乗った。

「きょうは、なんだか朝から都内の道が混んでるそうです」

と小松は言い、それでも四時半には充分に新橋界隈に着くはずですよねと運転手の杉本に同意を求めた。

「もし店があいてたら、五時過ぎには出て来るよ。長居はしないから」

と桂二郎は杉本に言った。

小松は新橋の「しんかわ」というバーの電話番号を捜し、さっき電話をかけて開店時間と場所を訊いておいたと言った。

「たぶんご主人だろうって感じの人が出てきまして、JRの新橋駅からの道順を教えてくれました。開店は四時半だそうです」

だが小松は、なぜ桂二郎が「しんかわ」に行こうとしているのかという理由をまったく訊かなかった。桂二郎にとっては、小松のそういうところも信頼の理由となっている。

興信所の報告を読んで、衝動的に「しんかわ」に行ってみたくなったのだが、車が新橋に近づくにつれて、桂二郎はなぜ自分がこんなことをしているのかわからなくなった。

「しんかわ」の経営者であり、千鶴子の夫でもある新川秀道という人物を見てみたくなったのがいちばんの理由だが、なぜ見たくなったのかも、桂二郎は明確に自分自身を納得させる言葉をみつけられない。

新川緑の話しぶりから、桂二郎は千鶴子が死を目前にして、上原桂二郎という男に二百二十万円を返済しようとしたことは、夫にも隠したりはしなかったのであろうと推測していた。

千鶴子の夫は、三十年前の二百二十万円がいかなる性質の金であるかを知っているのではないのか……。

そう思うと、やはり桂二郎は新川秀道という人間を自分の目で見てみたくなってきて、車が渋滞しているさまに苛立った。

新橋駅から徒歩なら十分ほどのところに「しんかわ」はあった。

「一方通行ですので、私はこの駐車場でお待ちしてます」

杉本は言い、車を有料駐車場の前で止めて、ドアをあけた。

「なつかしいなァ。昔、よくこのあたりで飲んだんだ」

ずいぶん様変わりした新橋駅周辺を見廻しながら、見覚えのある古いビルの横の路地を指差し、

「この奥に安くてうまい焼き鳥屋があってね、よく行ったもんだよ。まだ会社勤めをしてたころだよ。二十七、八だったかな」

と桂二郎は言った。

「あのビルの裏あたりに、うまいトンカツ屋があるんです」

小松は左側の新しいビルのほうに視線を向けて言った。

「おかしいですねェ。たしかこの通りにあるはずなんだけど……」

歩を止めて、小松は来た道を引き返し、すぐに走って戻ってきた。

「ありました。看板が小さいから見落として通り過ぎてしまったんですね」

「しんかわ」という看板は、古いビルの入口に、まるで一般家庭の表札くらいの大きさで出ているだけだった。同じビルのなかにある寿司屋や洋食屋の看板に埋没する格好になっていて、初めて訪れる者はたいてい見逃してしまうだろうと思えた。

重い木の扉をあけると、側頭部だけを残してあとは見事に光っている頭を小刻みに動

かしながら、新川秀道であろうと思える六十歳くらいの男が、慣れた手つきでカクテルグラスやタンブラーを布で磨いていた。タータンチェックのベストに黒い蝶ネクタイをしている。客はまだひとりもいなかった。

ショットバー特有の「粋」なところも「洒落た」ところもない店の造りで、壁にはおそらく常連客が酔っ払って万年筆で描いたのであろう女の似顔絵とか、開店二十周年を祝ったときの寄せ書きなどが掛けられているが、一枚板のカウンターはぶあつくて、よく磨きこまれていた。

桂二郎と小松はカウンター席に坐った。

「きょうは蒸し暑くて、少し歩いても汗が出るなァ」

と桂二郎は言い、ジントニックを註文した。

「私は黒ビールを」

と小松は言った。

「ほんとに蒸し暑いですねェ」

そう言って新川秀道は、棚からジンの壜を出し、グラスをカウンターの上に置いた。先に黒ビールをついだが、その手つきにも年季が感じられた。

桂二郎は万年筆で描かれた女の似顔絵は、おそらく千鶴子のものなのであろうと思い、その絵に見入った。画用紙には、その似顔絵を描いた日付が小さく書かれてあった。

――平成元年七月七日。――

十一年前の千鶴子だということかと桂二郎は思い、てぎわよく作られたジントニックを飲んだ。

「うまいなァ。ジントニックなんて、ジンとトニックソーダがあれば誰でも作れるはずなんだけど、プロとアマとの差が、これほど歴然とあらわれる酒もないんだ。いやァ、うまいですね」

桂二郎は新川秀道にそう言った。

「ありがとうございます。昔、イギリスに行ったとき、リバプールの駅の近くの、なんでもないパブでジントニックを飲んだんですが、あれにはかなわないですねェ。いつかあのジントニックを超えてやりたいんですけど、超えられそうにありません」

新川秀道はそう言って微笑み、小皿にナッツを入れて、それを桂二郎と小松の前に置いた。

「なかなか歴史のあるお店のようですね」

と桂二郎は言って、店内をあらためて見廻した。

「もうじき開店して三十年になります」

と新川は言い、耳の邪魔になるようだったら消しますからと、ブルーノートのジャズを低い音量でかけた。

「レディー・ジェーンですね。なつかしいなァ。学生のころモダンジャズ専門の喫茶店で、よく聴きました」

と桂二郎は言った。

新川秀道は、自分の店では音楽は流さないのだが、客がやって来る五時過ぎころまでは、こうやってグラスやタンブラーを磨きながら、好きな曲を聴くのだと説明した。

「お客さんは、五時を過ぎてからですか」

と桂二郎は訊きながら、新川秀道が誰かに似ていると思ったが、それが誰なのか、どうしても思い出せなかった。

「ご自分で商売をしてる方は、たまに開店と同時くらいにいらっしゃったりもしますが、やっぱりお勤めの方は五時半とか六時を過ぎてからですね」

と新川は言い、電話をかけて、数種類のリキュールの名をあげ、あした配達してくれるよう頼んだ。

「波平さんにそっくりですね」

と小松が桂二郎の耳元でささやいた。

「波平？　誰だい、それ」

「サザエさんのお父さんですよ。漫画のサザエさん」

「ああ、なるほど。たしかに波平さんだな。似てるね」

桂二郎は笑い、腕時計を見た。五時を少し廻っていた。

まだ慌てて退散しなくても、上原工業の社員がやって来ることはない。社の終業時刻はいちおう五時半なのだから。

そう思ったが、桂二郎はきょうはとりあえず「しんかわ」という店と新川秀道を自分の目で見るという目的は果たしたと思い、勘定を払い、

「このジントニック、もう一杯飲みたいですが、まだ少し用事があるので」

と新川に言って店から出た。

「黒ビールなんて久しぶりです。あれは家で飲んでもたいしてうまいとは思わないですけど、バーで飲むと、うまいなァって感動しますね」

と小松は言い、駐車場の前に立っている杉本に手を振った。

「これからどうなさいますか」

と小松は訊いた。

「社に帰る。きょう中に報告書全部に目を通さないと」

そう答えたが、桂二郎は営業担当と総務担当の役員に、人事異動の最終的な了解を得ておきたかった。

早くこのあたりから離れないと、うちの社員と鉢合わせしかねないという思いもあった。桂二郎も会社勤めをしていたころ、得意先からそのまま直帰すると嘘をついて、行きつけの飲み屋に行ったことが何度かある。

仕事のことでうさを晴らしたいとき、サラリーマンはときにそんな夕刻を迎えたりするものだ。

そんな社員の誰かが、行きつけのバーの近くで社長とばったりでくわしたら大変だ……。

そう思ったのだった。

「帰りの道のほうが、来たときよりも混んでるみたいです」

と杉本が言った。

途中の道でゴルフショップをみつけたので、桂二郎は車を止めてもらい、小松と一緒に店に入ると、ゴルフボールを一ダース買った。

「お前はいつもどのメーカーのボールを使ってるんだ？」

桂二郎が訊くと、小松は新品のボールなんか一度も使ったことはありませんと答えた。

「練習場で売ってるロストボールです。ビニール袋に百個入ってて五千円です。でもみんなおんなじメーカーのおんなじ銘柄のボールで揃えてあるんです」

「一個五十円か……。それは安いな。ロストボールにしても安い」

そう言いながら、桂二郎は自分が買ったのと同じボールをもう一ダース買い、それを小松に渡した。

「俺からのプレゼントだ。米子へ島流しになる社員への餞別ってとこかな」

「私は島流しですか……」

小松は微笑んで、ゴルフボールの箱を、まるで表彰状でも受け取るような格好で両手で掲げ、

「きっと、米子支店に行くことが上原工業の優秀な社員の辿るコースだっていうふうにしてみせます」

と言った。

「そうだ、その心意気だ。米子支店をそんな支店にしてみせてくれ」

桂二郎は嬉しくなり、

「パターも買ってやろう」

と小松に言って、店員に、絶対にボールがカップに入るパターはないかと訊いた。

「絶対に入るパターが、ここにあります」

若い社員は、パターを並べてあるコーナーへ桂二郎と小松をつれて行き、すべてのパターを指差した。

「全部、そうかい?」

「はい。うちで売ってるパターは、絶対に入ります。百発百中です」

「俺たちみたいな下手くそでも三百ヤード飛ぶドライバーはあるかい?」

「あります。三百ヤードなんて、ちょろいもんです」

そう言って店員は、こんどはドライバーを並べてあるコーナーへと案内した。

「ほんとに三百ヤード、飛ぶんだろうね」

桂二郎が笑いながら店員をからかうと、

「空振りさえしなければ」

と店員は真顔で答えた。

「よし、買おう。きみはこのなかでも、どれを勧める?」

桂二郎の言葉に、店員は新製品らしいドライバーを三本選び、試打室へと案内した。

「これと同じドライバーで、試打用のがここにありますから、どうか試してみて下さい」

桂二郎は笑いながら、

「いや、試さなくてもわかるね。きっと三百ヤード飛ぶんだろう。そんな気がしてきた。この店はいい社員に恵まれたなァ」

と言って、四十五インチの長さのものを買った。

第七章

　七月に入るとすぐに氷見(ひみ)留美子は忙しかった頃に出勤した休日の分と有給休暇を二日取って、芦原小巻の待つ小樽へ向かった。

　東京は梅雨の真っ只中だというのにあまり雨は降らず、ひどい蒸し暑さが続いていたが、小樽は朝晩は薄いセーターが要ると小巻は電子メールで書いていた。

　羽田空港の航空会社のカウンターで千歳行きのチェックイン手続きを済ませて、まだ時間はあるが、搭乗ゲートのところの椅子に坐って待っていようと思い、エスカレーターのほうへ歩きだすと、留美子はすれちがった男が上原桂二郎だったので驚いて歩を止めた。

　上原桂二郎は留美子には気づいていなくて、見送りにきたらしい若い男とカウンターに行き、

「千歳行きに乗るんですが……」

　と言った。

ボストンバッグを持っている男は、おそらく上原桂二郎の秘書であろうが、どうやら新千歳空港へ向かうのは上原ひとりらしかった。

札幌便は混んでいて、幾つかのカウンターの前には長い列ができていた。

上原桂二郎も、きっと自分と同じ飛行機に乗るのであろうと思い、留美子はカウンターのところに戻って声をかけようとした。だが、あるいは社員以外の誰かと一緒かもしれないと考えて、もしそうなら知らんふりをしていなければならないと思い、エスカレーターに乗った。

空港に着くのも別々で、搭乗手続きも別々にして、席も離れていて、新千歳空港で愛人と一緒になるという場合も無きにしも有らずだと考えたのだった。

上原桂二郎に、そのような女性がいても不思議ではあるまい。妻を四年前に亡くし、それ以来独身なのだし、男性としての魅力は充分に持っている。歳の離れた自分から見ても、上原桂二郎にはなにか独特の色気のようなものがある……。

「どんな女性かなア。ちょっと見てみたい」

留美子は微笑を浮かべ、そう胸の中でつぶやいて手荷物検査の列に並び、そっとうしろを振り返った。まだ上原桂二郎はやってこなかった。

「知らんふり、知らんふり……」

そう自分に言い聞かせたとき、

「あれ？　氷見さん」

という上原桂二郎の声がすぐうしろから聞こえた。上原桂二郎は留美子の真うしろにいたのだった。

そして、

「どちらへ？」

と訊いた。

「北海道です。小樽の友だちのところに」

と留美子は言った。

「小樽行きの飛行機はあるんですか？ ぼくは千歳です」

桂二郎は自分のチケットを見せながら微笑んで言った。

「小樽に空港はないんです。だから私も千歳行きです」

留美子も自分のチケットを見せ、手荷物検査を受けると、桂二郎と一緒に搭乗ゲートへと歩いた。

「同じ飛行機だなんて……」

留美子が言うと、桂二郎も、

「席も近いですね」

と留美子のチケットを覗き込みながら応じ返した。

「そうとわかっていたら、羽田まで私の車に同乗していただけたのに」

「上原さんはお仕事ですか？」

「いえ、ゴルフです」

「あらっ、じゃあ、肋骨の怪我、すっかり良くなったんですのね」

「いや、まだ完全には治ってないって医者は言ってます。だからコルセットをつけてのゴルフです」

　そのコルセットは預け荷物のなかに入っているのだと上原桂二郎は言った。

　留美子は、じつはチェックインカウンターのところで上原さんに気づいていたのだと言い、

「でも、すごく美しい女性とどこかで合流なさるかもしれないと思って、声をおかけしませんでしたの」

　と笑顔を向けた。

「そんな楽しいことが私にも少しはあってもよさそうなもんですが、あればあったで余計な神経を使って、きっと疲れるでしょうね」

　上原桂二郎はそう答え、珍しくいたずらっぽい表情で、

「氷見さんこそ、小樽ですてきな青年が首を長くして待ってるって可能性は大ですね」

　と言った。

「中学生のときの友だちなんです。少年のような女の子……。女の子って言ったら、すごくあつかましいですね。私とおない歳ですから」

　留美子は笑って言い、胸にコルセットを装着してまでゴルフしようなんて、上原さん

はよほどゴルフがお好きなのかと訊いた。

「いや、私は下手くそで、せっかく治りかけてる肋骨のひびが悪化するかもしれないのに、それでもやろうってほどゴルフ好きではありません」

そう言ってから、上原桂二郎は、あしたのゴルフはいささか特別なゴルフなのだとつづけた。

「人生最後のゴルフをする方に、同伴プレーヤーとして選んでいただいたんです」

「人生最後のゴルフって？」

と留美子は歩を緩めて訊いた。上原桂二郎は少し考えるような顔をしてから、

「つまり、その人はもうこれでゴルフを生涯二度としないってことです。文字どおり、人生最後のゴルフです」

と言った。

飛行機はおそらく満席なのであろうと思えるほどに搭乗ゲートは人でごったがえしていた。

留美子は、あすのゴルフに上原桂二郎を誘った人物が、なぜこれでゴルフをやめてしまうのか、ひどく気になった。歳を取って、ここいらでゴルフから足を洗おうと考えたのか、それともゴルフそのものに飽きたのか、あるいは何か経済的な事情なのか、もしくは腰か膝か腕のどこかを痛めて、もうゴルフはできない状態になったのか……。

ゴルフに興味のない自分が、誰ともわからぬ人物のそのような決心の理由を知りたが

っていることに、留美子は自分でも不思議なものを感じた。

「その方、どうしてあしたのゴルフが人生最後のゴルフなんですか?」

他人の心に無作法に踏み込むかもしれないような質問を軽はずみにしてはならない、という父の言葉が思い浮かんだが、留美子は上原桂二郎にそう訊いてしまった。

亡き父が、自分にそう言ったのは、たしか私が十歳になった誕生日の夜だったなと思った。

「さあ、どうしてなのか……。つまり、もうこれで最後のゴルフにしよう……。その方はそう思ったんでしょう」

と上原桂二郎は答えた。

「ゴルフ歴四十年、病気のとき以外は、多いときは年に百ラウンド。少ないときでも七十ラウンドはやってきて、ハンデも三までいった方ですから、ゴルフがいやになったってわけじゃないでしょう。もうこのあたりが退き時だって思ったのかもしれません。いまでも実力は、ハンデ七か八くらいでしょう」

ゴルフのハンデキャップというものがいかなるものであるのかも、留美子にはわからなかった。

「氷見さんのお勤め先のボスは、ゴルフの練習をつづけていらっしゃいますか?」

と上原は訊いた。

「はい。あいかわらず、たった一球のナイスショットの快楽ってのに酔いしれてます」

留美子の言葉に上原は笑い、

「優れたレッスンプロに習えばいいのに」

と言った。

「せっかく練習するんだったら、百球のうち一球だけと言わず、八十球くらいナイスショットが出たほうが、快楽は増えるでしょう。あ、いや、たった一球だけだから、快楽なのかもしれませんね。うん、そうかもしれないな」

最後の言葉を自分に言い聞かせるように言って上原桂二郎は笑った。

機内に入ると、留美子と上原桂二郎の席は五列ほど離れているだけだった。けれども、上原桂二郎は自分の席に坐るなり、何か書類のようなものを読み始めて、飛行機が離陸してからもそこから視線を外さなかった。

留美子の席は窓ぎわで、飛行機が一定の高度を保った航行に入るまでは小樽やその周辺の海に沿った道を地図で見ながら、小巻が運転してくれるという軽自動車で、さて北海道の上のほうへ行こうか下のほうへ行こうかと考えたが、雲海に目を移したとたん、ふいに無数の小さな蜘蛛（くも）が自分の乗っている飛行機のすぐ近くを飛んでいるような気がして、窓に顔を寄せて、それに見入った。

光と窓のガラスのいたずらで、小さな点々が雲海の上にちらついていただけだった。

もとより、そんなところを蜘蛛が飛んでいるはずはなく、しかも季節はこれから夏に向かおうとしているので、留美子はきのうの夜遅くまでパソコンを使って得意先の税務に関する細かい数字と睨めっこしていたせいで目が疲れているのであろうと思った。

近くの席で母親に抱かれている赤ん坊が泣きだした。

留美子は目を閉じて、自分が気流に己の運命を託して飛んで行く蜘蛛になってみようと試みた。

すると、アパート住まいをやめて父親と同じ家で暮らし始めたというのに、滅多に顔を合わす機会のない上原俊国の顔が浮かんだ。

同時に、別れた男と九州へ二泊三日の旅をしたときのことを思い出した。

男は大学時代の女友だちが、スチュワーデスとして飛行機の扉のところで乗客を迎えているのに気づくと、急にうろたえて、留美子に先に機内に入ってくれと言い、自分は乗客の列の最後尾のほうへあと戻りし、それから機内に入って来て、留美子の隣の席には坐らず、誰か見知らぬ人に頼み込んで席を替わってもらったのだった。

空港に着くまで、男とそのスチュワーデスは二、三回、何か話をした。そのたびに男は、すまなさそうに留美子を見た。

そのスチュワーデスは、男の妻とも顔見知りで、結婚式の披露宴にも列席したのだと、空港に着いてから説明されて、留美子は自分の心を鎮めようと努力したが、屈辱に近い感情は、旅行中、ずっとつきまとって離れなかった。

男と別れて以来、仕事で何度も飛行機を利用しているが、あのときの、後方の席にいる男の落ち着きのなさや、自分の感情を一度も思い出したことはなかった。それなのに、きょうはなぜ思い出してしまったのだろうと留美子はそんな自分が悔しくて、首を廻して上原桂二郎を見やった。上原桂二郎は書類を膝の上に置いたまま目を閉じていた。

留美子は妻のある男との数年間を、自分自身の許し難い汚濁のように感じて、いっときも早く機内から出たいと思った。

だが私は、妻と別れるために別居中の男を好きになり、男の離婚が成立したら結婚するという前提のもとに深いつながりへと進んだのだと留美子は自分に言い聞かせた。私には一分の非もない。男の嘘を信じてしまったのは愚かだったかもしれないが、私は愚かな騙(だま)され方をしたのではない。自分をなさけなく思うこともなければ、自分を恥じることもないのだ。

――ぼくは約束は必ず守る男だ。

あの男は、そんな自分の言葉を覚えているだろうか……。

留美子は再び窓から雲海に目をやった。小さな蜘蛛たちは、時速九百キロ近くで飛ぶ飛行機と競い合うように、尻から吐き出した糸をたなびかせて飛んでいた。

自分の隣の座席にいた中年の婦人が立ちあがったので、留美子は何気なくそっちのほうへ頭を向けた。

「申し訳ありません」

という上原桂二郎の声が聞こえた。留美子がいっとき物思いにふけっているあいだに、上原桂二郎はその婦人に席を替わってはいただけないかと頼んだらしかった。

留美子の隣の席に移ると、上原桂二郎は、自分の会社に勤めていた男が、家業を継ぐために辞職したのだが、先日、久しぶりに社を訪ねて来て、近況を話してくれたと言った。

「こんな不景気な時代ですから、中小の工場はみんな悪戦苦闘してますが、彼の話を聞いていると、どうも会社のマネージングそのものに問題があるような気がしました。死んだ父親のやり方をそのまま受け継いで、会社の税務というものにも改善できる余地があるんじゃないかって忠告したんです。氷見さんの税務事務所で手助けをしてやっていただけませんか」

「えっ？ その会社を私どもの事務所にご紹介いただけるんですか？」

と留美子は訊いた。

「鍋、やかん、フライパンを製造する会社です。といっても、先代も先々代も、つまり鍛冶屋さんでして、工場は浜松にあります。私の父の時代から、うちの製品を作ってくれつづけた会社でしてね。丁寧ないい仕事をします」

「うちの檜山もとても喜ぶと思います。ありがとうございます」

税務事務所なんか幾らでもあるし、上原工業にも優秀な税理士とのつきあいがあるだろうに、どうして実力の程もわからない「檜山税務会計事務所」に、その会社を紹介してくれるのだろうと思いながら、留美子はそう言った。

「私のほうから先に連絡しておきます。これが彼の名刺です」

上原桂二郎は言って、ジャケットから名刺入れを出した。そして、その名刺を留美子に手渡すと、窓ガラスから雲海を見つめ、

「雲以外に、何か見えますか?」

と笑顔で訊いた。

その「雲」という言葉は、留美子には「蜘蛛」と聞こえたのだった。

「蜘蛛がたくさん飛んでる気がして……」

と留美子は言ってしまってから、自分の間違いに気づいた。

「雲……。そうですね、空に浮かんでる白い雲ですね。私、何を言ってるのかしら」

そうあわてて訂正した。

「蜘蛛って、あの八本脚の、虫の蜘蛛ですか?」

と上原桂二郎は訊き返した。

「あっ、いえ、私、雲を蜘蛛と聞き間違えて……。変ですね。どうかしてたんです、私」

「蜘蛛って、飛ぶそうですね」

その上原桂二郎の言葉に、

「私は実際には見たことはありませんが、私の知り合いは、昔、冬が始まる時期に、空を飛ぼうとしてお尻から糸を吐き出す蜘蛛をよく見たことがあるそうです。その人は、せいぜい三、四メートルしか飛ばない蜘蛛しか目にしたことはないそうですが、視界か

ら消えるほど遠くへ飛んで行った蜘蛛を見た人は何人もいるそうです」

と留美子は言った。

「日本では『飛行蜘蛛』って言い方をするそうですね」

と上原桂二郎は言った。

「蜘蛛が空を飛ぶなんて、ほんとかしらと思って図書館で調べたら、錦三郎という人が書いた『飛行蜘蛛』っていう本がみつかりました。その方も、長い長い観察をおつづけになり、誇張のない、とても誠実な観察記録をつけていらっしゃいました」

「その本はどこの図書館にありますか？」

と上原桂二郎は訊いた。

「私、全部コピーを取りましたので、もし興味がおありでしたら、そのコピーを差し上げます」

「読んでみたいですね。蜘蛛が空を飛ぶなんて……。なんだか、けなげですね」

けなげ……。自分も同じ思いを抱いている……。留美子はそう思い、嬉しくなった。

「蜘蛛って、せいぜい三、四ミリくらいの大きさでしょうから、うまく空に浮きあがって、上昇気流や風に乗って何百キロ何千キロも旅をする姿なんか、人間には見えないと思うんです。そんな幸運な蜘蛛は、何万匹に一匹、もしかしたら何十万匹に一匹かもしれませんし……。でも、きっと、想像を超えるほどの長い距離の飛行に成功する蜘蛛は必ずいるような気がして。そう思って窓から雲を見てたら、飛行機と競争するみたいに、たくさんの小さな蜘蛛が飛んでる気がしてきて……。でも、こんなに高い場所では、蜘蛛は生きてられませんね。酸素が少ないし、気圧は低いし……」

そう話しながら、留美子は、俊国の十年前の手紙のことをこの父親は知っているかもしれないと思った。もしそうだとしたら、自分はなんと余計なお喋りをしてしまったことであろう……。

留美子は体のそこかしこが熱くなって、さっき上原から貰った名刺を出し、

「休暇で北海道旅行中に新しい仕事を貰って帰って来たら、うちの所長に何かご馳走してもらえるかも」

と言って微笑んだ。

「『とと一』でね」

そう上原桂二郎も応じて笑った。そしてそれきり「飛行蜘蛛」の話題には戻らなかった。

「今夜は札幌市内にお泊まりですか？」

と留美子は訊いた。

「ゴルフ場の近くに、こぢんまりしたホテルがあるそうでして、そこに泊まります。あしたゴルフが終わったら札幌の市内に戻って、食事をして、札幌のホテルに泊まります。氷見さんは、ずっと小樽ですか？」

「はい。小樽のお友だちの家に泊めてもらうんですけど、一日だけ、厚田というところ

に泊まります」

　と留美子は答えた。

「厚田……。北海道のどのあたりですか?」

「小樽から日本海沿いに上へあがって行って、車で二時間くらいのところなんだそうです。昔はニシン漁で賑わったそうですけど、いまはシャコ漁が主になった小さな漁村らしいんです。そこに友だちのお兄さんが借りてる家があるそうなんです。みんなは『お化け屋敷』って呼んでるんだって言ってました」

「お化け屋敷ですか……。楽しそうですね」

　と上原桂二郎は微笑みながら言った。なんだか剛直で硬質な何かが溶けてとろけていくような微笑みだなと留美子は思った。

「昔、漁師さんの番屋だった木造のあばら家を、何かの事情でお兄さんが借りて、人が住めるようにしたそうなんです。でも、電気も水道もなくて、トイレもないんですって」

「そこで一泊なさるんですか?」

「はい。食べる物は、どこかでお弁当でも買って持って行って、ペットボトル入りのミネラルウォーターも五、六本持って行こうって……。明かりはランプなんですって」

　しばらく考えてから、

「トイレは?」

と桂二郎は訊いた。

「夜釣りに来る人とおんなじように……」

「なるほど」

桂二郎は笑い、

「いまは使っていない漁師の番屋ですか。明かりはランプの灯だけ。楽しい夜になりそうですね」

と言った。

「でも、用心しないといけませんね。世の中には悪いやつがたくさんいますから」

「はい。でも友だちのお兄さんが五人の仲間とその番屋の近くで朝まで釣りをしてくれるんです」

「安全対策も万全というところですね」

上原桂二郎がそう言ったとき、着陸体勢に入るために高度を下げ始めたという機内放送があった。

新千歳空港で荷物を受け取って到着ロビーに出ると、芦原小巻が迎えに来てくれていた。

上原桂二郎は、留美子に一礼してタクシー乗り場へと歩いていった。

「涼しい。こんないいお天気なのに」

留美子は駐車場へと小巻と並んで歩きながら言った。

「東京は蒸し暑くて、きのうはとうとう部屋にクーラーを入れて寝ちゃった。いままで我慢に我慢を重ねてたんだけど、さすがにきのうはギブアップ」

　留美子がそういうと、

「こっちは、夜は長袖どころか、その上に何か羽織らないと風邪ひくよ」

　と小巻は言い、今夜は何を食べたいかと訊いた。

「ウニ、ホッキ貝、イクラ、サザエ、アワビ」

　間髪を入れずにそう答え、インターネットで小樽の街を紹介するサイトにあった幾つかの穴場や観光情報をプリントした紙を見せた。

「暴力寿司屋ってのに気をつけるようにって情報にはびっくりしちゃった」

　と言った。

「ぼったくり寿司屋でしょう？　私は三軒知ってる」

　そう笑いながら言って、小巻は家の近くに、七輪の炭の火で貝類や魚を自分で焼きながら食べる店があるので、いちおう予約しておいたと同意を求めるように留美子を見た。

「あっ、それっておいしそう。早く行きたい」

「六時に予約しといたの。そこいつも満員だから。どれも安くて新鮮なの」

　小巻は軽自動車の後部座席に留美子の荷物を載せ、駐車場を出ると、すぐに高速道路に入った。

「私、暴力バーってのは聞いたことがあるけど、暴力寿司屋なんて初めて聞いたわ」

「値段が書いてなくて、どれも『時価』になってるの。それで、ウニとアワビと他に四種類くらいのお寿司を握ってもらって、代金を払おうとしたら五万円要求されて、いくら時価でもここは北海道だろうって文句言ったら、こわーいお兄さんたちがうしろに立ってた……。小樽の寿司屋は恐ろしいから、みなさん行くのはやめましょうって、インターネットのサイトで書いてる人が何人もいて、それで地元で問題になって、そういう寿司屋の名前をそれとなく載せるようになったの」

「それとなく、って?」

と留美子は、まどろこしいくらいに安全運転を守りながら運転している小巻に訊いた。東京で逢ったときよりも、小巻は血色が良かった。

「たとえば、『寿司寅』ってとこだったら、『タイガー』とか、『丸寿司』って店だったら『四角いの反対』とか」

そうやって、観光客に教えつづけて、その店に誰も行かないようにしたので、寿司屋は経営が成り立たなくなり、場所と屋号を変えてまた店を開くのだが、地元の人たちの目が光っていて、「タイガーは横○ベイスターズに名前を変えました。○○町の薬屋さんから北へすぐのところです」とすぐにインターネットで知らせ合ったのだと小巻は言った。

「横○ベイスターズ?」

と留美子は訊いた。

「浜寿司」

「ああ、なーるほど」

五十分ほど高速道路を走ると海が見えてきた。

小巻の父は、商売に失敗したあと仙台に働き口をみつけ、月に一度と、盆と正月にだけ小樽に帰ってくるのだという。

「去年までまだ払い切れてない借金があったんだけど、毎月こつこつ約束どおり返しつづけてたら、もうこれで借金はなしってことにしてあげるって三つの債権者が言ってくれたの。だから、お父さんはもう小樽に帰って来てもいいんだけど、仙台での仕事が自分に合ってたみたいで、もう二年ほど働くって……」

と小巻は言った。

兄の勤めている土木建築会社も、苦しいやりくりながらも、なんとかボーナスが払えるまでに業績を戻したし、東京で働いている弟も新しい仕事を見つけて、それにも慣れてきているようだ……。母は水産品の加工をする仕事では熟練の域に達して、その仕事を楽しんでいる。朝の四時から工場に行き、昼の十二時に仕事を終えて帰宅し、少し昼寝をしてから洗濯や掃除に取りかかり、夜は七時を過ぎると眠くなって、蒲団に横になるとテレビを観ながら寝てしまうという毎日だ……。

小巻はそう言ってから、新しいビルが並ぶところを指差した。

「あのあたりが小樽港。小樽運河は……、ここからは見えないけど、港のすぐ南側よ」

あの海が石狩湾、あっちは積丹半島、石狩湾に沿って北へ行くと石狩平野がひろがっている……。

小巻はそう説明してから左側の小高い山のほうを指さした。

「私の家は、あっちの、あのあたり」

だが留美子は、高速道路の降り口にさしかかるあたりから見えるヨットハーバーに、停泊しているヨットの数の多さに驚き、北海道の日本海側とは思えないないだ海の青さに見入った。

高速道路から降りると、小巻の運転する軽自動車は港とは反対側の方向へと曲がり、JRの小樽駅の近くを通って、坂道をのぼった。

その坂道を右に曲がったり、交差点を左に下ったり、住宅街の裏手の林を横切ったりしているうちに、留美子は自分が小樽のどのあたりにいるのかわからなくなった。

「あそこが私の家。あばら家だけど、景色はいいのよ」

と小巻は言った。

小巻の住む家の持ち主は、元々この家で畳屋を営んでいたのだが、職人の主人が交通事故で腕に大怪我をして畳を造ることが不可能となり、傷が治ってから、仕方なく別の職業につくために札幌に引っ越して、その際、小巻一家に家を貸してくれたのだという。

「畳屋さんとしてはその人が三代目でね、事故に遭ったときはまだ三十六歳だったの」

と小巻は言い、留美子の荷物を持って木造二階建ての小さな家へと案内した。

「右の腕を切断したのよ。もう八年前だけど」

「畳屋さんが片方の腕をなくしたら、もう畳を造れないわねェ」

と留美子は言い、たしかに元は畳屋であったことをしのばせる玄関から三和土への広い空間に目をやった。

「それで、札幌に出て、水産品を扱う会社の経理部に就職したの。腕を怪我したあと、どうやってこれから生きようかっていろいろ思案して、職業訓練所で二年間、経理の勉強をしたの。子供が二人いて……」

畳屋という商売も、やっと食べられる程度で、このままでは店を閉めるしかないと悩んでいた矢先での事故だった……。

「一家心中しようかって本気で考えたことが三回あるって言ってた……」

だが、すべてを捨てて一家で札幌へ移り、水産品の卸し屋の経理として働くうちに、魚の仲介を自分でやってみようと思い立ち、ある人の紹介で独立した。

商才があったのであろうし、努力家でもあったので、三年ほどたつと得意先も商いの量も増えて、社員六人の会社へと発展した……。

「いまは、社員数三十六人。札幌の郊外にすてきな家を建てちゃった」

と小巻は言い、狭い階段をのぼって、海に面した自分の部屋へと留美子をつれて行った。

六畳の和室には脚の短い小さなベッドと机があって、パソコンが置いてあり、壁際は本棚があった。たしかにそこから小樽の海は見えるのだが、道をへだてたところに建つ家の屋上にある温室のようなものに半分はさえぎられてしまっている。

「蘭のための温室なの。おとしまではなかったのよ。だからそれまではじつに絶景だったのに……」

と小巻は微笑んだ。

裏のほうで自転車のブレーキの音がして、誰かが裏口から家に入って来た。小巻の母だった。

小巻の五倍ほどあるのではないかと思えるほど太っていて、背も小巻よりも七、八センチ高いが、目は小巻の半分ほどの細さの母親は、二階にあがってくると、狭い廊下に正座をし、丁寧に挨拶をした。留美子も慌てて正座をし、挨拶をすると、荷物のなかからおみやげを出した。

夫の会社の倒産や、小巻の病気や、長男の交通事故などたび重なる不幸を、この太い腕で支えつづけてきたのだなと思いながら、留美子は小巻の母親の笑顔に見入った。

「もっと小樽がよく見えるところに行く？　それとも小樽に来た人が必ず行く定番の小樽運河に行く？」

母親が階下に降りて行くと、小巻は訊いた。

戦災をほとんど受けなかった小樽の街には、石造りや煉瓦造りの古い建物が多く残っていて、港から引いた運河沿いには、そんな建物の内部を改造したレストランやビヤホールなどが並んでいるが、留美子はもう何度もテレビでその小樽名所を目にしていて、自分ではすでに行ったことがあるような錯覚を抱いてしまっていた。小樽を紹介するテレビ番組は、必ず小樽運河沿いの古い建物群を映すからだった。

留美子は、広い海が見えて涼しい風が吹くところへまず行ってみたいと小巻に言った。

小巻は、それもまたテレビでよく紹介される展望台の名をあげて、

「でも、あそこは観光客がひしめいてるから、別の展望台に行こうか」

と言って、車のキーを持った。この家からさほど遠くはないのだという。

「旭展望台ってところなの」

再び軽自動車に乗り、小巻と留美子は展望台に向かった。

三叉路（さんさろ）を右へ行き、五叉路を左に行き、坂道を下っているのかのぼっているのか留美子にはわからなくなったころ、

「こっちへ曲がると、すぐよ」

と小巻は言って、右側の急な道をのぼろうとハンドルを切ったが、その道の前には制服を着た若いガードマンが立っていて、工事中なので通行禁止なのだと申し訳なさそうに言った。

「えっ、じゃあ旭展望台には行けないんですか？」

と小巻は、たぶん学生のアルバイトであろうガードマンに訊いた。

「展望台には行けるんですけど、この道の途中が通行止めなんです」

とガードマンは言った。

「他に道はないんですか?」

小巻の問いに、ガードマンは、あるにはあるが、ややこしい道なのでと答えた。

小巻は車内に常備してある道路マップを出し、そのややこしい道を教えてくれと展望台周辺の地図を若いガードマンに見せた。

「えーっと、ここをですね、こう行ってですね……」

ガードマンは、ある地点までは地図を指し示しながらわかりやすく教えてくれたが、ここから先には目印となるものがひとつもないのだと言い、しばらく考え込むと、

「この地図には載ってないんです。その道が」

そうつぶやいた。

「ひっそりした道があります。そこを行くと展望台に出るんです」

「ひっそりした道……。たとえばその道の近くにこんな看板が立ってるとか、こんな家があるとかって目印は……」

小巻の問いに、丸顔の若いガードマンは、

「うーん、なんにもないんです」

と答えた。

「どんなふうに、ひっそりしてるんですか?」

留美子はそう訊いてから、自分がひどく理不尽な質問をした気がして、いっそう困っ

たような表情で地図に見入ってしまったガードマンの口元に視線を注いだ。

「じゃあ、その道以外は、ひっそりしてないんですか?」

と小巻は訊いた。

「そのひっそりした道を通り過ぎてしまうと、グラウンドの前に出るんです。だからグラウンドまで行ってしまうと行き過ぎたってことになるんです。他の道も、どれもひっそりしてるんですけど、その道だけ、特別、ひっそりしてるんです」

言った本人もおかしかったのか苦笑し、小巻も留美子も笑った。

「わかりました。とにかくこのへんでひっそりした道を捜します。ありがとう」

小巻は言って、もと来た道を引き返し、ガードマンが教えてくれた交差点を左に曲がった。

「きっと、ひっそりした道っていう以外に表現のしようがない道なのよ」

と留美子はいい、左右に目を配って、ひっそりした道を捜した。

「ほんとだ。どの道もみんなひっそりしてる。でも、もっともっとひっそりした道なのよ。そうでなきゃあ、『ひっそりした道』だなんて教え方をしないわよね」

と小巻は言い、ひっそりした道、ひっそりした道とつぶやきつづけた。

ゆっくりとカーブしている道を速度を落として走っていると、グラウンドがあって、高校生がサッカーの練習をしていた。

「これって、つまり、行き過ぎたってことよね」

と留美子は言い、はてここに来るまでに、ひっそりした道があっただろうかと考えた。右側であろうが、左側であろうが、道という道は見逃さなかったはずだったのだ。

「ということよねエ……」

小巻もそう言って車をUターンさせ、五十メートルほどあと戻りしたところで、

「あった。この道よ」

と叫んだ。

両側に灌木があって、車一台がやっと通れるほどで、誰かの家の私道のようでもあり、そこを行けば行き止まりではないのかと思えるほどの寂しい道だった。そしてその道は、「ひっそりした道」と言う以外、いかなる説明の仕方もなさそうだった。

「ほんとだ。ひっそりしてる」

留美子の言葉に、小巻は笑いながら、

「あの子、じつに正しい教え方をしてくれたのね」

と言った。

そのひっそりした道は、最初は何の興趣もない灌木に挟まれた坂でしかなかったのだが、進むにつれて白樺並木があらわれ、昇り下りのゆるやかな、透明でありながら湿潤なものを孕(はら)んだ道となった。

「へエ、旭展望台に行けるこんな道があったなんて、私、いままで知らなかったわ」

と小巻は言い、いっそう車の速度を落とした。

これによく似た道を歩いたことがあると留美子は思った。この人は私に嘘をついているのではないのかという不信感を抱き始めたころ、留美子は男と二泊三日の旅をした。軽井沢から草津温泉へ向かい、白根山をドライブしての帰路、道を間違えて、北軽井沢の、どこを見渡しても小さな別荘の一軒もない道に迷いこむと、白樺の林が延々とつづいたのだ。

すれちがう車もなく、留美子と男以外の人間はいなかった。

さもしいことは口にすまいと己に誓っていたのに、その白樺の道のあまりの寂しさに、留美子はとうとう口にしたのだった。

あなたは本当に奥さんと離婚する気はあるのか、と。

あなたは私に嘘をついているのではないのか、と。

すると男は、妻が離婚するにあたって提示した要求は、自分の予想をはるかに超えていて話し合いは平行線のままだが、そんな泥仕合はお互い得策ではないので、近々、折り合いができる条件提示を妻の弁護士がしてくることになっている、と答え、

「ぼくは約束は必ず守る男だ」

と言ったのだった。

この道は、あの北軽井沢の道となんとよく似ていることだろうと思いながら、留美子は、自分は女らしくないのかもしれないと考えた。

成就しなかった恋愛をいつまでもひきずるのは男のほうで、女は、終わったとなれば

さっさと忘れてしまうものだ。女は失った恋をひきずらない……。

何かの本にそう書いてあったし、留美子の周りの女性を見ていても、たしかにそのとおりだなと感じる。それなのに自分は、白樺の並木を見ただけで、あの男とのことをほとんど反射的に思い出してしまう……。それは、女らしくないのかもしれない……。

留美子はそんな自分の思いを小巻に言った。

「どんな女だって、傷つくわよ。でもそれって、古傷がちょっと痛くなっただけで、昔のことをひきずってるんじゃないと思うわ。私、恋愛でそんなつらい経験はないから、えらそうなこと言えないけど」

と小巻は言い、自分の右の背から腹へかけての手術跡も、いまでもどうかしたひょうしに痛むときがあって、そのたびに再発の兆しではあるまいかと不安を感じるのだと笑った。

だが最近は、再発を恐れるという自分の心を、この弱虫め、と叱るもうひとりの自分が生まれたのだと小巻は言った。

「もし再発したら、そのとき悩めばいいのよね。私のほうが癌よりも強かったら私が勝つ。最善を尽くす。それで駄目だったら死ぬ。それだけのことなのよね」

留美子は、笑ってはいけないと思いながらも、小巻の剽軽に動く目や、マッシュルームのような髪を見て笑った。

「小巻ちゃんは、すごい度胸よねェ。死線をくぐってきたんだもんね。私に起ったことなんか、べつに命にかかわるもんじゃなし……。私、相手の人を恨むとか、勿論、未練があるとか、そんなひきずり方じゃないの。あのころの自分の馬鹿さかげんが悔しいの。あんな男を好きになって、なんだか大切なものをたくさん喪くしたなアって……」

「なんにも喪くしてないわよ。留美ちゃんは、おかげでますますいい女になった……。私はそう思うなア」

小巻はそう言ってから、なぜ私の髪を見て笑うのかと訊いた。

「だって、小巻ちゃんの目がくるくる動くたびに、その可愛らしいキノコみたいな髪もくるくる動くんだもん」

「髪が自分で動いてるんじゃないわ。風のせいなの」

白樺並木が終わり、左側に海が見えたころ、また前方に若いガードマンの姿が見えて、旗を振った。ここから先は通行止めだと、さっきのガードマンよりもさらに年少であろうと思える青年は言った。

「でも展望台には行ってもいいんですか?」

と小巻が訊くと、歩いてならかまわないとガードマンは言い、工事用の車が停まっている駐車場を指差した。

展望台までは樹木に挟まれた涼しい道が、ほとんど真っすぐに延びていた。

「いまの子、なかなかハンサムだったわね」

と留美子は車から降りて歩きながら言った。

「なかなかどころか、すごくきれいな顔立ちだから、私、びっくりしちゃった」

小巻はそう言った。

「ひっそりした道なんて、これ以上ないっていうくらいの教え方をした子といい、いまのハンサムさんといい、私たち、ちょっとついてるわね」

留美子の言葉に、

「でも、私たちにはちょっと若過ぎるわよ。どっちも二十歳そこそこじゃないかしら。こちとらは三十二歳でござんす」

と小巻は言い、誰もいない展望台の、屋根のある小さなコンクリート造りの小屋に入った。

小樽の街と、ヨットハーバーと、石狩湾が一望できたが、湾に沿って半月の形でひろがる海の向こうの、田園のようでもあり漁村のようにも見える遠い風景は揺れているのに、視界には白い波のかけらは入ってはこなかった。

小屋の向こうは断崖で、そこから先に行けないようにコンクリートの低い壁が設けてあったが、そこにはさまざまないたずら書きがされてある。

「どうして、こんなことを書きたいのかしら」

そう言いながら、留美子は、厚田村には列車で行けるのかと訊いた。

「列車で行きたいの？」

「ローカル列車ってのに乗ってみたいなァ」

「うん。じゃあ、そうしようか。お兄ちゃんに電話しとくわ。あした、ダンプカーで迎えに来てくれることになってるから」

「ダンプカー?」

と留美子は訊き返し、それも悪くはないなと考えた。ダンプカーには、生まれてこのかた一度も乗ったことがないのだ。

地元の鉄道に乗りたいとふと思いついたのは、上原俊国がローカル列車での旅が好きだと言った言葉が脳裏をかすめたからだった。

あの夜以後、一度だけ、留美子は日曜日の朝、新聞を取るために玄関から出て、きょうは仕事だという俊国と立ち話をしただけだった。その際、俊国が大学時代に友だち数人と「ローカル鉄道研究会」というサークルを作って、年に二、三度、計十回旅をしたことを知ったのだった。

「私ねエ、ちょうど十年前に……」

留美子は海を見ながら、小巻に「須藤俊国」という少年から貰った手紙のことを話して聞かせた。

「小巻ちゃんが東京に来たとき『とと一』ってお店で偶然一緒になった人たちを覚えてる?」

「うん。あのあとバーに行って、葉巻を喫った人たちでしょう?」

「あのなかの、私の家のお向かいさんの、上原俊国さんが、その須藤俊国さんだったの」

　留美子は、そのことが判明したいきさつも語って聞かせた。

「へえ……。彼は、留美ちゃんにばれてるってこと、知らないの？」

「たぶん、知らないと思うの」

　そして留美子は、このまま自分も知らないふりをしているべきかどうか迷っているのだと言った。

「七つ違いかァ……。う〜ん、いい歳の離れ方よね。女のほうが七つ歳上……。うん、そのくらいがちょうどいいかも」

「そんな意味じゃなくて……」

　留美子が自分の考えを言おうとすると、

「空飛ぶ蜘蛛……。私、テレビで見たことがあるわ。入院中、病室のテレビで」

　と小巻は言った。

「見たの？　蜘蛛が飛ぶのを」

「うん。ほんのちょっとしか飛べなかったけど、それでも百メートルくらいは飛んだと思う。場所は東北の、たぶん山形だったたって記憶があるんだけど」

　どこかの国では、確かに二千キロ飛んだと証明できる蜘蛛がいると、その番組のナレーターが語ったような気がする。そう小巻は言った。

「二千キロも？」

留美子は自分の子供じみた空想が、単なるおとぎ話のような空想ではなかったのだと思うと、少し嬉しくなった。

「けなげよねェ……」

と小巻は言った。

「蜘蛛って、私は絶対に好きになれないけど、自分の糸を使って二千キロも飛ぶ蜘蛛とならお友だちになってもいいかなアっと、そのテレビを観たあと考えたりしちゃった」

小巻の言葉に、仮にいまいる小樽という街から北へ二千キロ行くと、そこはどこなのだろうと留美子は考えた。南へは？　東へは？　西へは？

留美子が展望台の小さな建物から出て、日の当たるところへと移ると、

「あのとき上原さんと一緒にいた会社の人と、私、ときどき電子メールで話をしてるの」

と小巻は言った。

「へえ、二人のうちのどっちと？」

たしかあのときの青年は、大西史一と八千丸義英という名で、俊国は帰りの電車のなかで、

「八千丸のやつ、あの芦原さんにちょいと心が動いたな」

と言ったのだった。芦原小巻さんは八千丸の好きなタイプなのだ。小柄で、なんとなくくりくりっとした顔立ちが、と。

「八千丸さんのほう」

と小巻は答え、

「彼、電子メールだと、すごく寡黙なの」

そう言って笑った。

「——いま夜中の二時です。やっと帰れそうです。小巻さんはきっと夢のなかでしょうね——、とか、——おはようございます。いまから出社します——、とか……。これって何なんだろうって、首をかしげるのもあるわ」

「たとえば？」

「——小樽をゼロとすれば、たぶん東京は七でしょうね——とか」

「何なの？　それ」

電子メールでは寡黙だという小巻の言い方と重なって、留美子は笑った。

「わかんない……。けさ届いた電子メールは、——きょうも一日、明るく笑顔で頑張ります——だって……」

きのうの夜は、自分が考えたという暗号を送ってきたのだと小巻は言った。

「どんな暗号」

「漢字やアルファベットや数字が無茶苦茶に並んでて、さっぱりわからないの。あるパスワードをそこに打ち込むと、それが一瞬にして日本語の文章に変わるんだって。そのパスワードはカタカナで十文字らしいわ」

「きのうもきょうもだったら、ときどきじゃなくて、しょっちゅうじゃないの」

と留美子は言った。だが俊国の予感のことは黙っていた。

送られてきた電子メールのどこにパスワードを打ち込むのかと考えながら、留美子は小巻のいささか憮然とした横顔を盗み見た。

「それで小巻ちゃんはどんな返事を送ってるの?」

留美子の問いに、小巻は自分の表情を隠すかのように展望台の左側へと歩いて行き、

「——私もきょう一日、明るく笑顔で頑張ります——とか、——きのうはいやな夢ばかり見て、よく眠れませんでした——とか……」

と言った。

留美子は笑い、

「なんだか小学生の交換日記みたいね」

と言った。

「八千丸さんて、ちょっと変よね。しばらく無視しようかと思うんだけど、私に電子メールを送ってくれるのは、留美ちゃんと、従姉と、八千丸さんだけだから」

それから小巻はいつもの表情で振り返り、

「さっき、手術跡が痛むと、再発したんじゃないかって不安になるって言ったけど、あれは嘘なの」

と言った。

「ほんとは、ぜんぜん怖くないの。私、もう怖いもんなんて、何ひとつないわ。もし怖いもんがあるとしたら、それは人間ね」

「人間？」

「うん。人間が怖い。世の中の常識とか、理屈とか、ルールとかが通用しない人が怖い。そういう人とは、おつきあいしたくない。だから、八千丸さんからの電子メール、ちょっと怖いって思うときがあるのよね」

留美子は、口にしようかどうか迷ったが、

「ねェ、その暗号を解く十文字のカタカナは、送られてきた電子メールのどこに打ち込むの？」

と訊いた。

普通の電子メールではなく、たぶんそういうことに使う専用のソフトを使った電子メールらしく、様式の異なるレイアウトになっていて、ある部分をクリックすると、文面の真ん中に十個の四角い空白が浮き出るのだと小巻は答えた。

「そこに十個のカタカナを打ち込んだらいいの？」

「そうらしいわ。そしたら一瞬にして、アルファベットとか数字とかが日本語の文章に変わるんだって」

おそらく機密保持を必要とする電子メールの場合は、十個の空白の部分にカタカナだけではなく、ありとあらゆる記号の組み合わせを打ち込むのであろうと小巻は言った。

「たとえばZH20までが大文字で、次は小文字のmとk、次にひらがなの『あ』、また小文字でy、次にひらがなで『ゆし』」

「でも、八千丸さんからの暗号はカタカナだけなんでしょう?」

「だって、ZH20mkあyゆしなんてパスワード、みつけられるはずないもん」

留美子は、指を折りながら、

「ボクトケッコンシヨウ」

と言った。

するとと小巻も指を折り、

「ウニカニイクラアワビ」

と言って笑った。

「えっ? そうだったの?」

留美子が訊くと、

「ハマキハハバナガイイ。ボッタクリスシヤダメ。オタルウンガフカイゾ。ニシンノコハカズノコ」

と小巻は次から次へとカタカナで十文字の言葉を口にした。考えながら、でまかせにカタカナを並べているのだとわかって、留美子はそれが小巻の照れ隠しなのだと気づき、

「ひょっとしたら、もうその暗号用のパスワードをみつけちゃったんじゃないの?」

とひやかすように訊いてみた。

「みつけようなんて思いもしないわ。私、八千丸さんみたいな変な人、嫌いなの」

「どこが、変なの？」

「なんだか、男らしくないんだもん。ふざけた電子メールで、いたいけないおぼこ娘をからかってるみたいで……。それって、『変な人』の部類に入るわよ。だって、一回しか逢ったことないのに」

「誰が、いたいけない、おぼこ娘なの？　まさか三十二歳の小巻ちゃんじゃないでしょうね。それって、少しあつかましいわよ」

留美子の言葉で小巻はひとしきり笑ってから、

「留美ちゃんは、ことしの十二月五日に、岡山県の総社市の田圃めざして歩いて行くと思うなァ」

と言った。

「冗談じゃないわよ。あれは、彼が十五歳のときに衝動的に書いた手紙なのよ。あの手紙を書いたのが自分だってことを、彼は断じて私に知られたくないの。十年後の十二月五日に待ってるはずなんてないわ。わざわざ私が岡山県まで行って、そこには誰もいなくて、空を飛ぼうとしてる蜘蛛もいなかったら、私は大馬鹿のまぬけのうぬぼれ屋の、アホのトンマの能天気よ」

留美子は正直な自分の気持ちを言ったのだが、小巻はよく動く目に笑みをたたえて、

「留美ちゃんは、きっと行く」

と言った。

小巻のことだから悪意はひとかけらもないとわかっているのだが、留美子はひどく馬鹿にされたような気がして、小巻から視線をそらした。

「私がもしその人を好きだったら、絶対に行くわ」

と小巻は言った。

「好きだったらでしょう？」

「うん。好きだったらね。でも、好きでなくても、嫌いじゃなかったら、やっぱり行くと思う」

「どうして？」

「もしその地図に示した場所で彼が待ってたら、好きになるだろうから」

「そんな安物のメロドラマみたいなこと、私はいやだわ」

だいいち、十年前に一方的に書き送ってきた手紙の文面どおりに、ことしの十二月に岡山県総社市の田圃のなかで相手を待ちつづけるような人間は、やはり正常とは思えないと留美子は思い、そんな自分の考えを小巻に言った。

「それに七つも歳下なのよ。五十歳の女が四十三歳の男に対して抱く歳の差とは違うわ。三十二歳の私にとって二十五歳の男って、やっぱり、うんと歳下よ」

「私は、女のほうが七つくらい歳が上くらいがちょうどいいんじゃないかって思うけどなァ」

と小巻は言った。

二人はどちらからともなく展望台に背を向け、樹木に挟まれた道をゆっくりと戻り始めた。

「私、つまんない男と結婚することくらい馬鹿げた生き方はないと思う。昔は、女には生きるための選択肢があまりにも少なくて、結婚して子供を産んで育てることが唯一の生き方でもあり美徳とされたけど、いまはいろんな選択肢があるでしょう？」

と留美子が言うと、

「つまんない男って、具体的にどういう男？」

そう小巻は訊いた。

「人間が小さくて、酒癖が悪くて、すぐに暴力をふるって、強い相手にはこびへつらい、弱い相手には尊大で、下品で……。うーん、口にすればもっともっとあるわ。けちもいや。私、けちって大嫌いなの。それはなにも金銭に関してのことだけじゃなくて……」

「うん、わかるよ。けちな人間て、いるわよね。私も大嫌い」

と小巻は言った。

「なにかにつけて、うじうじしてる男が多いのよ。そういう男にかぎって、ふたことめには『女のくせに』って言うの」

と留美子は言い、

「私、約束ってのは、心の中でするものだって思うようになったの」

そうつぶやいた。

「自分はこうしようって決めたことって、それが実現困難であればあるほど、人間ての は自分の胸に秘めたまま、軽はずみに口にしないもんじゃないのかって気がするの。逆に言うと、そういうことを簡単に口にする人ほど信用できないんじゃないのか……。そんな気がする……。約束ってのは、命懸けで果たすもんだ……。それを『約束』って言うんだ。私はそう思うようになったわ」

留美子の言葉に頷き返しながらも、小巻はそのことについての自分の考えは述べなかった。ただひとこと、

「血判状なんて、ただの紙切れよね」

とだけ言った。

「血判状?」

「昔、侍が何かを誓い合った証しに、自分の指を刀で切って、その血を名前の下に捺したでしょう?」

「ああ、何かの時代劇で観たことがある。忠臣蔵だ」

と留美子は言った。

「裏切り者ってのは、血判状に名をつらねたやつのなかから出るのよ」

小巻は言って、自分の軽自動車のドアをあけ、

「さあ、これから小樽の街の観光スポットをひととおり案内するわね。まず小樽運河。

入ってみたいお店があったら、ここに入ってみたいって遠慮なく言ってね」

と微笑み、石川啄木の歌碑が小樽の花園公園のなかにあるが、観たいかと訊いた。

「歌碑？　わざわざ観に行きたいとは思わないわねエ。どんな歌が刻まれてるの？」

「――こころよく　我にはたらく仕事あれ　それを仕遂げて　死なむと思ふ」

小巻はきっとその歌が好きなのであろうと留美子は思いながら、助手席に乗った。

小樽運河の人混みを歩き、重要文化財となっている旧日本郵船小樽支店のなかに入り、その近くの喫茶店で冷たいコーヒーを飲んでいると小巻の携帯電話が鳴った。

小巻の兄からで、厚田村の番屋に行く予定を一日早めないかという。工事に必要な資材の到着が遅れるので、休みが二日取れたというのだった。

「今夜、予約してあるお店で食事をしたら、いったん私の家に帰ってお風呂に入って、それからダンプで厚田に向かうってのはどうかって」

小巻は携帯電話の送話口を手で押さえて、留美子にそう訊いた。

「番屋で二泊するの？」

「退屈になったら、あした小樽に帰ってきてもいいよ。その番屋の近くに海水浴場があるけど、まだ夏休み前だから、人も少なくて、せっかくこんなにいいお天気だから、海で遊んだらどうかって……。釣りをする人が二、三人いるだけの海で、砂浜もきれいだって……」

海か……。まだ海水浴客のいない静かな浜辺……。

留美子は行きたくなって、

「じゃあ、そうするわ」

と答えたが、水着は持って来ていなかった。海水浴場へはもう十数年行ったこともない。留美子の水着は学生のときに買ったもので、家のクロゼットのどこかにしまったままなのだった。

小巻は電話を切り、兄は九時に迎えに来るので、これから水着を買いに行こうと誘った。

「ことしの水着の流行はどんなのかしら」

と留美子は言って、喫茶店から出ると、小巻と並んで速足で車を停めてあるところへと行った。

「私、高校生のときの競泳用の水着を出してこようっと」

と小巻は言い、高校生のとき水泳部だったのだとまるで秘密を明かすようにささやいた。

「えっ！　じゃあ、泳ぎ、上手なのね」

留美子が意外な面持ちで言うと、水泳部は二ヵ月でやめたのだと小巻は笑った。

「どんなに頑張っても、お前みたいなチビには限界がある。犬かきでもやってろって、先輩に言われて……。それもそうだなと思って、やめちゃった。だって有望な選手なんて、女でも百七十センチ以上あって、幼稚園のころからスイミングスクールで特訓を受けてて、肩幅なんか、こんなに広いのよ」

小巻は両腕を大きく拡げ、それ以来、海どころかプールに行ったこともないのだと言った。

東京のデパートで見たことしの流行の水着と同じ型のものは小樽の店にも並んでいて、留美子には思わぬ出費ではあったがワンピース型の水着を買い、小巻の家には戻らず、予約してある魚介類専門の店で夕食を済ませた。

「ここにウニがいて、ここにアワビがいる……。そんな感じね」

小巻の家に戻り、ブドウを食べながら、留美子は自分の胃をさすりながら言った。

七輪の火で生きたまま焼かれてのたうっていた大きなアワビの姿が脳裏にちらつき、食べきれない魚介類をなんとか二人で食べ終えたあとに運ばれてきたウニ丼の量を思い出して、留美子はブドウを五粒しか食べられなかった。

「でも、なんとか食べられるもんよねェ。あの最後のウニ丼をみたときは、これは勿体ないけど残すしかないって思ったけど、全部食べちゃったもんねェ……」

小巻は言って、自分のパソコンを起動させると、受信済みの電子メールを留美子に見せた。

たしかに普通の電子メールとは異なる形式の、青い線に囲まれた封筒のイラストがあって、それをクリックすると、差し出し人もわからない、アルファベットや数字の羅列があらわれ、その真ん中に十個の正方形が並んでいた。

「ボクトケッコンシヨウって入れてみたら？」

「うん。やってみようか……。でもそれがパスワードだったら、このスパイはドジよね」

「どうして？」

　その留美子の問いに、

「誰も思いつかない十文字じゃなきゃあ、機密はすぐにばれちゃうでしょう？」

　と小巻は答え、「ボクトケッコンシヨウ」とカタカナを打ち込み、その正方形の枠の最後のところにある星印をクリックした。

　するとアルファベットと数字は回転しながら位置を変え、すべてはいったん画面から消えて、細かい漢字やひらがなやカタカナがあらわれた。

　小巻は、あっと叫び、留美子にその丸い目を注いで言った。

「解けちゃった……」

　留美子も驚いたが、すぐにパソコンの傍から離れ、買ったばかりの水着に付いているシールやブランドラベルを取る作業をして、八千丸が小巻に送って来た長い文面を見ないように背を向けつづけた。

　小巻の母に勧められて風呂に入ると、留美子は八千丸という男のやり方はきっと小巻の性格には合わないだろうと考えた。ふざけ半分で「ボクトケッコンシヨウ」という十文字のカタカナを打ち込まなければ読めないメールを小巻が読めたのは、この十文字を間違いなく十個の正方形の空白のなかにあてはめたからなのだ。私がもしその言葉を口にしなければ、小巻はパスワードをみつけられないままで終わったかもしれないし、小巻もあるいはと考えて、すぐに十文字を思いついたかもしれない。いずれにしても、「ボクトケッコンシヨウ」という十文字をまず小巻に想起させなければ、あの暗号メールは解けないのだ。

小巻は、そんな子供騙しのようなやりとりを嫌う女だ。外見は童顔で、小柄で、気弱そうだが、芯の強さは並大抵のものではない。二度も死線をくぐってきたのだ。地獄から生還した女なのだ……。

留美子はそう思った。

風呂からあがって二階の小巻の部屋に行くと、小巻はパソコンの電源を切り、衣類をしまってあるプラスチックの箱から高校生時代の水着を捜し出して、それをひろげたところだった。

「何て書いてあったの?」

留美子は努めて屈託のない口調で訊いた。

「生年月日、お父さんとお母さんの名前。出身校。家族構成、現在の勤め先での主な仕事内容。趣味。自分の長所と短所。去年の年収」

「じゃあ履歴書とおんなじね。お見合いだったら、釣り書っていうのかしら」

留美子は小巻のドライヤーで髪を乾かしながら、あえてさりげなく笑いながら言った。

「私を初めて見たときの印象も書いてあった……。それ以後の私に対する気持ちも」

と小巻は言い、風呂に入るために階下に降りていった。

ダンプカー特有のエンジン音が聞こえ、それは小巻の家の前で止まった。

階下で男の太い声が聞こえた。

「慌てんでもええよ」

小巻の兄らしい男が言った。

充分に気をつけるように。氷見さんに失礼のないように……。

小巻の母が息子に喋っている声も聞こえた。

「俺の子分は、みんないいやつなんだ。心配するなって。今夜の月はきれいだぜ。月の浜辺ってやつだよ」

「番屋のなかは、ちゃんときれいに掃除したの?」

「いまタツ公とトンビが掃除してるってよ。三回も掃除したんだぜ。きれいに雑巾がけもして。ランプも三つ追加したよ」

母と息子の会話を聞きながら、留美子は、そうか、今夜は月の浜辺で遊べるのかと思い、髪を整えて化粧をすると、階下に降りた。

土木建築の作業員で、ダンプカーの運転もすると聞いていたので、留美子は小巻の兄を、屈強で多少無骨なところを持つ男として勝手に想像したのだが、母親に似た体型の、留美子よりも少し背が高い、髪をきちんと七・三に分けた三十五、六歳の男だった。

いまはTシャツを着て作業用のカーキ色のズボンを穿いているが、ワイシャツにネクタイをしめ、背広を着たら、実直な営業マンに見えそうで、留美子は自分の予想のあまりの外れ方にうろたえたほどだった。

初対面の挨拶をして、せっかくのお休みの日に私のために時間を作って下さってと礼を言うと、

「いや、ぼくたち、氷見さんがいてもいなくても、厚田で釣りをするつもりだったから」

そう小巻の兄は言い、

「恵一です」

とつけくわえた。

すると小巻の母は笑いながら、

「珍しく、ぼくだって……。私、お前が『ぼく』なんて言うの、初めて聞いたわ。いつも『俺』ってしか言わないのに」

とひやかした。

「俺だって、初めて逢う人には『ぼく』とか『私』とかって言葉を使うんだよ」

恵一は言って、煙草に火をつけた。

「道が空いてるから、ここまで一時間とちょっとだったよ。だから、十時過ぎには厚田に着くよ」

そう言いながら、ズボンのうしろポケットから丸めた道路地図を出し、北海道中西部を留美子に示すと、恵一は、この道を行くのだと指で地図の上をなぞった。

石狩湾に沿って初めは東へ行き、それから少し北上したところに「厚田」という地名があった。

「村の中心はここ。ぼくたちが釣りをする浜は、ここより少し手前です。番屋以外、なーんにもなくて、真っ暗。月明かりだけ」

「へえ、月明かりだけなんて、すてきですね。そんなところにつれて行ってもらえるなんて、嬉しいです」

「うん。用心棒、たくさんいるから、安心してたらいいです」

「その浜辺で何を釣るんですか?」

と留美子は訊いた。

「カレイだよ」

「へえ、たくさん釣れるんですか?」

「もう五年ほど、そこで釣りをしてるんだけど、ぼくは一匹も釣ったことがないんだよね」

「一匹も?」

「ああ、当たりは何十回もあったんだけど、全部逃げられつづけて……」

「よっぽど下手なんだね」

と母親に言われ、恵一は、

「うん、みんなにも、あきれられてるよ」

と答えた。

目の動きが小巻のそれとよく似ているので、留美子は笑いをこらえるのに苦労した。とりたてて目立つわけではない固有の特徴というものが、親子にしても兄妹にしても不思議なほどに似るとすれば、自分と弟の亮も、他人から見れば笑いを誘うような類似点があるのかもしれないと思い、留美子は亮はどうしているだろうとその顔を脳裏に描いた。

この十日近く、亮からの電子メールはなかった。

和歌山県の熊野に工房を持つ、その世界ではよく名の知られた亮の新しい師匠は、「絵に描いたような職人」だという。きっと気難しくて、仕事に厳しくて、亮は毎日怒鳴られたり叱られたりしながら、木工の仕事を懸命に学んでいるのであろう……。

留美子はそう思うと、次に休みが取れたら熊野へ行こうと決めた。

風呂からあがった小巻は兄にせかされて、大急ぎで出発の準備をした。

ダンプカーに乗るのは生まれて初めてなので、助手席へとのぼる小さくて短い金属の梯子(はしご)のようなものに脚をかけても、留美子の体は上へとあがらなくて、小巻に下から腰を押しあげてもらわなくてはならなかった。

「すごい! 戦車みたいですね。なんだか、怖いもんなんかないぞ、かかってこいって感じ」

やっと助手席に腰をおろし、フロントガラスから道や通りがかった人を見ながら、留美子はそう言った。

「他の車を全部見おろしてるって感じね」

と小巻も言った。

「でも、変に男臭いよね」

小巻は運転席の兄に聞こえないように、留美子の耳元でささやいて笑った。

たしかにダンプカーのなかには、男臭いとしか言いようのない匂いがこもっていた。

「このダンプに女が乗るのは、たぶん初めてじゃないかなア」

と恵一は言い、見送りに出て来た母親に、「行ってきます」というふうに手を振って、クラクションを鳴らした。

そのあまりの音の大きさに留美子は驚いたが、近所の家に飼われている犬もびっくりしたらしく、いつまでも吠えつづけた。

小樽の市街地を抜けるとダンプカーは国道五号線から三三七号線へと入った。石狩湾は正面に見えたり左側に見えたりして、漁船の小さな明かりは消えたりあらわれたりした。

「ほんとだ。戦車に乗ってるみたい」

と小巻は言い、リュックサックのなかから金属の細い筒を出した。

「戦車に乗ったこともないくせに」

と恵一は笑い、このダンプのいかにも無敵だという乗り心地が曲者なのだと言った。

「怖い物なしって気分になって、あらっぽい運転をすると、とんでもない事故につながるんだ」

小巻が出した金属の筒のなかには葉巻が入っていた。小巻は葉巻をくわえたが火はつけなかった。

「なんだ、それ。小巻、お前、それ何だよ」

と恵一が驚き顔で訊き、車の速度を落とした。

「葉巻よ。アイスキャンデーに見える?」

「葉巻って……、そりゃあ見たらわかるけど……」

「ジノのムートンカデNo.7。ドライシガーだから、こういうチューブに入ってるの」

と答え、小巻は葉巻を指で挟んで、喫う真似をした。

「いつからそんなもん喫うようになったんだよ」

「十日前に届いたの。まだ一本しか喫ってないけど、淑女はやっぱり葉巻よね。紙巻き煙草なんて、ださくって……」

留美子は、「目を丸くする」というのはこういうのをいうのであろうと思いながら、小巻の兄の目を見つめ、笑いを抑えることができなかった。

インターネットで検索して、横浜の葉巻専門店のサイトをみつけ、そこの葉巻リストのなかから「ジノ・ムートンカデNo.7」を選び、着払いの郵便で送ってもらったのだと説明した。

「俺にも一本くれよ」

と恵一は葉巻に手を伸ばしたが、小巻はちゃんと両手でハンドルを握るようにと言い、葉巻を兄から遠ざけた。

「お兄ちゃんなんか、一本せいぜい十何円かの紙巻き煙草を吸ってりゃいいのよ。味のわからないやつに、葉巻なんか勿体なくて。どうせ、豚に真珠だもん……」

「それ、一本いくら？」

と留美子は訊いた。

「七百円。二十五本入りの木箱が届いたときは、なんだかドキドキしたなァ」

と小巻は言い、葉巻を鼻の下あたりに動かして香りを嗅いだ。

「七百円！　一本が？　えーっと、二十五本で幾らだ？」

恵一が暗算しているうちに、小巻は、

「一万七千五百円」

と答え、週に一本喫ったら、約半年でなくなる計算だと言った。

「あしたはお休みっていう夜にね、寝る前に葉巻タイム……。今夜はそういう夜よね」

「俺、ほんとに、いまびっくりしてんだぜ。小巻が葉巻だなんて……」

「コマキハマキって昆虫がいたような気がする……」

その留美子の言葉に、小巻も恵一も笑った。

ダンプカーは、国道三三七号線から二三一号線に入った。もう石狩川の近くを走っているのだと恵一は言った。すれちがう車はほとんどなく、海側にはときどき人家があったが、道を歩いている人もいなかった。

「海、見えないのね」

と留美子はつぶやき、今夜はきっといつまでも月明かりの浜辺ですごすことだろうと思った。

「厚田」と書かれた標示板が立っていたが、道の両側に人家はなく、夜の海も見えなかった。

「村」というのだから、さぞかし小さな海辺の村落であろうと予想していたが、ここは北海道で、「村」の規模は他の地方よりもはるかに大きいのだなと留美子は思った。

「小巻、葉巻なんか、お前は喫わないほうがいいぞ」

と恵一は言った。

「大丈夫よ。煙は肺に入れないんだもん。葉巻ってのは舌や鼻で味わう喫煙なのよ」

「でも、ニコチンは舌とか口のなかの粘膜とかから吸収されるんじゃないのか?」

「人間て、そんなに弱くはないわよ。私、葉巻、好きなんだもん」

「いつ、そんなもん覚えたんだよ」

「この前、東京へ行ったとき。留美ちゃんのお友だちにシガーバーにつれてってもらったの」

自分に「ご苦労さま」と言ってやりたいときに、丁寧に紅茶をいれて、それを飲みながら葉巻を喫うと、ああ今週もこころおきなく働いて、良く生きたなアと嬉しくなるのだ……。

小巻はそう言って、葉巻を金属の筒に戻した。

「良く生きた……か」

恵一は微笑み、あとで俺にも一本くれよと言った。

「豚に真珠だなんて言わないでさ」

「うん。あげる。一本だけよ」

人家があらわれたが、それは三軒だけ並んでいて、すぐに消え、次にまた四、五軒あらわれて、それきり途絶え、留美子がここは厚田村のどのあたりなのかと地図を見ていると、三軒の人家の灯が闇のなかに浮かび出て、ダンプカーはそれら人家と人家のあいだにある細い道を注意深く曲がった。

波の音が聞こえたが、ダンプカーのライトに照らされているところには、砂まみれのアスファルト道以外、何も見えなかった。

だが前方に視線を凝らす留美子の目に、電灯よりも強い光が宙空に浮かんでいるのが見えた。

沖に浮かぶ漁船の灯かと思ったが、その光は海よりも近くにあった。恵一が借りてい

るという番屋のなかに吊るされたランプの灯だとわかって、留美子は、

「蛍みたいね」

と言った。

「さァ、お化け屋敷に到着」

恵一が、二階建ての古い木造の番屋を少し行き過ぎたところでダンプカーを止めて、そう言った。

つけたままのダンプカーのライトが海と浜辺を照らし、そのなかに五人の男たちが立った。

「俺の子分たちだよ」

恵一は先にダンプカーから降りて助手席のほうに廻り、懐中電灯で足元を照らしながら、留美子が降りるのを手伝ってくれた。

恵一の子分たちだという五人の青年は、みなそれぞれ懐中電灯を持っていて、それはいっせいに留美子に注がれたので、留美子は眩しくて、目を手でかざして青年たちを見ながら、

「初めまして。氷見です。お世話になります」

と挨拶をした。

トレーナーを着て膝まである半ズボンを穿き、ゴムのサンダルをつっかけている者。建設会社の社名が入った作業服を着た者。フード付きのアノラックにジーンズを穿いた

者。工事用のヘルメットを腰にぶらさげて、ゴム長を履いた者。真冬用のセーターの袖をまくり、いささか大きすぎるトランクス型の海水パンツを穿いた者……。

それら五人の青年は、留美子の挨拶にひとことも返さず、留美子と小巻の荷物を持って番屋へと歩いていった。

「竿、七本並べたけど……」

と半ズボンの青年が恵一に言った。

「さっき、二回もパトカーが来やがって、番屋のなかをのぞいていきやがった。火事を起こすなよって、えらそうな言い方でさ」

とヘルメットを腰にぶらさげた青年が言った。

番屋の狭い戸の前に立つと、恵一は「どうぞ」というふうに手で示し、戸をあけた。二階建てではあったが、番屋の内部のほとんどは天井まで吹き抜けで、梯子(はしご)を使って、吹き抜けの空間とは何の仕切りもない、部屋というよりも広い棚のような板の間へとのぼるらしかった。

その棚のような二階には大きな板戸があって、あけしめができる構造になっている。かつてニシン漁が盛んだったころ、船が戻ってくるのをこの板戸から確認したのだろうかと思いながら、留美子は靴を脱いで吹き抜けの板の間にあがった。真新しいスリッパが二足並べられてあった。

「へえ、スリッパ、用意してくれたの？　気が利くわねェ。私が来たときなんて、なーんにもかまってくれないのに」

　小巻は笑いながら言って、それも今夜のために天井の梁から吊るしたと思える太い紐に結んであるランプの芯の長さを調節した。番屋のなかは明るくなり、朽ちかけて、あちこちが割れている板床に置かれたスチール製の机が見えた。その机の上には、数種類のスナック菓子とメロンが二つ置いてある。

「うわァ、ぴっかぴかに磨いたんだねェ」

　小巻は板床を見て、そう大きな声で言い、戸口のところに立ったままの五人に礼を述べた。

「蒲団は貸し蒲団屋から借りてきて、二階に並べといたよ。昼間、浜で干したから、ちょっと砂がついてるかもね」

　冬物のセーターを着た青年が言った。

「お前ら、飯、まだだろ?」

　と恵一は五人に訊いた。

　ご飯は、工事現場の飯場で炊いたのを持って来たし、箸も食器も借用したとヘルメットの青年が言い、発泡スチロールの箱をあけた。アワビ、サザエ、留美子の知らない貝類、そしてウニが十個、保冷用の氷に包まれて入っていた。

「私たちは、もう食べたの。お腹がいっぱい」

と小巻は言った。

青年たちは浜辺でバーベキューをするつもりらしかった。ビールも冷えているという。

「でも、これだけは食べてもらいてエなア」

と半ズボンを穿いた青年が言いながら、別の発泡スチロールの箱をあけた。

「シャコだよ。塩茹(ゆ)でして、殻をむいて、醤油を塗って少し焼いたら、うまいんだから。港の原田さんに売ってもらったんだぜ」

朝になると、厚田港にはシャコを売る露店が並び、遠くから車でたくさんの人たちが買いに来るのだという。

恵一と青年たちが番屋から出て、釣り竿を立てている浜辺のほうへ歩いて行った。

バーベキューは、もう炭にも火がおこしてあって、あとは網の上にアワビや貝を載せるだけという状態らしかった。

「休みの前の日って、いっつもここで釣りをしてるのよ、あの人たち」

と小巻は言い、梯子をのぼって、大きな蚕棚(かいこだな)のようなところへ行くと、留美子を手招きした。

「ここで寝るのね」

昼間、浜辺で太陽の光を浴びた蒲団はまだ温かかった。

「変な寝返りのうち方をしたら、下に真っさかさまに落ちるわね」

留美子は四畳半くらいの広さの、番屋のなかの宙に浮かんでいるような板敷きの、やはり小部屋と言うしかない場所に腹這いになり、首だけ突き出して下を見つめた。

「だから頭を壁のほうに向けて寝るの」

と小巻は言い、板戸をあけた。

海からの風がそこから入って来て、ランプを揺らした。恵一たちの姿が遠くに見えた。それぞれが持つ懐中電灯の光が、ブロックを積みあげて作ったらしいバーベキュー用の、にわか造りのコンロを照らしている。

「この板戸から見る夕日って、すごいのよ」

そう小巻は言い、こんなに静かな海は珍しいとつぶやいた。

「冬は、そりゃあもうすごいんだから」

「でしょうね。こんな隙間だらけの番屋じゃあ、寒風でストーブなんて役に立たないかもしれないわね」

留美子の言葉に、

「寒風なんて、そんななまやさしい風じゃないのよ」

と小巻は言い、合図のように大きく動いた懐中電灯の光に向かって手を振った。

「頬っぺたが凍って裂けてしまうんじゃないかって思うよ」

冬は到底この番屋での寝起きは不可能だという。

「冬の荒れる北の海って、もうたまらなく寂しいんだけど、じーっと見てると、その向こう側に……」

そう言って、小巻は黙り込み、何か言葉を捜しているようだったが、それきり口をひらかなかった。

留美子も板戸のところへ行き、小巻と並んで坐り、恵一と五人の青年のおぼろな姿を見つめた。

「その向こう側って、海の向こう側ってこと?」

留美子の問いに、

「荒れる冬の海の内部ってことかな……」

と小巻はつぶやいた。

「お前には、なんにも怖いものはないんだよっていう、やさしい言葉が聞こえたの」

「聞こえた? 小巻ちゃんの耳に?」

「うん。心配しなくっていいよ、って……」

「海が?」

「うん」

「いつ?」

「二度目の手術をして退院して、ずうっときつい薬を飲んでたころ、ここに来たの。二月にね。お兄ちゃんに頼んで、つれて来てもらったの」

私がついている。私にまかせておけ。生きようが死のうが、安心していなさい。

自分はたしかにその声を聞いたのだと小巻は言った。

「私ね、その声を聞いて、この番屋から出て、浜辺へ歩いて行ったの。吹き飛ばされそうになりながら……。もっとその声を聞きたくて。でも、浜辺に立つと、そんな声はどこからも聞こえなくて……。戻って来て、この板戸から海を見てると、またちゃんと聞こえるの。生きようが死のうが安心してなさいって……」

そのとき、いろんなことを考えたのだと小巻は言った。だが、「いろんなこと」がどんなことなのかは語らなかった。留美子も訊かなかった。小巻だけに聞こえた声というものを信じられそうな気がしたからだった。

ふいに、十年前の俊国の姿が留美子のなかに浮かび出た。それは、顔立ちも着ているものも、これまでとはまったく異なった鮮明さで、N駅の近くのパン屋の前で留美子の前に立っていた。

俊国は、長い間、片思いをしつづけている相手がいると私に言った……。

留美子はそう思い、もしそれが自分だったら、どんなに嬉しいことだろうと考えた。なんと光栄なことだろう、と。

十年間、決して変わらなかった心……。もしそれがこんなつまらない平凡な私という女に注がれていたのだとしたら、その心を自分のすべてで包み込みたい……。けれども、あのときの俊国の言葉が、二十五歳の青年らしい冗談だったとしたら、私は鼻もちならないうぬぼれ屋だ……。

あるいは十五歳の少年のことだから、惹かれた異性は何人もいて、私もそのうちのひとりにすぎず、俊国が十年間片思いをつづけてきた相手は、氷見留美子という七歳も年長の女ではないのかもしれない……。

留美子はそう思いながら、

「生きようが死のうが安心していなさいって冬の荒れる海が言ってくれたのね。その声が小巻ちゃんには聞こえたのね。私、信じられそうな気がするわ」

と小巻に言った。

死に至る確率の極めて高い難病と直面した小巻の闘い。それは余人には計り知れない思考の時間をも同時に小巻にもたらしたことであろう。そのような渦中で、小巻は確かに聞いたのだ。誰が何と言おうが、小巻の耳には聞こえたのだ。それを信じずして何を信じるというのか……。

そう思うと、留美子は新たな約束を小巻と自分とのあいだで交わしたいという衝動に駆られた。

自分が小巻にしてやれることは、お互いが長生きをしなければ果たせない約束を交わすことなのだ。

留美子はそう考えたのだった。だが、どんな約束を交わしたらいいのか、留美子にはまったく思いつかなかった。

「シャコ、食べに行かない？」

と小巻が言った。

「留美ちゃんみたいなすてきな女性に逢ったことがないから、あの人たち、緊張しちゃってるのよ。留美ちゃんと話がしたいけど、何を話したらいいのかわからないのよ」

「私が、すてき？　そんなことを言ってくれるのは小巻ちゃんだけよ。私は、自分がどんなに平凡でありきたりで、女として魅力がないかを知ってるわ」

「そんなことないよ。留美ちゃんは、とってもきれいよ。見ているうちにだんだんきれいになっていくっていう不思議な顔よ。スタイルの良さは認めるでしょう？」

「うん。まあね」

留美子はおどけた表情でそう答えた。

「おっぱいなんか、なかなかのもんだと思う……。なんだか最近、気のせいじゃなく、張りがなくなったような感じがしないでもないんだけどね。三十路に入って早や二年だもん、仕方ないわよね」

「お尻の形がきれいだわ。うらやましいなァって思う。私のお尻って、下半身デブの典型的なお尻なんだって、お母さんに言われたの。私の五倍も下半身デブのお母さんに言われて、なさけなかったわ」

「えっ！　私、お尻、きれいかなァ」

「きれいよ。そのコットンパンツのヒップライン、相当悩ましいわよ」

「シャコ、食べに行こうか」

照れを隠して立ちあがり、留美子は両手でコットンパンツの尻のところの皺を整えた。

番屋から出て、懐中電灯で足元を照らしながら浜辺への土の道を行き、波打ち際とおぼしきところに光を向けると、沼のように静まりかえった黒い海があった。

どんなにないだ海でも浜辺には寄せては返す波があるだろうに、この日本海の北の海は、いったいどうしたことであろうと留美子は少し気味悪く感じたほどだった。

懐中電灯の光を浜辺のあちこちに向けると、人間が倒れているかに見える幾つかの流木が散乱していて、そのどれもが干からびてしまっていた。流木を避けて浜辺をジグザグに歩き、留美子は青年たちのところに近づくにつれて「すまし」かけている自分に気づくと、こら、うぬぼれるなと心のなかで言った。

「私、銀行で小切手を切ってもらってきたの」

と留美子は小巻に言った。

「五十万円の小切手。自分のお金を小切手にしたのは初めて……」

「五十万円も？　小切手にしてどうするの？」

と小巻は訊いた。

「約束のお金。小巻ちゃんに渡そうと思って……。ネパールの村に学校を寄附するためのお金」

小巻は歩を止め、小さく「えっ！」と声をあげた。

「インターネットでいろいろと私も調べてみたんだけど、やっぱりいまは最低でも三百万円は必要みたい。だから五十万円じゃあ小巻ちゃんとの約束を果たしたなんて言えないんだけど」

「その小切手、いま持ってるの？」

「バッグのなかに入れてあるわ。番屋に置いてきたけど……」

「盗られたらどうするのよ」

そう言うなり、小巻は留美子の手を握って、踵を返し、番屋へと走りだした。

「泥棒なんていないでしょう？　こんな人気のない海辺に」

留美子も一緒に走りながら言った。

「だって、万一ってことがあるわよ。番屋に誰かが忍び込んだら、浜辺からは見えないもん」

小巻はそう言ったとたん、流木に足を引っかけて転んだ。その転び方がおかしかったので留美子は浜辺に四つん這いになって笑った。

「人間て、転ぶときって、本能的に手をつこうとするもんだけど、小巻ちゃんって顔から突っ込んで一回転したわね」

「私の体って、角がないのよ。そのくせ、ナイスな曲線てわけでもないってのは悲しいわよねェ」

小巻も笑いながら言って、頭や顔や胸についた砂をはらい、再び留美子の手を握って走った。

小切手の入っているバッグを持つと、留美子と小巻は再び自分たちの足跡を辿って浜辺を戻った。

炭火の上の網には、アワビとサザエが載せられていて、ちょうどいい具合に焼きあがり、恵一がそこに醬油を垂らした。炭火の上にはやかんも載せられていて、湯が沸騰していた。

発泡スチロールの箱のなかの、まだ殻のついたシャコを出すと、半ズボンの青年は、

「さあ、茹でるぞ。茹で方が難しいんだからな」

と言い、沸騰している湯に、先に塩を放り込んでからシャコを入れた。恵一は、焼きあがったアワビをよく切れるナイフで一センチほどの厚みに切り分け、それを皿に載せて、留美子に手渡してくれた。

「これを食べたら、私、たぶん一生分のアワビを、きょう一日で食べてしまうことになると思います」

これ以上、自分の胃に物が入るだろうかと不安になりながら留美子は言った。青年たちは笑い、さらにサザエを数個、留美子の皿に載せてくれた。

「焼きウニもどうです?」

とヘルメットの青年が言った。

「食べます。私、もう自分の胃がどうなってもいいです」

留美子はそう言って、皿を差し出した。

おそらく糸の先は、思いもかけないほど遠くの沖に投じられているのであろう七本の

釣り竿のうちの一本が大きくしなり、竿の先につけてある鈴が鳴った。

「おっ、かかった」

恵一は、竿のところに走っていき、リールを巻き始めた。

「まずいなア……。よりにもよって、最初の当たりが恵一さんの竿だなんてよォ」

と作業服の青年が茹であがったシャコの殻を慣れた手つきでむきながら言った。

「カレイって、どんな餌で釣るんですか？」

留美子が訊くと、青年たちはいっせいに、

「イカだよ」

と答えた。生のイカを細かく切って、それを釣り針に仕掛けるのだという。

留美子は、アワビとサザエと焼きウニの載った皿を持ったまま、浜辺を右に歩いたり左に走ったりしながら釣り竿とリールを操っている恵一の近くへ行き、張りつめた糸の先に見入った。釣り糸は、竿の先から三メートルほどのところしか見えなかった。その先はひたすら黒い海なのだった。

「これは、でかいぞ！」

と恵一は叫び、しなっている釣り竿をゆっくりと立ててから烈しくリールを廻し、それから体中の力を抜いて浜辺に腰をおろした。

「逃げられたんですか？」

たるんだ糸を見て、留美子は訊いた。

「一尺五寸はあったよなァ……」

「一尺五寸て、えーと、一尺は三十センチくらいですよね」

リールを廻して糸を戻しながら、恵一は、留美子を見あげ、

「俺、釣り、もうやめる」

とつぶやいた。

青年たちは丼鉢にご飯を盛り、そこにアワビを細かく切ってまぶしたり、焼きウニを混ぜたりして、留美子が呆気(あっけ)にとられるほどの早さでたいらげると、竿のところへ戻った。

「駄目。私、もう駄目。これ以上食べたら、お腹が割れちゃう」

留美子は言って、皿を置き、浜辺に坐った。

「私も、ここにウニがいて、ここにアワビがいる。私にもはっきりとわかる……」

小巻も自分の胃のあたりを指差してそう言うと、留美子の傍に坐った。

「タカちゃん、この丼鉢に三杯のご飯と、アワビを三個、焼きウニを五個、シャコを七匹食べたよ。それも十五分ほどで……」

あきれ顔で小巻は作業服の青年を見つめ、

「ねエ、泳ごうか」

と留美子に言った。

「えっ? いま?」

「だって、ひとりだと恥ずかしいけど、二人だと平気じゃない？」

「こんな暗い海で？　怖いわよ」

「腰よりも深いところへ行かなきゃいいのよ」

病気にかかって以来、一度も海で泳いでいない、と小巻は言った。

「留美ちゃんのすてきな体のラインを見せつけてやろうよ。あの口下手な連中に。一日かかって番屋を掃除して、蒲団を干して、アワビやサザエやウニやシャコを焼いてくれたご褒美に」

小巻は本気らしかった。

「そんな……、ご褒美に私の水着姿だなんて……。私、そんな、価値ある肉体じゃないのよ。さっきは、おっぱいには少し自信があるなんて言ったけど、あれはちょっと見栄をはっただけで、人さまにお見せできるような代物じゃないのよ」

留美子の言葉に、小巻は声を殺して笑い、立ちあがると、兄に、泳いでも大丈夫だろうかと大声で訊いた。

「車のライトで照らしといてやるよ。急に深くなってるところがあるから気をつけろよ」

恵一がそう言ったとき、二本の竿が同時にしなり、鈴が鳴った。ヘルメットの青年と、タカと呼ばれた青年の竿だった。

「よしっ、泳ごう。北海道の厚田の夜の海で泳ぐなんて機会は、そんなにあるもんじゃないもんね」

留美子は言って、番屋へと戻り、買ったばかりのワンピース型の水着に着替えた。小巻も高校時代の競泳用の水着姿となったが、小柄で丸味のある体は、水着を着ると妙な逞しさがあった。

「ねエ、ご褒美に値するかしら。私の水着姿」

と留美子が訊くと、小巻は留美子の周りを廻って上から下まで眺め、

「そそる」

と言った。

「ほんとに?」

「うん。おいしそうじゃ。うらやましいわい」

小巻はおどけてそう言い、しぶっている留美子の手をひっぱった。

梯子をおりて、番屋から出たとき、小巻は慌てて留美子の小切手の入ったバッグを取りに戻り、

「ほんとにいいの?　五十万円も、学校造りに留美ちゃんのお金、使っていいの?」

と訊いた。

「私と小巻ちゃんとの中学生のときからの約束でしょう?　人間にとって、約束を果たせることって、大きな幸福のひとつだって私は思ったの。歳をとって、もしネパールの村に行けるようなチャンスがあって、私がその何分の一かのお金を寄附して建った学校

で勉強してる子供たちを見ることができたら、もっと幸福よね」

そう言った途端、留美子は、たとえばある年齢を決めておいて、その歳になったら、ネパールのヒマラヤ山系の見える小さな村の学校を訪ねることを二人の約束としてあらたに交わし合ったらどうかと思った。

八十歳では、あるいは長旅は無理かもしれない。だが、七十歳なら可能であろう……。その村の学校は、日本人の有志が出し合ったお金で建てられた。有志の名は校舎のどこにも書かれてはいない。けれども、自分のお金の一部が確かにその学校建設に使われ、そこで学んだ子たちの何人かは、さらに上の学校に進み、有為な人材として成長した……。

そのような小さな学校を七十歳になったとき、実際に目にして、私と小巻ちゃんはいったいどんなことを感じるだろう……。

約四十年後の社会で、七十歳という年齢が長生きの範疇に入るのかどうか……。

人類は多くの難病を克服して、百歳まで生きる人々の数が増加しているかもしれないし、あるいは地球そのものの質的変化や、思いもよらない戦争などによって、人間の寿命は大幅に短くなっているかもしれない。

だがいずれにしても、七十歳という年齢は決して短命とは言えないはずだ。平均寿命がどうであれ、七十年生きられたら、長く生きたと言えるであろう。

小巻は癌を克服した。それは奇跡といってもいいほどの出来事だったのだ。だからこそ、小巻には長生きをしてもらいたい。

七十歳になったら、自分たちが建てた学校を見るためにネパールへ行く……。その約束を果たすまでは死なない……。いや、死ねないのだ……。

留美子は、そんなことを考えながら、浜辺へと歩いていった。だが、水着姿で、青年たちが釣りをしている場所に行くのははばかられて、彼等から二十メートルほど離れた場所で、足首を静かな海にひたした。

小巻は兄のところに走って行き、留美子のバッグを預けると、

「あのへんを照らして」

と頼んだ。

青年のひとりが、車を動かしてヘッドライトを小巻が指差した方向に向けて点灯した。

留美子の目前の海に丸い光が浮かんだ。その光に照らされたところは、たしかに腰の深さしかないようだった。

留美子は足先で注意深く探りながら、少しずつ海へと入っていった。

海水は腰のあたりの深さまでは思いのほか温かかったが、小さなうねりが来ると、底のほうは冷たくて、日本海の北の夜の海であることを思い知らせた。

気がつくと、留美子は海面を照らしているヘッドライトのちょうど真ん中に立っていた。

水位は留美子のみぞおちのあたりだったので、留美子は恵一の忠告どおり、そこから

沖には行かないと決めて、浜辺に沿って泳いだ。

小巻は背泳ぎで留美子に近づいてきて、そこで泳ぐのをやめ、あお向けになって海に浮かんだ。

「こうやって、どのくらいあお向けに浮かんでられるか、友だちと競争したことがあるわ」

と小巻は言った。

「プールだと十五分だけど、海だとその倍くらい浮かんでられるのよ。塩分のおかげね」

「体中の力を抜いて、水に身をゆだねるのね。わかってても、私、そうやってあお向けに浮かべないの。どこかに力が入ってるのね」

と留美子は言った。

「ベッドにあお向けになって、ぼんやりしてるって感じで、お星さまを見るのよ」

と小巻は言い、海の中を歩いて来て、留美子を抱きあげるようにすると、腰と尻のところを支えてくれた。

「もうこれ以上、体の力を抜けないっていうくらい力という力を抜いたら、抜いたって言ってね」

留美子は小巻の腕に支えられて海面にあお向けになって浮かんだ。

「うわァ、月が明るすぎて、星が見えない」

と留美子は言った。

「駄目、駄目。脚に力が入ってる。これじゃあ沈んじゃう」

「力を抜いてるつもりなんだけど……」

「もっと抜くのよ。目を閉じたらいいわ。そうしたら、もっと力が抜ける」

留美子は小巻の言葉どおり目を閉じた。海の、あるかなきかのうねりの底に巨大な力を感じた。

「抜いた。どこにも力を入れてないわよ」

留美子が言うと、小巻はそっと手を離した。たちまち留美子の体は尻と脚のほうから沈んだ。

「やっぱり力がどこかに入ってるのよ。人間の体は水に浮くようにできてるんだって信じてないからよ」

「私、体中の力を抜いてるつもりなんだけど……」

「じゃあ、もういっぺん」

何度試みても、海面にあお向けになった留美子の体は、小巻の支える手が離れると沈むのだった。

「おっぱいに力が入ってるんじゃないの?」

小巻は笑った。

「浮き袋になるだけの立派なおっぱいだから、おっぱいの力も抜くのよ。そしたら浮けるわ」

その小巻の声は青年たちに聞こえたようで、浜辺から小さな笑い声が起こった。

「ちょっとしたこつなんだろうけど、難しいわねェ」

海面に浮けなくても、こうやって小巻に支えられてあお向けになり、月を眺めているだけでもいいと思いながらそう言うと、留美子は、さっきの自分の考えを口にした。

「七十歳になったら?」

小巻は留美子の背とふくらはぎのあたりに下から手を添えながら、そうつぶやいた。

「私、そんなに長生きできるかなァ」

「できるわよ。いまや人生八十年の時代よ」

「だって私の体、傷だらけなのよ。二回も大きくメスを入れて、放射線治療と抗癌剤で痛めつけられてるんだもん。癌ができやすい体質なんだろうなって思うの。だから私、五十歳まで生きられたら万々歳かなって、ひそかに覚悟してるの」

「その覚悟を、二十年延ばすのね。そうじゃないと、約束は果たせられない」

留美子の言葉に、小巻は、ネパールに学校を建てつづけることを生涯の目的にした人物が、いま三軒目の建設に着手していて、自分は四軒目に参加するつもりでお金を貯めているのだと言った。

「四軒目はね、チョモランマが見える村なんだって。登山家はナムチェバザールってところで準備を整えて、そこから第一キャンプ、第二キャンプっていうふうに自分たちのベースを設定するらしいの。だからナムチェバザールには、シェルパたちが住んでる……。そのナムチェバザールから西へ三十キロのところにある村に四軒目の学校を建てるの。留美ちゃんのお金も、そこに使われるはずよ」

「私、七十歳になったら、その学校を見に行くわ。小巻ちゃんと一緒にね」

ふと気づくと、小巻もいつのまにか留美子と並ぶようにして海にあお向けに浮かんでいた。

「留美ちゃん、私の助けなしに浮かんでるのよ。気がついてないの？」

ヘッドライトに照らされた小巻の顔は笑っていた。

「あっ、ほんとだ。私、浮かんでる」

そう言った途端、留美子の体は再び脚のほうから沈んだ。もう二、三回支えてもらったら、自分で浮けるようになるかもしれないと考え、留美子は小巻に「もう一回」と頼んだ。

「自転車に乗れるようになるために練習する方法とおんなじね。うしろで自転車を支えてもらって、ペダルを漕いでるうちに、支えてくれてる人がそっと手を離す……。あの要領ね」

小巻は言って、留美子の体を支えてくれた。三回目に、留美子は海面にあお向けに浮かべるようになった。

「できた！」

留美子は嬉しくて、大声でそう叫んだ。

「こんなお月見、初めて……」

留美子はそうつぶやき、小巻と並んで海面にあお向けになったまま、大きな半月を眺めつづけた。

体が冷えてきて、小巻は、

「あの炭火で暖まろうよ」

と誘った。

浜辺に置いてあるバスタオルで体を拭き、留美子はさっきまでアワビやサザエを焼いていたブロック造りのコンロのところへ行き、自分も小巻もバスタオルを持ってはこなかったことに気づいた。それは作業服の青年が番屋まで取りに行って、留美子と小巻が気づかないうちに浜辺に置いてくれたのだった。

留美子は作業服の青年に礼を言った。青年は釣り竿を立てた場所に坐り、海のほうに向いたまま、軽く片手をあげて応じた。

「みんな、見ないようにしてるのね」

と小巻は言い、新しい炭がつがれたブロックのコンロを指さした。水が入ったバケツが網の上に置かれていた。

「これで海水を洗い流せってことなのね。うちのお兄ちゃんたち、気が利くなア。私だけだったら、ほったらかしのくせに」

小巻はそう言ってから、ひとりで懐中電灯を持って番屋へ戻って行った。

「カレイ、釣れましたか?」

と留美子は背を向けつづけている青年たちに訊いた。炭火の熱が体をたちまち暖めてくれた。

「三尾」

と半ズボンの青年が答えた。

「三尾とも、タカの竿にかかったんだよ。俺はあれっきり……」

恵一は言って、車のエンジンを切り、ヘッドライトを消した。

「また泳ぐときは言ってくれよ。ヘッドライトをつけるから」

戻って来た小巻は金属の筒に入った葉巻を六本と、クッキーの入った箱を持っていた。慣れた手つきで葉巻の吸い口を切って、小巻はそれを青年たちに配った。

「炭の火でつけたら上手に着火できるわよ」

小巻の言葉で、青年たちはブロック製のコンロのところに集まってきた。

「これ、パンチカッターっていうの。この葉巻を一箱買ったら、おまけに付けてくれたの。吸い口に丸い穴を掘るって感じだから、うっかり切り過ぎちゃうっていう失敗がないんだって……」

煙を肺に入れてはいけないと小巻に言われたのに、青年たちはみな紙巻き煙草とおなじように、肺に深く吸い込んだ。

「うわっ、くらアっとするよ」

とヘルメットの青年が驚き顔で言った。

留美子は流木に腰をおろし、バスタオルで髪を拭こうとしてやめた。

体が暖まったら、また海面に浮かんで月見をしようと思ったのだった。

「小巻ちゃんは、葉巻は喫わないの？」

留美子の問いに、

「私は寝る前に、じっくり味わって喫うの」

「葉巻を喫う女なんて、なんか迫力あるよなア」

とタカが言った。

葉巻を喫うのはみんな初めてらしく、持ち方もくわえ方もどこかぎごちなくて、「うまい」という感想は誰も口にしなかった。

小巻は留美子と並んで流木に腰をおろすと、頭上の半月を見あげ、

「あの五十万円、私にしばらく預けといてね」

と言った。

「どうして？」

「だって、私が同じ金額を貯めるには、少し時間がかかるんだもん……。私のお金と留美ちゃんのお金を同時に届けたいの。私、使い込んだりしないよ。安心しててね」

「そんなの疑ったりしないわよ。よし、あの約束のために使おうと決めたときに使わな

いと、私もつい余計なことに使っちゃうかもしれないと思って、それで小切手にして持って来たの。小巻ちゃんのお金が貯まったときに一緒に届けてもらうほうが私も嬉しいわ」

「七十歳になったらかァ……」

小巻は月を見あげたまま、そうつぶやいた。

そして、家の近所に、スキーのジャンプの有望な選手だった高校生が住んでいたのだと言った。

「きれいな顔立ちで、勉強もできて、そのうえ将来のオリンピック選手間違いなしって評判だったから、小樽中の女の子どころか、札幌とか旭川とかからも追っかけがやって来て、そんじょそこいらのアイドルタレントなんて顔負けってくらいの人気者だったの。それなのに、朝の自主トレーニングでランニング中に牛乳配達の軽トラックにはねられて死んじゃった……。いってきまーすって言って家を出て二百メートルも行かないところの交差点で……」

それから小巻は、二十代前半に肝臓癌などという難病にかかり、二度も大手術をした自分が生きていて、夜の海で泳いでいると、己に言い聞かせるようにつぶやいた。

「私と小巻ちゃんが七十歳になったら、二人でネパールの、私たちが建てた学校を見に行こうよ。長生きを誓い合うなんて、すばらしい『約束』だと思わない？」

と留美子は青年たちに聞こえないようにして言った。

「果たせないかもしれない約束は交わせられないもん……」

　と小巻はつぶやき、

「ねェ、この宇宙にはね、地球とおんなじように、知的生命が存在できる星が何十億もあるっていう説があるんだって」

　そう言って立ちあがり、海へと歩いて行った。

「泳ぐのか？」

　恵一は小巻に声をかけ、車のエンジンをかけてヘッドライトをつけた。

　留美子は小巻のあとを追い、

「それで？」

　と訊いた。

「私、その説を信じられるの」

「それで？」

　と留美子はまた訊いた。

「そんなことを信じられる私が、どうして七十歳まで生きるっていう約束ができないのかなァと思って……」

「安心してなさいって、冬の荒れる海が言ってくれたんでしょう？　私もそんな声を聞きたい。七十歳まであと三十八年よ。たったの三十八年。七十歳なんて、いまじゃあ長生きのうちに入らないわ。私が七十歳っていう歳を設定したのは、八十歳になったら、少々元気でもネパールの高地への旅は無理があって、ひょっとしたら他人に迷惑をかける可能性もあるかなって考えたからよ。八十歳に延ばしたっていいのよ」

そう言って、留美子は海面に丸い光をひろげるヘッドライトの明かりの中心へと泳いで行った。

釣り竿に仕掛けてある鈴が鳴ったので、留美子は腰のあたりまでしかない場所で立ち、恵一たちを見やった。カレイがかかった竿は恵一の竿のようで、

「おい、誰か替わってくれよ。俺、自信ないよ」

という恵一の声が静まり返った浜辺に響いた。

番屋のほうから強い光が近づいて来た。釣りに来たらしい中年の男が二人、四輪駆動車に乗っていて、水着姿の留美子と小巻に気づくと、車を停めて視線を注ぎつづけた。

半ズボンの青年が、その四輪駆動車のところへと歩いて来て、

「おっさん、見世物じゃねェんだよ。じろじろ見るんじゃねェよ」

と低い声で言った。四輪駆動車はたちまち留美子たちのいるところから離れ、浜辺の最も端へと去って行った。

「だから替わってくれって頼んだじゃねェか」

という恵一の声が聞こえた。

「また逃げられたんだァ……」

留美子は笑いながら言って、海面にあお向けに浮かんだ。

「力がどこかに入ってる感じなんだけど、自分でこうやって浮けるようになったわ。こつが完全にわかっちゃったのね」

と留美子は言った。

背泳ぎをしながら、巧みに留美子の周りを廻りつづけている小巻は、

「体が覚えちゃったのよ」

と言った。

タカという青年が流木を避けながら車を運転して番屋の向こうの道から国道へと向かった。炭火の勢いが弱まったらしく、ヘルメットの青年がよく乾いた流木を探して浜辺を行ったり来たりし、集めた流木を炭火のなかに入れた。

「来年、またここでこうやって泳ぎたいなァ」

と留美子は言った。

「ニシン漁が盛んなときでも、この厚田って村はとても貧しくて、冬の寂しさなんて言葉にできないほどだったんだって」

と小巻は言った。

冬の日本海を留美子は一度だけ目にしたことがあった。

檜山税務会計事務所に勤めるようになり、初めて顧問先を直接に担当させてもらったのは、福井県にある織物工場で、二月の雪の日にその会社を訪ねたあと、武生(たけふ)駅で米原

行きの電車を待っていて、せっかくだから冬の海を見ようと思いたち、駅前に停まっていたバスの運転手に、このバスは海のほうに行くのかどうかを訊いたのだった。

海に沿って走る区間もあるということだったので、留美子はそのバスに乗った。雪は横なぐりに降っていて、乗客のほとんどは学校帰りの高校生たちだった。

バスは武生市内を抜けるとすぐに海に沿った道に出た。留美子は小さな漁村らしきところでバスが停まり、数人の高校生が降りたので自分も降りた。

織物工場の社長が貸してくれたビニール製の傘など役に立たなかった。海からの雪は留美子の胸から下を白く覆い、強風は傘を吹き飛ばすほどで、留美子は衝動的にバスに乗ってしまったことを後悔したが、越前岬から南に三十キロの地点でさえ、このような恐ろしい海の荒れ方をするのかと、寒さに身を縮めながらも眼前の鉛色の風景に惹かれた。

北陸の冬の海もすさまじいだろうが、北海道の厚田村の冬の海は、また異なった独自の迫力をともなって、畏怖するほどの荒涼さで、たたずむ人間を襲いつづけることであろう……。

留美子は、そのときのことを小巻に話して聞かせながら、幾分西のほうへと移動したかに思える半月のいっそう輝きを増した光を見つめた。

「その織物会社の経理状態を見て、ああ、これはもう敗戦処理の段階だって思ったけど、それを私は相手に明言できなかったわ。自分の読みに自信がなかったせいもあるんだけど、毎月どころか、ほとんど毎日が自転車操業の資金繰りなのに、なんとか兄弟たちで工場を存続させようとしてる若い経営者の必死な思いが痛いくらいにわかったから……。でも、半年後に倒産しちゃった……」

債権者たちとの交渉は中小企業を専門とする倒産処理の組織にゆだねたため、福井の工場には檜山が出向いた。当時の留美子には手に余る仕事だったのだ。

「でも、いまはその兄弟は、別の織物会社の技術者として働いて、借金もあらかた返済できたっていう葉書をもらったわ」

「誰から？」

「お兄さんのほうから。小巻ちゃんのお兄さんとおない歳くらいかな。あのころは子供が二人いたけど、いまは四人のお父さん……。倒産して二年ほどのあいだは、ああこれを地獄というのかって思いの連続だったって書いてあった。どんな小さな会社でも、倒産ての は、大変なことなのよ。地獄っていう言い方がいちばん適切かもしれない」

小巻は背泳ぎをやめ、海底に足をつけて、あお向けに浮かんだままの留美子の傍に立ち、

「うん、地獄よ。私の病気につづいて、お父さんの会社が倒産したとき、私もそう思ったわ。もう何の希望もなくて、借金取りの罵倒に耐えて謝りつづけて……。お父さん、よくもまあくじけなかったなァって思う……」

「小巻ちゃんは強いのよ。一見、弱虫みたいだけど、芯が強いのよ」

と留美子は言って、海底の砂に足をつけて立った。

さっきどこかへ走って行ったタカの車が戻って来た。番屋のところに停車して、建物の裏側へ廻る懐中電灯の明かりが見えた。

「ねエ、『生きようが死のうが安心してなさい』って声、いまでも思いだせる?」

と留美子は小巻に訊いた。

「うん、思いだせるわよ。まざまざと私の耳に」

と小巻は答えた。

「その気になれば、いつでも私の耳に聞こえるの」

「私も、そんな声を聞きたいわ。そしたら、私、もっと前に進めるかもしれない」

だが、生きるか死ぬかという状況に実際に置かれ、己の生と死に向かい合い、恐怖や一縷(いちる)の希望とのせめぎ合いがつづくなかでしか、そのような声は聞こえないのであろうと留美子は思った。

番屋のほうから懐中電灯の明かりが近づいて来た。タカという青年で、ポリ容器とゴムホースと、花に水をやる如雨露(じょうろ)を組み合わせて、シャワーを浴びられる装置を作ったから、あとで海水を洗い流すときは声をかけてくれ、と言い、釣り場に戻って行った。

留美子と小巻は再び体を暖めるためにブロックで囲んだコンロのところへ行った。炭火のなかに突っ込まれた数本の流木からはまだ炎はあがっていなくて、白い煙ばかりが天空にのぼりつづけたが、ヘルメットの青年が団扇で強くあおぐと勢いよく炎が生まれた。

「乾いてるみたいに見えるけど、それは表面だけで、なかは生木とおんなじなんだよ」

とヘルメットの青年は言った。炭火であぶられているうちに流木の芯の湿りが減っていくので、炎があがるまでは根気よく待って、いまだと思った瞬間に空気を送ってやるのだという。

留美子と小巻は、それから何回か海と焚火のあいだを行ったり来たりして遊んだ。

青年たちは、留美子たちが番屋の蚕棚のようなところで寝てしまってから、番屋の梯子の下の板の間で寝るつもりだという。

「三時までは、俺たちはここにいるから」

と恵一は言い、三十センチほどのカレイを持ちあげて、半ズボンの青年に、これはお前の嫁さんへのみやげだと笑顔で差し出した。

半ズボンの青年は二十歳のときに二歳下の女と結婚して、二人の娘がいるという。去年、やっとブルドーザーの免許を取って、給料があがったので、三人目の子供を作ろうと決めたのだが、そのつもりになって半年たつのにまったく徴候がないらしい。

「おかしなもんだよ。子供ができたら困るなアってときに年子でたてつづけに産まれて、三人目を作ろうと思ったら、できなくて……。二人の娘までが、弟はまだかって、せっつくんだぜ。まだ五歳と六歳のくせして。あいつら絶対に、子供ってどうやって作るのか知ってやがる」

と半ズボンの青年は言った。青年の妻の兄はダウン症で、二十八歳だが、ことしの春にインフルエンザにかかって死にかけたのだという。

「ダウン症の子って、生まれついて体が弱いから……。でもすごく可愛いんだよ。世の中にこんなきれいな心の人間がいるのかってうっとりするよ。二歳か三歳の心のままだからね。二歳や三歳の子が、人に意地悪してやろうとか、人を騙してやろうとか、困らせてやろうとか、そんなこと考えないもんね。無垢っていう言い方があるだろう？　二十八歳なのに二歳か三歳の無垢のままなんだ。インフルエンザで肺炎を起こして、医者が覚悟したほうがいいって言ったとき、俺、病院で声をあげて泣いちゃった。死なないでくれ。生きてくれるだけで嬉しいんだって、ほんとにそう思ったよ」

「でも親が歳を取ったり、いなくなってからが大変だよなァ」

とヘルメットの青年が言った。

「俺がついてるさ」

半ズボンの青年は笑って言い、留美子も名前を知っている若いアイドルタレントの名を口にした。

「その子がテレビに映ると、ぽうっと顔を赤くさせて、じいっと見てるんだぜ。二十八歳の義理の兄貴の初恋だ」

そのアイドルタレントの写真を探して、いろんな雑誌を集めたが、どれもきわどい水着姿ばかりで、それを義兄に見せていいものかどうか、夫婦で意見がわかれているのだという。

「テレビでは、そんな水着のネエチャンたちがこれでもかって映ってるんだからかまわないってのが女房の意見だけど、俺は、淡い恋心を汚しちゃうって意見で、こないだ夫婦ゲンカになったよ」

留美子は、もうそろそろ自分と小巻は番屋に移ろうと思った。忙しかった仕事の疲れが、月の海で遊んでほぐれてきたのか、ふいに体にだるさを感じたのだった。

体についた海水を洗い流したいと言うと、タカという青年が番屋へと一緒について来て、寄せ集めた板で囲んだ場所へと案内してくれた。にわか作りのシャワーの装置が板に取りつけてあった。

バケツのなかで沸いている湯をポリ容器の水でぬるめ、それをホースにつなげてある別のポリ容器に移すと、ホースを伝って頃合の温度の湯が如雨露から出て来る仕掛けだった。

タカという青年が車で熱い湯を運んで来るまでに、留美子は着替えを鞄から出し、自分のバスタオルを持って、小巻と一緒に板囲いのところで待った。

小巻に先に体を洗うように勧め、湯と水とを適温に混ぜて、それをポリ容器に入れると、

「いい？　いくわよ」

と言ってそれを持ちあげた。だが留美子には重すぎて腰より上には持ちあげられなか

った。

「男の力じゃなきゃあ、とても無理だわ」

と留美子は板囲いのなかで裸になってしまった小巻に言った。

「タカちゃんに頼もうか。彼、怪力だから」

小巻の言葉で、留美子は浜辺に戻り、釣り針に餌を仕掛けているタカに理由を説明した。

「俺、絶対に覗かないから」

と言って、タカは番屋に戻り、板囲いに背を向けて、湯の入っているポリ容器を頭上に持ちあげた。

如雨露から湯が流れ落ちる音がして、

「ああ、いい気持ち。ちょっと熱いけど、このくらいがちょうどいいわよ」

という小巻の声が聞こえた。

小巻が板囲いのなかから出て、体を拭いているあいだに、タカは熱湯と水とを混ぜ、留美子は板囲いのなかで水着を脱いだ。

「脱いだ？」

とタカが訊いた。

「はい。脱ぎました」

「じゃあ、行くよ」

如雨露からの湯は心地良くて、留美子は髪を洗い、体についた塩分を隈なく落としてからも、即席のシャワーを浴びつづけた。いったん手を離したら、どこに如雨露があるのかわからなくなる真っ暗闇のなかで全裸になってシャワーを浴びているうちに、はっきりと性的な疼きだと感じられるものが身内に生じて、留美子は目を閉じ、うなじを反らせた。

俊国の顔が浮かんだ。けれどもそれは、いまの俊国ではなく、なぜか十年前のまだ高校生の俊国だった。

如雨露からの湯に勢いがなくなってきて、留美子はタカに礼を言うと、手さぐりでバスタオルをつかみ、髪と体を拭き、下着をつけて服を着た。

「ドライヤー、ないけど、あの焚火のところにいたら自然に乾くよね」

そう言いながら釣り場に戻って行くタカに、もう一度礼を述べ、留美子が懐中電灯の明かりをつけると、目の前に小巻が立っていた。

留美子は軽い悲鳴をあげ、

「そんなとこにいたの？　一メートルも離れてないのに、ぜんぜん気づかなかった」

と言って笑った。すると小巻は、

「約束する。私、七十歳までは絶対に死なない」

と言った。

「早死にする人間だったら、もうとっくに死んでる……。私、自分が奇跡を起こした女なんだってことを過小評価してる」

小巻は怒ったように留美子を見つめ、人生をもっと大きく捉えて生きなければいけないといま気づいたと言った。

「生き抜いた自分てものを過小評価してたら、私を生かしてくれた何かを軽蔑してることになる。私は、生きてやる。七十歳なんてケチなこと考えない。八十歳……。八十五歳まで生きてやる」

留美子はまだ水滴がついている小巻の首のあたりをタオルで拭いてやり、その背を押して番屋のなかへと行った。

小さなランプの明かりを調節すると、吹き抜けの、老朽化などという言葉をはるかに超えた木造の番屋の内部が、眩しいほどに明るくなった。

梯子をのぼりながら、留美子は「人生をもっと大きく捉えて生きなければならない」という小巻の言葉の意味を自分に即して考えてみた。

自分はたいした取り得のない極く普通の女だ。とりたてて上昇志向があるわけでもなく、大きな目標を持っているわけでもない。天下国家という問題も、自分からは少し遠いところにある。そんな私が、「人生をもっと大きく捉えて生きる」には、自分のなかの何かを変えなければならないのではないのか……。

たとえ、ときおりであったにしても、過去の愚かな過ちをふと思い出して自己嫌悪に陥るのは、今夜限りにしなければならない。

私は、あの男が妻と別れることを決めて別居生活に入っていると知って、そこから恋愛というものを始めた。世に言う「不倫」などでは断じてない。あの男も、最初から氷見留美子という女を騙そうなどとは考えていなかったはずだ。

けれども、男は妻とのあいだに子供をもうけて、妻との新しい生活へと戻って行った。私に非はない。だが、そんな男を好きになり、その男との将来を信じたというのは、誰のせいでもない。私がそうしようと選んだのだ。俗に「星の数ほど男はいる」というが、その星の数ほどの男のなかから、私はあの男を選び、そしてつらい終わり方をした。そのような恋をしてしまったのは、ほかならぬ私自身なのだ……。

留美子は、あけたままの板戸の前に横坐りし、青年たちのいる場所でまだ燃えている流木の焚火を見やった。

あの男との恋が、我ながら無惨だと認める以外にない終わり方をしてから以後、私は人生をなんと小さく捉えて生きてきたことだろうか……。

だが、「人生を大きく捉えて生きる」とは、具体的にどうすればいいのであろう。女の私にとって「大きな人生」とはいかなるものなのか……。

留美子が遠くの焚火を見つめながら、新しいタオルで髪を拭いていると、

「あの焚火のところにいたら髪がちゃんと乾くわよ」

と小巻が言った。

「髪の芯が濡れたまま寝ちゃったら、風邪ひくよ」

小巻は、焚火のところへ行こうと誘ったが、留美子は、そっと体を動かさないと、いつ床が抜け落ちるかしれないような、番屋の二階ともいうべき狭い棚の上で、月と焚火を見ていたかった。

それに、自分や小巻がまた青年たちの釣り場に戻ると、青年たちに無用な神経を使わせてしまうであろうと思った。

「そのうち乾くわよ。なんだか、体に力が入らないの。海にあおむけに浮かぶ練習、きっと想像以上に体力を使ったんだと思うわ」

と留美子は言った。

「体から力を抜くっていうのは、体に力を込めるよりもはるかに難しいのかもね」

と小巻は言って、蒲団に横たわった。

「名人て呼ばれる彫刻家ってのは……」

そう言って、小巻は徒然草にある一節なのだがと前置きし、

「よき細工は少し鈍き刀を使ふといふ。妙観が刀はいたく立たず」

と、ゆっくり朗読するようにつぶやいた。

「仏師も能面師も人形作りも、木を彫ったり細工したりするときは、とびきりよく切れる刀はあえて使わない……。少し鈍き刀を使ふといふ……」

留美子は、小巻が何を言いたいのかわからなくて、自分も蒲団に横たわると、小巻の目をのぞき込んだ。

「よき細工って、たぶんいろんな分野に当てはまるのよね。音楽とか文学とか舞踊とか、茶道とか華道とか……」

「かき氷だって、少し溶けかけたころがおいしいもんね」

留美子はそう応じてはみたが、まるで見当外れのことを言ってしまった気がして、寝返りをうつと、横たわったまま焚火を見た。

そうしているうちに眠った。

ふと目を醒まして、いま何時だろうと枕元の腕時計を探すと、自分の体に掛け蒲団が載せられていて、隣で小巻が寝息をたて、ランプの明かりは小さくなり、その下で雑魚(ざこ)寝(ね)をしている青年たちがかすかに見えた。

板戸は閉まっていた。

「お袋、もうあと半年くらいかなァ……」

誰かが声をひそめて言った。

「そんなことわかるもんかよ。小巻ちゃんみたいに奇跡が起こるかもな」

その声はヘルメットの青年だった。

「まだ五十二だぜ。妹にはお袋の病気のことは黙ってるんだ。家中で知らないのは妹だけ……。だってまだ高校一年生だから」

留美子は腕時計を見るのをやめた。ランプの明かりは留美子の枕元にまでは届いてこなかったからだった。

翌朝、パンと牛乳で朝食を済ますと、青年たちは職場に戻って行った。

恵一だけは、午後まで休みをとっていて、またダンプカーで留美子と小巻を小樽まで送ってくれるてはずになっていたが、工事現場の仲間に、厚田港でシャコを買ってきてくれと頼まれていて、番屋の戸締まりを確認するとダンプカーに早く乗るよう促して、港へと向かった。

「あのへんが港だよ」

恵一が指差したあたりの上空には数羽の鳶が旋回していた。

きのうよりもさらに青い空が、海の色とひとつになって、厚田村の小さな民家がいっそう小さく見えた。

「厚田港」と書かれた標識のところを海側に曲がったが、ダンプカーを停車できるだけの幅がなく、シャコを買いに来た車の通行の邪魔になるので、恵一はダンプカーをバックさせて国道に停めると、小巻に、車に乗っていてくれるようにと頼んだ。

「このへんはよくパトカーが通るんだ。駐車違反だって言われたら、運転できる人間はすぐに帰って来ますって言ってくれよ」

「うん。可愛い言い方でお願いしてあげるわよ」

そう言って、小巻は、留美子にシャコの露店を見て来たらどうかと勧めた。

「小さな港だけど、すごくたくさんの露店が出てるのよ。みんなシャコばっかり」

留美子は、かつてはニシン漁で賑わったという厚田港を見たいと思い、恵一を追って小走りで港への道に向かった。

どこからこんなに人が集まって来たのかと驚くほどに、多くのシャコ売りの露店と、それを買い求める人々が小さな港半分を埋めていた。港からは海に沿って長い突堤が伸びていて、そこには釣りをする人々が坐っている。

釣り人の狙いは、留美子の知らない小さな魚らしく、大きな魚がかかっても、それを釣り針から外すと、海には戻さず、突堤のうしろのコンクリートの道に放り投げるのだった。

この大きな魚のほうがよっぽど立派なのにと思い、留美子は、後方に魚を放り投げた中年の男に魚の名を訊いた。

「ウグイだ」

と男は言い、海に戻さないのは、鳶のためだと言った。

「ああやっといたら、鳶が獲っていくだろう？　鳶の餌になるからな」

釣り人がウグイを後方の道に放り投げるたびに、鳶は上空から近づいて来るのだが、突堤や電柱にとまって、すぐにウグイを獲ろうとはしなかった。数匹のウグイは、コンクリートの道の上で跳ねつづけ、やがて動かなくなっていく。

鳶たちはいったい何を用心しているのであろうと留美子は思い、突堤にたたずんで、数を増した大きくて敏捷な鳥たちを見つめた。

太陽の光は、動かなくなったウグイという魚からたちまち光沢を奪っていく。

「どうして、鳶は、せっかくのウグイをすぐに獲りにこないんですか？」

狙いの小魚を一度に五尾も釣りあげた男に留美子は訊いた。

「さあ……。鳶に訊いてみな」

男は少し笑みを浮かべて言った。

そのうち、一羽の鳶が近づいて来たが、ウグイのいるところから五メートルほど上空をあわただしく旋回するだけで、すぐに港の建物の屋根へと戻った。

留美子は、突堤の向こうの人混みに目を凝らし、恵一の姿を探した。恵一が頼まれたシャコの量は多いのか、発泡スチロールの箱が恵一の前に運ばれ、そこにまだ生きているかのような生のシャコと氷が並び始めていた。

無数の鳶。北の海。シャコを売る女たち男たち。釣り人。コンクリートの道に放り投げられたウグイ。青すぎる空……。それらは、ひとかたまりとなって、留美子の胸を張らせ、背を反らせた。

私は甦った……。

留美子は、はっきりとそう感じた。あの男との恋で、私は一度もめげなかったと思っていたが、そうではなかった。

後悔。失った時間への無念。愚かな自分への嫌悪。男への憎悪……。

それらは、自覚できない余熱となって、私の体内で不快な汚物のくすぶりを与えつづけていたのだ。でも、いまそれは消えた。完全に消失した。私は何も失わなかった……。

留美子は、

「ざまあみろ!」

と小声で言った。

いったい何に対しての「ざまあみろ」なのか、わからなかった。どうして「ざまあみろ」という言葉がふいに自分の口からこぼれ出たのかわからなかった。

そして「ざまあみろ」と繰り返し小声でつぶやくうちに、再び十年前の倭国の姿が留美子の心のなかに立ったのだった。

恵一が突堤にいる留美子に手を振った。

そのとき、鳶たちはいっせいに行動を開始した。獲物を争って上空で互いを威嚇しあいながら、突風に似た羽音をたてて、コンクリートの道に爪を立てて滑降し、すべてのウグイをつかんで上空へと戻って行った。

獲物を獲るための間合い……。

そんな言葉が留美子のなかに静かに浮かんできた。

十年間という間合い……。

もし、十年前のあの少年が、手紙に書いたことを十年後のことし、実行したら、私はその長い長い間合いから逃れることはできない……。留美子はそう思いながら、恵一の待つ人混みへと駆けだした。

第八章

上原桂二郎は、札幌でのゴルフから帰京すると、自分のその日のスケジュールを多少我儘（わがまま）に変更して、週に二回、新橋のバー「しんかわ」へ行った。

桂二郎が行くのは、たいてい夕方の五時で、五時半には代金を支払って店から出て、社での仕事が残っているときにはそのまま社に帰るし、宴席が予定されている場合には、その宴席の場へと向かう。

八月に入って、もうこれで「しんかわ」へ行くのは最初のときも含めてちょうど十回目だという日、小松聖司の後任として秘書室勤務となったばかりの雨田洋一を社長室に呼び、

「ちょっとこれから新橋へ行くから、お前もついてこい」

と桂二郎は言った。

なぜ自分が「しんかわ」というバーへ行くようになったのかという理由は、小松聖司には話していない。小松も仕事の引き継ぎをするにあたって、「しんかわ」のことだけ

は雨田洋一には教えていなかった。

「ときどき、『しんかわ』ってバーで、黒ビールを一本飲む。なぜかわからんが、あそこで黒ビールをひとりで飲む時間が俺は好きでね」

桂二郎の言葉に、雨田洋一は、

「私もお供してよろしいのでしょうか」

と訊いた。

「いや、店ではひとりになりたいから、車のなかで待っててくれ。場所は杉本さんがよく知ってるよ」

運転手の杉本にその旨を連絡しようとした雨田に、

「俺が新橋の『しんかわ』ってバーに行くことは内緒だぞ」

と桂二郎は言い、その理由を説明した。

「うちの社に五人の常連がいるんだ。五人全部の名前がわかってるわけじゃないが、社長が来る店だって知れて、足が遠のいたりしたら、そのバーに申し訳ないからな」

決して誰にも口外しませんと雨田は言って、社長室から速足で出て行きかけた。

背はどちらかというと低いほうだが、肩も広く胸板もぶあつい雨田洋一は、女子社員から「豆タンク」と呼ばれている。たしかに豆タンクのような体軀なのに、歩くのは速い。小股で忙しく足を運ぶのは、仕事をしているときだけではないらしく、同僚と昼食をとりに行っても、飲みに行っても、交差点を真っ先に渡り切るのは雨田洋一で、あいつと一緒だと疲れてしようがないと、迷惑がられていることを桂二郎は最近知ったのだった。

「ほんとに速いなァ」

と桂二郎は笑みを浮かべて雨田に言った。

「はい？　何がですか？」

と雨田は額に汗を滲(にじ)ませて訊いた。

「歩くのがだよ」

「はあ、やっぱり速いでしょうか」

「速いねェ。いま声がしてたと思ったら、もう遠くにいる」

「はあ……。もっとゆっくり歩くようにこころがけます」

「いや、そんなことしなくていいよ。機敏なのはいいことだ」

雨田洋一の名は、かつては「龍造」だった。祖父のものをそのまま貰ったのだと、なにかの折に桂二郎は本人から聞いたことがあった。それをどうして「洋一」と改名したのか、雨田は親しい者にも語りたがらないという。

戸籍名は龍造なので、入社したときは「雨田龍造」という名刺で仕事をしていたのだが、研修期間中に上司に申し出て、本名の龍造を今後は使いたくないのだと強く懇願したのだという。

そんな前例は我が社にはないと上司に拒否されて、いわば直訴という形で桂二郎に直接頼み込んできたとき、桂二郎は雨田龍造という青年のなかの鋼(はがね)のような芯を認めて了承した。

だが、なぜ祖父の名を返上し、自分で考えた洋一という名にしたいのかは、桂二郎は訊かなかった。

何かよほどの事情があるのであろう……。

龍造だろうが洋一だろうが、そんなことは社にとっては問題ではないと思ったのだった。

「しんかわ」では、まだ一度もマスターの新川秀道以外の人間と顔を合わせたことはない。一度だけ、帰り際に、常連客らしい者とドアのところですれちがっただけなのだ。

桂二郎は、上原工業の社員と顔を合わせることにも用心していたが、なによりも新川緑とは鉢合わせしたくなかった。

「黒ビール一本と葉巻を一本だ」

車から降りると、桂二郎は雨田にそう言った。

「いま四時四十五分だから、五時十五分か二十分には出て来るよ」

桂二郎はきょう葉巻入れに入れてきたのがコイーバのロブストスであることを考え、車に戻るときはまだ葉巻に火はついたままだなと思った。

「しんかわ」のドアをあけるとき、桂二郎はカウンターのなかでグラスを磨いている新川秀道に気づかれないように、極力静かにドアのノブを廻す。

万一、自分の社の社員がいたり、新川緑がいたりしたら、こちらの顔がわからないうちにドアをすみやかに閉めて車に戻るためだった。

「いらっしゃいませ。きょうは暑いですね」

グラスを磨きながら、新川秀道は桂二郎に笑みを注いで言った。

漫画の「サザエさん」に登場する「波平さん」に似ていると小松聖司が言ったとおり、新川秀道はある種の剽軽さと人の好さをその容貌すべてであらわしているかに見えるのだが、何回かカウンター越しにとりとめのない会話を交わしていると、桂二郎は新川秀道のどうかした一瞬の目の動きに、長年、バーテンという職業をつづけてきた男の、「切れ味」を感じるようになっていた。それは「人を見る眼力の切れ味」といっていいものかもしれなかった。

「しんかわ」にとって、ある日訪れた上原桂二郎という客は、風変わりな客であるはずだった。

いつも背広にネクタイをしていて、早いときは四時半ごろにやって来て、そろそろいつもの客が入って来そうな五時半までには必ず帰って行く……。店で飲むのは、英国製の黒ビール一本だけで、それを葉巻とともに味わって、葉巻を喫い終わると代金を払い、

「いや、おいしかった」

と言うだけで、バーテンとの会話を求める様子もない。

しかし、新川秀道も、桂二郎に氏名を訊こうとはしないし、どんな職業で、どうして

こんな時間に訪れるのかなどと質問しようとはせず、

「あしたは雨らしいですね」

とか、

「その葉巻、昔、よくお越しになった証券会社の社長さんがお好きでした」

と柔和な目で言うだけなのだった。

桂二郎は、黒ビールをひと口飲み、コイーバのロブストスに火をつけて、「レディー・ジェーン」を聴かせてくれないかと頼んだ。

新川秀道は、

「承知しました」

と言い、桂二郎が求めた古いジャズを店内に流し、

「きょうは、いつもと違う葉巻ですね。それは何という葉巻ですか？」

と訊いた。

桂二郎は、葉巻の名を教え、最近はあまり癖のある味や香りがいやになってきて、もっぱらこのコイーバのロブストスばかりなのだと言い、葉巻ケースからもう一本出すと、

「お嫌いじゃなかったら、一本お試しになりますか」

と勧めてみた。

新川は、煙草（たばこ）をやめて五年になると言った。

「それまでは一日に八十本くらい喫ってました。葉巻はお客さまが喫ってる煙を嗅ぐだ

けで、自分では喫ったことがないんです。でも、それはとてもいい香りですね。なんだか上等のコーヒーに少し甘いココアが混じったような……。少し蜂蜜の匂いもします」

「一度、香りを嗅いだだけで、それだけのことを感じるとは、さすがに『しんかわ』のご主人ですね」

桂二郎は言って、葉巻の吸い口を切った。

「せっかく五年も煙草をやめてきた人に勧めるのはよくないかな……」

桂二郎は本気でそう思い、差し出した葉巻を引っ込めかけたが、

「じゃあ、きょうのこの黒ビールと交換ということで。きっと葉巻のほうが、黒ビールよりもはるかにお値段は高いんでしょうが」

と言って、新川はコイーバのロブストスを受け取り、鼻に近づけて香りを嗅いだ。

「うちにも、いちおう葉巻は置いてあるんですよ。でも、ヒュミドールに入れてあるのは二種類です。『ダビドフ』の『1000』と『アップマン』の『プチコロナ』です」

一度葉巻を喫ってみたいという客のために置いてあるだけで、葉巻好きの人は、自分の好みの銘柄を持参するのだと新川は言い、丁寧で巧みな火のつけ方をして、最初の一服を口のなかで転がした。

「その火のつけ方は、熟練者ですね」

桂二郎の言葉に、

「まあ、私もいちおうバーテン稼業を五十年近くやってきましたので」

と新川は微笑みながら言った。

「柔らかくて、これはうまいですね。これなら私もやみつきになりそうです」

「バーテン稼業五十年ですか……。お幾つのときから?」

そう口にしてから、桂二郎は何か禁を犯した気がして後悔の念に駆られた。これまで私的なことを質問してはならないと己に言い聞かせて「しんかわ」のドアをあけてきたのだった。

「十六歳なのに、十八歳だって嘘をついて、横浜にあったバーで雇ってもらったんです。そこのご主人はイギリス人の社交クラブにあったバーで修業した方なんです。戦争中、召集されてフィリピン戦線でマラリヤにかかりましてね。結局それがもとで私が二十歳のときに亡くなりました。名人といってもいいほどのバーテンでした。葉巻の知識も豊富でした。私はその人が亡くなったあと、ここにあったバーに移ったんです。そのときは『しんかわ』っていう名前じゃありませんでしたし、経営者も別の人でしたが」

そのときの経営者が店を手離すことになり、死んだ妻と一緒に「しんかわ」という新しい名に改名して、内装を少し変えて開店したのだ……。

新川秀道はそう説明した。

「十六歳のときからバーテン稼業。ほかのことはなーんにも知らないんです。バーっていう場所が好きなんです。子供のころから、バーが好きでした」

その言葉に笑い、桂二郎は、理由を訊いた。

「私の父親が、つまり当時の言葉でいうところの『ハイカラさん』でして、外国人相手のバーによく行ってました。ときどき、母親に頼まれるんですよ。『お父さんをつれ戻しといで』って。父親は酒は弱かったんです。バーってものが好きだったんですね。その血がそっくりそのまま私に流れたようでして……」

自分が父から受け継いだものは、バーというところの雰囲気にたまらなく惹かれる点だけではなく、酒が飲めないという体質もだと新川秀道は言った。

「ビールでしたらグラスに半分。ウィスキーならシングルの十分の一。それが私の限界なんです。でも、かえってそのほうがいいような気がするようになりました。自分の作ったカクテルの味が、お陰で正確に評価できるんじゃないかって……。若いころは、バーテンが下戸じゃどうにも仕事にならないと思って、酒を飲める体になろうと無駄な努力をして、しょっちゅう倒れたり、二日酔いどころか三日酔いみたいになって、死ぬ思いを何十回も味わいましたよ。でも、体質ってのは、少々の鍛錬で変わるもんじゃありませんね。いまでも相変わらず、ビールならグラスに半分。日本酒なら猪口(ちょこ)に一杯だけです」

新川秀道がこれほど話しかけてくるのは初めてのことで、桂二郎はそれとなく腕時計に目をやりながら、次第に「気が気でない」といった落ち着きのなさに襲われた。

上原工業の社員がやって来ても、それはそれでなんとでも対処の仕方はあるのだが、もし新川秀道の娘が店に入って来たら、自分が何者であるのかがわかってしまう。

桂二郎は桂二郎で、「しんかわ」に来るたびに、マスターである新川秀道の容貌や表情の動かし方や、声や、立ち居振る舞いなどに、桂二郎なりの眼力を働かせて、娘の緑との微細な類似点をみつけようと努めてきた。

桂二郎はグラスに三分の一ほど残っていた黒ビールを飲み干し、火のついた葉巻を指に挟むと、

「じゃあ、お勘定を」

と言って椅子から腰を浮かせた。

「お急ぎですか？」

と新川は訊いた。

それもまた珍しいことだった。桂二郎がわずか十五分で店から出たときも、いつもと同じ表情で小さな紙に代金を書いて差し出すだけだったのだ。

「ええ、まあ忙しいといえば忙しいですね。きょうはこれから雑用が二つ。ここに来て、黒ビールを飲んで、葉巻を喫っていくのは、私にとっては、まあ相撲にたとえれば『仕切り直し』なんです。落ち着きを取り戻したり、気合を入れたりの、非常にいい『仕切り直し』の時間です」

と桂二郎は言った。

「どうしてもきょう中に片づけなきゃ、いけない雑用ですか？」

新川は磨き終えたすべてのグラスを並べながら訊いた。

そして、

「ほんとは、きょうは、店は休みなんです」

と言った。

「それは知りませんでした。ドアを押したらあいたし、マスターもいつもどおり、グラスを磨いてらっしゃったので……」

桂二郎は怪訝な思いを隠して、そう言った。

「トイレが故障しまして、きのう水洗の水が止まらなくなっちゃって、床が水びたし。この店のなかだけ大雨で床上浸水って感じで。さっきまでトイレの修理と、床の掃除で大変だったんです。トイレは応急処置をして、とりあえず水は止まったんですが、新しいのに替える時期かなと思って、今夜中に取り替えてくれって業者に頼みました。ですから、きょうは臨時休業です」

そう笑顔で言いながら、新川は「お客様各位。本日は店内改装のため臨時休業とさせていただきます」と小さなボードにマジックインクで書き、それを持ってカウンターのなかから出ると、入口のドアをあけ、ノブにぶらさげた。

「たまには、ごゆっくりなさっていって下さい」

その新川の口調に、桂二郎は明確な含みを感じた。

なんだ、ばれていたのか……。

そう思ったが、そのことは口にせず、桂二郎は背広の内ポケットから携帯電話を出し、雨田の携帯電話にかけた。

「村山さんが七時に社にお越しになったら、了解したと伝えといてくれ」

「はい。そうお伝えすればよろしいのですね?」

そう雨田は言い、

「宇田さんのパーティーはどうなさいますか?」

と訊いた。

そのパーティーには、気が向けば出席するが、気分次第だと雨田には言っておいたのだった。

「お祝いの金を包んで、お前が代わりに行ってくれ。下手な短歌を集めた本の自費出版のパーティーだ。俺は、ここでもう少し飲んでるよ。帰りはタクシーを拾って帰るから、俺の車はお前が使ったらいい」

「お祝いのお金は、どのくらいにいたしましょうか」

「三万円てとこかな。いや、五万円にしとこう。『誠意とは金だ』ってのが、あのじいさんの不動の信念だ」

桂二郎は笑って言い、電話を切った。

そして、

「私も最近は、あまり飲めなくなりました」

と新川秀道に言った。

「というより、飲まなくなったんですよ。べつに健康に留意してって気持ちからでもない。酔い過ぎると、寝つきが悪くなったんです。ある日突然にです」

新川は微笑み返し、帰ろうとしているお客さまを引き止めたのは、この稼業に入って以来、初めてのことだと言った。

ある日突然と言ったが、どうもそれは違うなと思いながら、桂二郎はコイーバのロブストスの味に深みが出たのを感じて、一服だけ肺に入れた。そんなことをするのは滅多にないことだった。

酔い過ぎると寝つきが悪くなったのは、妻が死んでからだと桂二郎は思いながら、黒ビールをもう一本註文した。

「ハーフ・アンド・ハーフになさいませんか」

と新川は勧めた。

「そのほうが口当たりもさっぱりしてますし、黒ビール独特の、あのねっとりした酔い具合がありません」

「じゃあ、それを」

桂二郎が頼むと、新川は黒ビールと普通のビールの壜を左右の手で持ち、それを同時にグラスに注ぎ、

「上原桂二郎さんが、こんなに早く私の店にお越し下さるとは思ってませんでした」

と言った。

「どうして私が上原だとわかったんですか？」

「さあ、どうしてなのか……。最初にあのドアをあけて、店に入ってこられた瞬間に、私は、『あっ、来た！』って思ったんです」

　桂二郎は微笑み、

「あっ、出た！　じゃなくてよかった。それだとお化けか幽霊みたいですからね」

　と言い、ハーフ・アンド・ハーフを飲んだ。

「私の女房が若いころにお借りしたままになってたお金、娘に届けさせたのは、女房が死ぬ前にそうしてくれって言い残したからなんです」

「お嬢さんにも申し上げましたが、あのお金はお貸ししたんじゃありません。亡くなられた奥さまは、ずうっと勘違いなさってたんですねェ。お金を渡すとき、私がちゃんと念を押さなかったからです。長いあいだ、奥さまはお金のことを心にかけつづけていらっしゃったのかと思うと、申し訳ない気持ちで、自分を責めてしまいます」

「私の女房が、あのお金のことを口にしたのは、亡くなる二、三ヵ月前です。この店を買うために上原桂二郎という方に借りたって。必ず返すと約束したが、上原さんは、貸した金の返済を自分から求めてくる人ではない。返さなければ、返さなければと気にかけつつも、やっと返せるだけのお金が用意できたときに限って、物入りな事態が生じた。手頃な値段で家が売りに出ていて、どうしてもその家と土地が欲しくて、返すためのお金をそれに用立ててしまったり、その次には娘の教育費が必要になったり……。またその次には、店があまりにも古くなって、改装しなければならなくなったり、って……」

と新川秀道は言って、葉巻をくゆらせた。

「どうしてそんな勘違いをなさったのか……。難しい仕事を完成させて下さったことへの、じつに正当な報酬でしたのに」

桂二郎はそう言いながら、あの金の話題はこのへんで切り上げねばなるまいと思った。そうしなければ、何かをほのめかすかのように自分の娘のことを口にした新川秀道に、喋ってはいけない何かを喋らせてしまうことになりかねない気がしたのだった。

と同時に、自分も、訊いてはならないことを訊いてしまうのではないのか……。

「あのお金のことは、どうかご放念下さい」

そうあらためて言って、桂二郎は、なぜ自分が上原桂二郎であると一目でわかったのかと訊いた。

「女房が亡くなる前に、上原さんのことについて、ほんの少し、私に話をしてくれたんです。ほんの少しです。ですが、それだけで私のなかに上原桂二郎という人の全体像のようなものが朧(おぼろ)に出来あがってしまいまして。……驚きました。私のなかの朧な人物が、そっくりそのままの姿で、店に入って来られたもんですから」

自分のなかにあった上原桂二郎という人物と、娘の緑が実際にお逢いして拝見した上原桂二郎氏の印象とは、かなりの違いがあった。にもかかわらず、一目見た瞬間に、疑いもなく、上原桂二郎氏が来たと自分は思った、と新川秀道は言った。

「このお金は、お前が好きなように使えって、娘に渡しました。娘は、ほんとに目を丸くさせて、大喜びしてました」

ああ、やはり緑という娘の話題にならざるを得ないのだなと桂二郎は思った。ならざるを得ないように新川秀道が導いていっている……。そんな気もした。

「お嬢さんは、あのお金をもう何かにお使いになりましたか？」

と桂二郎は訊いた。

「いや、まだまったく手をつけていないようです。そのまま貯金してあるんじゃないでしょうか」

そして新川は、娘の緑は、イギリスの大学の建築学科を卒業したのだと言った。

「我が子ながら、ほんとによく頑張ったと頭が下がります。ホームシックにかかったり、言葉の壁にぶち当たってノイローゼになったり、ストレスで病気をしたり、イギリス人の担当教授にこれでもかとしごかれたり……。それでも立派に卒業して帰って来ました。親よりも何百倍もえらい子です」

「欧米の大学に留学する日本人は多いですが、ちゃんと卒業して帰って来るのは、そう多くはありませんからね。欧米では大学中退なんて何の意味もない。卒業するってことが、いかに至難かってことです。それも建築学っていう専門分野ですから、その努力は門外漢の私でも想像がつきます。ご両親が立派だったからでしょう」

「いや、とんでもない。あの子の両親は、新橋の小さなショットバーのママとバーテンです。しがない小商いですが、私も女房も、それ以外の生き方は出来なかったんです。だから、いかに誠実に正直に生きるか……。そのことは私も死んだ女房も第一義としてきました」

このような人間であろうとすることや、このような信条を根本として生きつづけようと決めることは簡単だが、それを生涯実践しつづけるのは至難の業だ……と新川は言った。

そして、しばらく何かを考え込むような表情で磨きぬかれたバカラのグラスを見つめていたが、ふいに「照れ」とも「むきだしの稚気そのもの」とも受け取れる笑顔を桂二郎に注いだ。深い笑い皺が、新川の顔を一瞬幼児のようにさせた。

「私は死んだ女房を尊敬してました」

と新川は言った。

「尊敬、ですか……」

桂二郎もつられて笑顔を浮かべたが、自分の笑みが、新川の言葉を揶揄することにならないだろうかと危ぶんで、慌てて真顔に戻した。

「ええ、えらいやつでした。人間の器が、私なんか到底及びもつかないくらい大きいんです」

そう言って、新川はまた自分が丹念に磨きあげたグラスに見入り、葉巻をうまそうに喫った。

「最初、出会ったころは、自分というものに自信がない、いつも何かに怯(おび)えてる、気の弱い、極くありきたりの、真面目だけが取り柄でしかない女でしたが、歳を重ねるごとに、一人娘を育てていくに従って、少しずつ少しずつ堂々とした女になっていきました」

　さらに新川は、グラスの光沢を見つめ、慎重に言葉を選ぼうとするかのように葉巻の煙を目で追ってから、

「嘘をつかない人でした」

　と言った。

「嘘も方便という言葉がありますが、私の女房は『お前、そこまで本当のことを喋っちゃあいかんよ』って私が言いたくなるほどに、正直でした。正直であろうと、自分に、……なんというんでしょうか……苦役、そう苦役を課した時代があったんでしょう。私の女房には、死ぬまで怯えつづけてたものが、ひとつだけあったんです」

　それはきっと、上原桂二郎という男とのあいだに生まれた娘に関するものであろうと桂二郎は思い、新川秀道の次の言葉を、葉巻の灰がカウンターの上に落ちたことにも気づかないまま待った。桂二郎はこの何日間かで、新川緑が自分の子であることをもはや疑うことのできない事実として受け入れてしまっていたのだった。

「私の女房の父親と兄は、とにかく非道な人間だったようです。女房の兄は、女房がこの店を買って三年後に死にました。人の死をこんなふうに言うのは不謹慎ですが、私も

女房も、あの男が死んで、真底、ほっとしました。あの男が生きていたら、この店も、私たち夫婦もどうなっていたか……」

そう言って、新川は、桂二郎がカウンターの上に落とした葉巻の灰を注意深く指でつまみ、灰皿に捨てた。

「私の女房は、死ぬまで怯えてました」

と新川はもう一度言った。

「何にでです？」

と桂二郎は訊いた。

「義理の父親や兄と同じ性質のようなものが、自分のなかで騒ぎだすときが、必ず来るんじゃないのかってことにです。父親とも兄とも血のつながりはないんですが、『似た者同士』がくっつき合うってことを女房はいやに真剣に信じてました」

だから自分の妻は、何かでかっとなったり、自分の感情をコントロールできない精神状態になると、近くにあった精神科クリニックの医者のもとに行ったと新川は言った。

「その精神科のお医者さんは、この店ができたころに、おなじように新橋でクリニックを開業なさいましてねェ、うちの店の常連さん第一号って言ってもいいくらいで……。私よりも十歳上でした。いまは現役を引退して、信州の安曇野で畑仕事を楽しんでらっしゃいます」

と新川は言った。

「私の女房の不安を聞いて、いつも安心させてくれたんです。クリニックを開業してから、高齢で引退するまでずっと……」

無論、自分の妻は精神を病むことはなかったし、義理の父や兄と同じ血が騒ぎだすことも当然なかった。その医者も、そんな心配は無用だと言いつづけた……。

「でも、そのお医者さんに相談することで、女房は自分の怯えとか不安を、しょっちゅう解消することができたんです。私の女房も、私も、誠実であること、正直であること、露ほども悪事を目論んだりしないこと、他人をねたんだり、やっかんだり、自分たちの不運をなげいたりしないことを人生の第一義として生きてこられたのは、女房の父親と兄さんのお陰だったんだなアって思いますよ」

新川は、短くなった葉巻を灰皿に置いた。そして言った。

「そんな女房が、たったひとつだけ、自分の娘に嘘をつきとおしました」

どんな嘘なのか……。新川が自分から喋るまでは、口が腐っても訊いてはならない……。桂二郎はそう思った。だが、新川が真実を明かしたならば、緑という娘についてのあらゆる責任を果たす覚悟はすでに桂二郎のなかにあった。

「女房がいなくなって、この店は火が消えたみたいになりました」

と新川は言った。

「お客さまとの人間としてのおつきあいは、本来、こんなバーではご法度（はっと）みたいなところがありましてねエ。お客さまがご自分で喋ったりしないかぎりは、お仕事のことに関しても、勿論、私生活に関しても触れないってのが掟のようなもんなんですが、私の女房は、馴染みのお客さまのもうありとあらゆることを知ってました。いつのまにか、お客さまが自分でものをさらけだして、会社では言えない悩みとか、おうちでも口にしないいろんなことを『しんかわのママ』に喋るようになっちゃうんです。この『しんかわ』は、ママの店でした。私はママの亭主で、バーテンですが、店の主は、ママだったんです。お客さまは、みなさん、ママの客です。そのママがいなくなったとあっては、『しんかわ』っていうバーはないに等しい……。私はそう思って、女房の死と一緒にこの『しんかわ』も終わる……。そうするべきだと決めたんですが、ほとんどのお客さまが、『しんかわ』を閉めたら一生マスターを恨んでやるって仰言って下さいまして、悩んだ末に、私ひとりで店をつづけることにしました」

「お嬢さんが、ときどきお店を手伝っていらっしゃるそうですねェ。お逢いしたとき、たしかそんなことを仰言ってたような……」

桂二郎が言うと、新川はかぶりを振った。

「夜、できるだけ自分も手伝うから『しんかわ』をつづけようって娘も言ってくれましたが、私はそんなことをさせるつもりは毛頭ありませんよ」

と言った。

「男が酒を飲む場所で、自分の娘を手伝わせたくありません。娘には娘の仕事がありますから。ショットバーでお客さまのお相手をするためにイギリスで苦労してきたんじゃないんです。娘は自分が苦労して学んできたものを、自分の仕事の領分で生かすべきです。ここにはバーテンがひとりいればいいんですから……。娘がなんと言おうと、私は娘に店を手伝わせたりはしません」

新川の口調は穏やかだったが、その言葉には断固としたものがあった。

「なんだか、上原さんとは何の関係もない私事ばっかりお聞かせしてしまいました。いや、申し訳ありません。久しぶりの葉巻で神経がほんわかとゆるんだのか……」

店の小窓から見える空は赤く、店内はまだ明かりを必要とはしていなかったが、新川は幾つかあるスイッチのひとつを入れた。カウンターに丸い光の輪が七つ並んだ。そのうちのひとつのなかに桂二郎の消えてしまった短い葉巻があった。

新川の、スイッチの入れ方には、これで自分の話は終わりだと告げる何かが感じられて、桂二郎は意外な思いがした。

新川秀道が、店の扉に臨時休業と書いたボードを掛け、それから、自分の死んだ妻の話を始めたとき、桂二郎は、おそらくこれから緑という娘のことを打ち明けるつもりであろうと思ったのだが、新川が語りたかったのは、千鶴子が娘の緑にたったひとつだけ嘘をつきとおしたことがあるという、ただそれだけだったのだと桂二郎は知って、小さくて丸いスポットライトのなかの自分の手を見つめた。

何か喋らなければと思うのだが、言葉が出てこなかった。

「ゴルフをなさいますね？」

桂二郎の手を見て、新川が笑顔で訊いた。

グローブをはめる左手だけが日に灼けていなくて、右手と比べると異様なくらい白かった。

北海道でのたった一度のゴルフが、こんなにも手の甲や腕を日に灼いたのかと桂二郎は思い、

「この夏が始まってから、ゴルフをしたのは、たった一日だけです。それも北海道の札幌の郊外にあるゴルフ場で……。いい天気でしてねェ。青い絵具のような色の空でした」

と桂二郎は左右の手の甲をスポットライトの下で並べて見比べながら言った。

「北国の太陽って、灼けやすいらしいですよ」

と新川は言った。

「ある方の生涯最後のゴルフにお招きをいただいたんです。いいお天気で本当によかった……」

桂二郎は、氏名は明かさなかったが、黄忠錦という人物のことを、新川秀道に語ってみたくなった。

ひとりの中国人の来歴を語り、その男のたたずまいを語り、ゴルフの腕前を語り、なぜ生涯最後のゴルフだったのかを語るうちに、桂二郎は新川秀道が、緑に真実を明かさないまま、この世から消えて行ったりはしない人間だと悟った。

「アウトの三ホールめのショートホールで、私の打ったボールが左に曲がって林のなかに飛んで行きました。グリーンの右は池です。林のなかはOBでしたから、私は打ち直すために新しいボールをティーアップしたんです。そしたら、林のなかからボールがゆっくり転がり出て来て、斜面を下って、グリーンに載ったんです。林のなかで、どういうふうな木の当たり方をしたのか……。とんでもないミスショットなのに、百九十七ヤードの長いショートホールで、私はワンオンしたことになります」

そのときの黄忠錦の笑い方を思い浮かべながら、桂二郎も苦笑したとき、

「札幌郊外の何というゴルフ場ですか？」

と新川は訊いた。そして、桂二郎がゴルフ場の名を口にする前に、そのゴルフ場の名を当てたのだった。

「よくおわかりになりますねェ。アウトの三つめの長いショートホールで、左に深い林があって、右は池だって言っただけなのに」

と桂二郎は言い、新川の手を見た。

右手と比べると、新川の左手のほうが色が白く、ゴルフをする人間特有の、日に灼けた部分とそうでない部分との境が鮮明だった。

「死んだ女房は山歩き。私はこの界隈で料理屋や居酒屋なんかを営んでる人たちと二ヵ月に一度のゴルフコンペ。それだけが楽しみだったんです」

新川はそう言い、この店の三軒隣にある花屋の主人は札幌の出身で、お兄さんが札幌

で建築業を営んでいて、そこの名門クラブの会員なのだと説明した。

「だから毎年、夏になりますと、そのゴルフ場でコンペをしてたんです。七年つづいたんですが、その花屋のお兄さんがおととし亡くなって、夏の札幌でのゴルフコンペは中止になりました」

あそこは私もとても好きなゴルフ場ですと新川は言った。

「あの三番のショートホールで、私は一度もワンオンしたことがありません。あのグリーンの右の手前の池には、私のボールが六つ沈んでるはずです」

「トリッキーでも何でもない、ゆったりしたコースなのに、じつは極めて難度が高いって、その方が仰言ってました。私はゴルフはヘボなので、コースの良し悪しもよくわからないのですが、丘陵と林と池とがうまくレイアウトされてて、メンテナンスも抜群で、私のような下手くそが、コースに穴を掘るのは申し訳ないなァって思いましたよ」

そう言って、桂二郎は多くの社員から「怖い」と評されているはずの、ある一瞬の、独特の表情になっている自分を自覚しながら、あるいはこの新川秀道は、緑が自分の娘ではないことを決して喋らないであろうとも思った。

「緑さんは、お勤め先の建築設計事務所ではエース格なんでしょうね。とにかくイギリスの大学を卒業なさったんですから」

と桂二郎は話題を変えた。

すると新川はかぶりを振り、日本の大学の建築学科と、緑が卒業したイギリスの大学の建築学科とは、システムが異なっているのだと言った。

「システム？」

「ええ、緑が卒業した建築学科は、つまり美術系なんです。建物を設計する分野ではないんです。それは工学のほうでして……。私もそのへんのところは娘に何度説明されても、よくわからないんです」

「ほう……。建築の美術部門ですか……」

そうは言ってはみたが、具体的にそれがどのような仕事なのか、桂二郎にもよくわからなかった。

新川は、桂二郎も名前だけは知っている高層のテナントビルの名を口にして、

「そこの一階フロアにこんど外車のショールームができるんです。緑はいまその現場で働いてます。納期に遅れてて、今夜は徹夜だそうです」

と言った。

「施工業者の現場監督に、三十分おきに怒鳴られてるらしいです」

と新川は笑った。

「家に帰って来たら、ものも言わずに風呂に入って、そのあと、ばたんと寝てしまうんです。飯は食ったのかって訊くと、現場でお弁当を食べたって……。朝はコーヒーとトーストだけ。昼と夜は弁当。たいてい夜中の二時か三時に寝て、朝の七時前に飛び起きて、遅刻だァって叫びながら走って家から出て行っちゃう……。体を壊さないかって心

配です」

「じゃあ、恋人がいても、破局は時間の問題ですね」

と桂二郎は笑顔で言い、葉巻ケースをしまい、代金を払うために財布を出した。仕事をしている緑を見たいと思ったのだった。

「恋人……。いるのかなア。もしいるなら、多少はその気配を感じるはずですが、緑の周りからは恋人なんてやつの匂いは、まるで漂ってきませんよ」

新川は苦笑し、きょうは私の奢りということにさせていただきたいと言って、桂二郎がカウンターに置いた代金を押し戻した。

「頂戴した葉巻のほうが高いですよ」

「じゃあ、お言葉に甘えさせていただきましょう」

桂二郎はそう言って立ちあがった。

「またお仕事の仕切り直しの場所としてお越し下さい。何のお気遣いもいりません」

と新川は言い、カウンターの奥から出て来て、ドアをあけてくれた。

「上原工業の社員の方が、七時よりも早くこの店にお越しになったことは一度もありません」

新川はそう言って、店から出た桂二郎に、深く長くお辞儀をした。

桂二郎はタクシーに乗ろうかと思ったが、日比谷にある高層のテナントビルまで歩くことに決めた。勤め帰りの人々の群れのなかを歩くのは久しぶりだった。

ここ数年、三十分以上歩くということは、たまのゴルフ以外にはなかった。とりわけ、都会の雑踏を歩く機会はない。人と待ち合わせをしていても、料亭かホテルの玄関先に車で運ばれていく。

だから、ゴルフで十八ホールを歩くと、決まって最後の三ホールめあたりから、ふくらはぎがつってくるのだった。

最近の若い女は、臍を出して歩いているのか……。揃って同じファッションの若い三人の女たちとすれちがって、桂二郎はそう思いながら、珍しそうに振り返った。

「中年のおじさんが、臍を出した女の子たちを振り返って観察なんかしちゃあいかんな」

桂二郎は胸のなかで自分にそう言い聞かせ、大きな交差点を渡り、歩く速度を速めた。

緑がその一階の現場で働いているという高層ビルが近づいてくると、桂二郎はあえて遠廻りをして、車の多い大通りの交差点を渡り、雑踏に隠れるようにして、ビルの向かい側に立った。

この不景気な時代に、こんなにも巨大なテナントビルの貸し事務所や店舗が埋まるのだろうかと噂されたとおり、明かりのついている窓はかぞえるほどだったが、新しくオープンする一階の外車のショールームでは開店に合わせるための内装と外装の工事を担当する業者の作業員が入り乱れて、資材を運び込んだり、設計図を指差して大声で話し合ったりしていた。

夕暮れの大通りには車がひしめいていて、それらのほとんどはもうヘッドライトをつけているので、広い通りを隔てたところに立つ桂二郎には、ショールームの内部がよく見えなかった。

ほとんどの作業員はヘルメットをかぶり、作業服を着ている。おそらく緑も男たちと同じような格好をしているに違いないと桂二郎は思い、女とおぼしき人間の姿を捜した。

二トントラックがショールームの前に停まり、

「いくら道が混んでたにしても遅すぎるじゃねェか」

という声が聞こえた。その二トントラックの運転席から降りて来たのは緑だった。そのヘルメットをかぶってはいたが、黄色いTシャツにブルーのパンツ姿だった。そのパンツには、ふとももとふくらはぎのところに大きなポケットがついていた。

作業員の何人かが、トラックの荷台から何枚もの白い板のようなものを降ろした。ショールームのなかに走って行った緑のヘルメットを、中年の男が軽く叩いた。

「道が混んでて車が動かなかったんだから、しょうがないよ」

桂二郎は我知らず微笑みながら、そうつぶやいた。

「二トントラックを運転できるのかァ……。たいしたもんだ……」

自分に娘がいて、もう二十九歳になっていて、新川秀道と千鶴子の一人娘として育ち、イギリスの大学を卒業して、いま建築現場で男どもに混じって働いている。

建築現場といっても、ショールームの内装の仕事であって、ブルドーザーやクレーンが動き廻る場所ではないが、それでも気の荒い職人たちの世界なのだ。

「俺の娘……」

と桂二郎は言った。すると、もっと近くで緑を見てみたいという衝動を抑えることができなくなった。ここからでは遠すぎるし、無数の車に邪魔されて、ショールームのどこにいるのかさえわからなくなる……。

桂二郎は何度か躊躇(ちゅうちょ)してから、交差点へと歩き、信号が青に変わるのを待った。その間も片時もショールームから視線を外さなかった。桂二郎が信号待ちをしているあいだに、緑は二度、トラックのところへ走って来て、荷台の段ボール箱を現場に運び入れた。

新川秀道は緑の本当の父が誰であるかを知っている。千鶴子は正直に秀道に話して聞かせ、秀道はそれを承諾したうえで結婚したのだ……。

桂二郎のその推測は、ほとんど確信といってもいいものであった。

千鶴子と秀道とのあいだで、どのような約束が交わされたのか……。千鶴子はいったいいかなる考えのもとで緑を新川秀道の子として育てつづけようとしたのか……。

それは桂二郎には考えの及ばないところにあった。

「俺の娘だ」

桂二郎は涙が溢れてきて、名状しがたい感情に一瞬包まれ、その涙が頬を伝わないように、両目を固くつむって下を向いた。

「おっさん、歩けよ」

うしろで声がした。信号は青に変わって、多くの人々は交差点を渡り始めていた。

「あっ、これは失礼しました」

桂二郎は自分のうしろに立っていたまだ十八、九歳と思える青年に謝って、慌てて歩きだした。

作業中のショールームの前に、また大型のワゴン車が停まった。指定された形とサイズに切られたぶあつい板ガラスが積まれていた。

「緑、邪魔だ。お前はガラスにさわるな。あいつらにまかせといたらいいよ」

さっき緑のヘルメットを叩いた男が言った。

「よっちゃん、じゃあ、その二枚はこっちへ運んで」

という緑の声が聞こえた。

桂二郎は、緑のほうからは気づかれなくて、自分のほうからは緑がよく見える場所はないものかと、ワゴン車のうしろに隠れる格好で思案し、ショールームを少し行き過ぎたところにポストがあるのに気づくと、そこまで急ぎ足で歩いた。ポストのうしろに立ち、車を展示する台とおぼしきところに立って、大きなガラスを運んで来た二人の男に何か指示している緑を見やった。緑の顎からは汗がしたたり落ちていた。

「新川さん、ここ、ちょっとサイズが合わないんだけどねエ」

ランニングシャツの男が緑に大声で言って入口の横の壁のところに手招きした。

別の男が、天井に架けた梯子(はしご)の上から、

「緑ちゃん、これでいいと思うんだけど、チェックしてくれよ」

と言った。同時に受付のカウンターの奥からも緑を呼ぶ声がした。

「緑ちゃん緑ちゃんて、お前ら、緑の身はひとつなんだぞ。緑の手があいてから呼べ！」

現場の責任者らしい男が怒鳴り、

「お前もちょこまかとあっちを見たりこっちを見たりしねェでよォ。ひとところに集中しろ」

と緑を叱った。

これは大変な職場だなア。この暑い日に、内装用の接着剤を迅速に乾燥させるためのライトが何台も点灯されているショールームのなかにいるだけでも耐えられないであろう。そんな現場で気の短い職人に怒鳴られながら、緑はまさに「ちょこまか」と懸命に働きつづけている……。

仕事を終えて家に帰ったら、風呂に入って、あとは死んだように眠るしかあるまい……。

桂二郎はそう思い、三たび、「俺の娘だ」とつぶやいた。そして、あまり長くここにいると、そのうち緑と目が合ってしまうだろうと思った。

たった一度逢っただけだが、緑は上原桂二郎という男の顔を覚えているかもしれない。いや、こんな忙しい現場で立ち働いている緑は、一度逢っただけの男の顔を目にしたところで思い出したりはしないであろう……。

桂二郎は、ポストから離れ、タクシーを停められそうなところへと歩を運びかけたが、この自分をちらっと目にして、緑は上原桂二郎だと気づくだろうかと思った。気づいてくれたら、やはり自分は幸福を感じることであろう、と。

馬鹿、そんな感傷的なことはやめろ！

桂二郎のなかに、そう叱責する自分がいた。にもかかわらず、桂二郎はあと戻りして、作業員たちが出たり入ったりしているショールームの前で立ち止まった。

「危ないっすよォ」

ガラスを運ぶ青年が言った。そのとき、緑と目が合った。

巻尺を持った緑は、いったん設計図のようなものに目を移したあと、視線を桂二郎に向け、「あらっ」という口の動かし方をしてから、小走りでやって来た。

「上原さんじゃありませんか？」

「ああ、やっぱり新川さんでしたか。いやぁ、新川緑さんによく似た方だなァと思いまして……」

桂二郎はそう言い、少し離れたところにあるビルを指差した。

「あそこに用事がありまして、それを済ませて出て来て、この前を通りかかったら、新川さんに似た方がいらっしゃったもんですから。いやア、お忙しそうですね。まるで戦争ですね」

桂二郎はショールームに目をやって言った。

「今夜が納期なんです。引き渡しが終わったら、ここに五台、新車を展示します。新車の展示が終わるのが朝の五時くらい。あしたの九時に、このショールームがオープンするんです」

と緑は言って、かぶっていたヘルメットを取り、手の甲で顔や顎の汗をぬぐった。

「じゃあ、朝の五時まで、ここでお仕事ですか？」

「はい。新車が五台、ちゃんとここにきれいに並ぶのを見届けないと」

「世の中に、らくな仕事なんてひとつもないですね」

そう言って桂二郎は緑に微笑を注いだ。

ヘルメットをかぶって、片方の手だけに軍手をはめている現場責任者と目が合ったので、桂二郎は、

「お仕事のお邪魔をしてしまって」

と緑に言い、一礼してその場から去るために歩きだした。振り返ると、緑の姿はもう歩道にはなく、ショールームのなかに戻ったようだった。

桂二郎はほとんど何も考えずに、勤め帰りの夥しい人々の群れとともに歩きつづけた。どの交差点を渡り、何という通りをどの方向に歩いているかも考えなかった。俺の娘が、知らないまに生まれて、知らないまに育ち、少々乱暴な男どもに混じって、立派に自分の仕事を為している……。桂二郎はそう思うと、

「なんてこった」

と胸の内で言った。

「なんてこった。なんてこった。おい、上原桂二郎、お前はやっぱり甘ちゃんのおぼっちゃまだぜ」

桂二郎は頭をかかえたくなる思いで、自分にそう話しかけた。自分という人間が、いまほどなさけなく感じられたことはなかった。

「なんというなさけない人間だ」

真底そう思い、自分を罵倒しながらも、桂二郎は幸福を感じた。その幸福が、いったい何によってもたらされているのか、桂二郎には、わかるようでわからなかった。

そして、幸福を感じている自分をまた心のなかで罵倒した。

このままで済むはずはないのだ。千鶴子の真意がどこにあろうとも、新川秀道がいかなる考え方のもとにあろうとも、緑が真実を知らないままで済むはずはない。

それは新川緑というひとりの人間への冒瀆だ。

だが、さりとてどうすればいいのであろう。もはや千鶴子にその答えを求めることはできない。新川秀道と腹を割って話をしなければなるまい。

けれども、きょうの新川は、「私は緑の父親が誰かを知っているのですよ」というシグナルをそれとなく送って来ただけだった。おそらく今後もそれ以上のことを直接的にせよ間接的にせよ、上原桂二郎にもちかけることはしないのではあるまいか……。

桂二郎はそんな気がした。

新川秀道が穏やかに送ってくるシグナルの奥には、上原桂二郎の考えのままにするがいいという含みがあったのではないのか……。

桂二郎は人混みに疲れると、大通りからビルとビルのあいだの道へと入り、右に曲がったり左に曲がったりして再び車のひしめき合う大通りへと出た。自分では皇居のほうに近づいている気がしていたが、実際はそれとは逆方向の、日本橋に近いところにいた。

空腹はまるで感じなかったが、桂二郎は「とと一」へ行こうかと考えた。いや、それよりも横浜の中華街の、呂水元の営む小さな中華粥と点心の店に行こうか……。

黄忠錦の、生涯最後のゴルフに参加した呂水元は、腸の手術をして以来、飛距離が落ちてしまって、それを潔しとしないで、ゴルフから身を引いたのだが、黄忠錦の生涯最後のゴルフならば、俺が一緒にプレーしないなどということは許されるべきではないと言い、自分にとっても生涯最後だと決めて、札幌のゴルフ場にやって来たのだった。

その呂水元の、小柄な体から放たれるショットの切れ味、厳格で寡黙で礼儀正しく、なにかしら教えられるものの多かったゴルフも、桂二郎には忘れることができなかった。

だが、桂二郎はタクシーを停めると、

「東横線のN駅の近くです」

と言った。

「とと一」の主人とも話をしたかったし、呂水元とも逢いたかったが、それにも増して、ひとりになりたいという希求のほうが強かった。

家に帰ると、雨田から連絡を受けたという富子が桂二郎のための夕食を作っていた。

「ひょっとしたら、お帰りになってから召し上がるかと思いまして」

と富子は言った。

「今夜はパーティーに出席なさるってご予定でしたので、買い物をしてなくて……」

「いいよ。まだ腹は減ってないんだ。ありあわせのものを並べといてくれ。あとで食うよ」

桂二郎は背広を脱ぎ、ネクタイを外し、ワイシャツも脱ぐと、自分でウィスキーの壜を持って来て、それをタンブラーに注いだ。

富子は、そんな桂二郎がひどく機嫌が悪いと勘違いしたようで、顔色をそれとなくうかがいながら、氷と水とを運んできた。

「佐川さまがことしもあのチーズをお中元に送って下さいましたから、少し召し上がりますか？」

と富子は訊いた。

「ほんとに、ありあわせのものばっかりなんです。焼きナスと冷や奴、アスパラガスのサラダ、それにタマネギのお味噌汁……」

「いいねエ。夏は焼きナスと冷や奴だ。タマネギの味噌汁は俺の好物だしね」

富子に無用な気を遣わせたくなくて、桂二郎は笑顔でそう言うと、ウィスキーの水割りを持って自分の寝室へ行った。

しばらく、ウィスキーを飲みながら、葉巻を喫おうかどうか迷っていたが、何気なくパソコンのスイッチを入れた。

札幌のあのゴルフ場のホームページはないものかと思ったのだった。もし会員を募集していたり、会員権を売りたがっている者がいれば買ってもいいという考えからだった。ゴルフ場を検索する前に電子メールをひらき、送受信をクリックすると、「ただいま」という文字があらわれた。謝翠英からであった。

ああ、翠英はやっと帰って来たのか。台湾ではどんなお葬式の風習があるのか知らないが、母親の死とその後の瑣事で、さぞかし疲れたことであろう……。

桂二郎はそう思いながら、電子メールの本文を読んだ。

――昨夕、台北市から東京へ帰って来ました。日本の領空に入ったあたりから飛行機がひどく揺れて気分が悪くなり、機内で吐いてしまいました。これまで何度も飛行機に乗っていますが、そんなことは初めてです。母の死後、とてもいろいろなことが私の家のなかで起こったので、疲れていたのだと思います。

母のお葬式が済んで、上原さんが私の母に渡そうとなさっていた懐中時計の弁償金について兄と相談を始めたころ、呉倫福という名の男性が訪ねて来ました。東京で、上原さんとお逢いしたと言っていました。

その呉さんと兄とのあいだでトラブルが生じて、兄ばかりでなく私も身の危険を感じ、しばらく一歩も家から出ない生活がつづきました。

呉という人が、どんな話を上原さんにしたのか、だいたいの想像はつきますが、私は呉倫福がいったい私たち兄妹に何を要求しているのか、よくわかりません。

それで、祖母のことをよく知っている人を捜してスイスに行きました。祖母の鄧明鴻の若いころからの友人で、日本で一緒に暮らした時期もあるという女性がジュネーブに住んでいるとわかったからです。

そのジュネーブで私が知ったことは、上原さんに懐中時計の弁償金を託された方の息子さんとは無関係な事柄ですが、あの壊れてしまったパテック・フィリップの懐中時計にまつわる出来事は、私にさまざまな驚きと感慨をもたらしました。

本題から外れたことを書きすぎたようです。結論は、兄も私も、あの三百万円という大金を受け取ることは道義的に出来ないという共通の考え方で一致していますが、いま自分の事業がうまくいっていない兄にとっては、喉から手が出るほどにありがたいお金なのです。

この件については、上原さんとお逢いして直接お話ししたいと思っています。

とてもおいしいお茶を二種類、上原さんへのおみやげにと持って来ました。お茶をおいしくいれる道具一式も。

いつお逢いできますか？ ご返事お待ちしております。翠英より。――

「台湾からジュネーブへ行った……？」

桂二郎は、呉倫福の目を思い浮かべながら、パソコンの画面に見入って、そうつぶやいた。

いったいあの呉倫福の真の目的は何なのであろう。

しかし、いずれにしても須藤潤介の言うところの「自分の人生における画竜点睛」は、これで描き終えることができる……。

桂二郎は、ゴルフ場のことを調べるためにパソコンを起動させたのも忘れて、岡山県総社市の高梁川の畔の菜の花畑にたつ俊国の祖父の姿を思い浮かべた。

ことしの夏、桂二郎は十日間の夏休みをとることが決まっている。

取引先の社長が長野県の八ヶ岳に別荘を持っていて、そこで自分の誕生日のパーティーの催しに桂二郎を招待してくれた。上原工業の製品を自分の経営する大型スーパー十二店舗に置いてくれている大切な得意先の社長のパーティーを無下に欠席するわけにはいかないので、八ヶ岳行きを利用して、そのあと軽井沢のホテルで十日間をひとりですごすことに決めたのだった。

ホテルもすでに予約してある。

桂二郎はその軽井沢のホテルで、源氏物語を読破するという以外は、いかなる予定も入れていなかった。

軽井沢で十日間の夏休みをすごすよりも、あの総社市の高梁川の畔で、須藤潤介との時間を持ちたいと桂二郎は思った。だが、潤介の家で十日間も厄介になるわけにはいくまい。といって、倉敷のホテルで十日間をすごしたいとも思わない。ホテルで自分ひとりの休日をすごすならば、やはり涼しい高原のほうがありがたい……。

さて、どうしようか……。

桂二郎は、いつまでたっても空腹を感じない自分を奇妙に思いながら、二杯目の水割りを作るために居間へと行った。

鉢植えの小さなねむの木の花が満開だった。葉は眠るように閉じているのに、花は粉雪のようにときおり舞った。

「桃色の粉雪だな」

桂二郎がそう思いながら、ねむの木に見入っていると、俊国が帰って来た。

「きょうはえらく早いんだな」

と桂二郎は俊国に言ったが、俊国はそれには応じ返さず、急ぎ足で自分の部屋に行き、二冊の古いノートを持って居間に戻って来た。そして、背広の上着も脱がず、ネクタイを締めたままソファに腰かけ、ノートを開いた。

「これからまだ仕事か？」

その桂二郎の問いに、

「いや、きょうの仕事は完全に終了だよ」

と俊国は答え、やっと上着を脱いで、ネクタイを外した。

「熊野、熊野……」

「なんだい、熊野って」

と桂二郎は二杯目の水割りを作りながら訊いた。

「和歌山県の熊野へ行くんだ。ローカル列車の旅だよ」

「ローカル列車って、熊野に行くにはローカル列車に乗るしかないだろう」

「うん、そうなんだけど……」

学生時代に自分が作ったサークルの企画で熊野に行ったことがある。そのときの旅日記をこのノートのどこかにつぶさに記録してあるのだと俊国は言った。

新幹線で名古屋まで行き、そこから特急に乗り換えるのだが、特急電車を使うのはローカル列車の旅とは言えないので、名古屋から亀山というところまで関西本線を使い、亀山駅で紀勢本線に乗り換えて熊野まで行くという手がある……。

俊国はノートに見入りながら、そう言った。

「仕事で行くのか？」

と桂二郎は訊いた。

「仕事じゃないんだ。お盆休みを利用しての私的な旅……。でもローカル列車の旅っていうんなら、ほんとは新幹線を使わずに東海道本線の鈍行列車で名古屋まで行くってのが、正統なルートなんだけどね」

その俊国の言葉に苦笑して、

「そんなことしてたら、いったい何時間かかると思ってるんだ。電車に乗ってる時間だけでお盆休みが終わっちゃうぞ」

と桂二郎は言った。

大学を卒業して会社勤めが始まったころ、桂二郎は一度だけ大阪から熊野の新宮まで行ったことがある。直属の上司の父親が亡くなり、その葬儀に参列するためだった。

「俺の上司は新宮出身でね。歳取った親父さんがひとりで暮らしてたんだ。息子や娘はみんな大阪とか京都とかで暮らしてたから、お葬式の手伝いをしようと思って、電車に乗ったけど、とにかく新宮まで遠かったよ。なんて遠いんだろうって記憶だけが残ってる」

そして桂二郎は、どうして盆休みの、帰省客で電車も道路も混雑する時期に、和歌山県の熊野へ行くのかと訊いた。

「あのあたりの出身者で、お盆にはふるさとに帰ろうって人も多いだろう。のんびりローカル列車の旅を楽しめる時期じゃないよ」

「うん、まあ、そうなんだけど……」

俊国はそう応じ返し、

「新幹線で名古屋まで行って、そこから関西本線と紀勢本線を乗り継ぐと、うわっ、約八時間だね」

と言った。

「一日がかりで行って、また一日がかりで東京に帰って来るのか……。休みは五日間

「……」

「熊野に友だちでもいるのか？」

桂二郎の問いに、俊国は、

「うん、まあね」

と答えた。

なるほど、俺にあまり詳しく話したくない事情があるらしいな、と桂二郎は推測し、水割りの入ったタンブラーを持つと、自分の寝室へ行き、電子メールで翠英に返事の文章をキーで打った。

母親の死へのお悔やみをまず打ち、それから懐中時計の弁償金の受け取り人が、自動的に翠英の兄か翠英自身になったことを打ってから、自分は八月十二日から十日間、軽井沢のホテルで夏休みをすごし、源氏物語を完読するつもりだとつづけた。

キーを打ちながら、桂二郎は自分のなかにあった一種の「物狂おしさ」が消滅してしまったことに気づいた。

いや、消滅という表現は適切ではあるまい。自分という人間のどこかにとりあえず隠れて、その所在をくらましただけなのであろう……。

桂二郎はそう思った。そして、若い女の肉体への「物狂おしさ」がひとまず退却したのは、新川緑の出現によるのだと分析するしかあるまいと思った。

翠英への肉欲なるものが、雷に打たれたかのような出来事であったとしたら、緑という娘の出現は、さながら道の途上に不意に待ち受けていた沼に沈んだようなものといったところかもしれない。いや、じつに勝手な能天気な言い分だが、沼などではない。泉だ。清冽に湧き出ている泉だ……。

まさか自分の人生で、五十四歳になってそのような泉が行く手にあらわれるとは想像すらできなかった。

俺は何物かに深く頭を垂れ、謝罪し、感謝しなければならない。

その何物かとは、ひとりは新川千鶴子であり、もうひとりは新川秀道であろう。そしてさらに何物かを見出すとすれば、いまのところ俺には「清らかな人間の心」、あるいは「善を為そうとする心意気」という言葉しか浮かばない……。

桂二郎は、翠英への電子メールを送信してから、自分はいったい生まれてこのかた何人の人間を見てきたことだろうと考えた。

道でただすれちがいざまにその顔をちらと目にしただけの人間も含めて、五十四年間に自分が見た人間の数……。それは途方もない数にのぼるはずだ。上原工業にも数百人の社員がいる。個人的事情で退職したり、定年を迎えて社から去っていった者たちを含めると、自分が社長になってからでも、二千人近くの人間の長として、それらの人々を見てきたはずだ。

無論、俺は社員数十万人を擁する巨大企業のトップではない。たかが鍋屋の親父だと言ってもいい。そんな俺でさえも、じつにさまざまな人間どもを見てきたことによる眼力は、多少は信ずるに足ると自負してもいい。

新川緑は、まっすぐに育ってきた娘だ。邪な心は彼女の人相のどこにも翳をもたらしてはいない。新川秀道も、さまざまな自己訓練を重ねた「おとな」の男だ。きっと千鶴子はもっと大きな度量を蔵して生きたに違いない。

だからこそ、緑はあのように立派に育ったのだ……。

桂二郎はそんな思いにひたりながら、さっきよりもさらに烈しく何物かに謝罪し、感謝したいという感情に襲われて、身じろぎひとつしなかった。

突然、背後で、

「あのう……」

という俊国の声がして、桂二郎は驚いて振り返った。

自分は寝室に入ったときドアを閉めたとばかり思っていたが、閉めたつもりで開けたままだったのかと思いながら、

「なんだ?」

と桂二郎は俊国に訊いた。

俊国は少しうろたえたように、

「ごめん。ドアがあいていたから」

と言った。俊国の顔にも驚きの色があった。父親の、これほどまでに驚いた表情は見たことがないといった顔つきだった。

「お父さんに隠しとくのは、ちょっと心苦しくて」

と俊国は言い、寝室のドアを閉めると、桂二郎のベッドに腰を降ろした。

「熊野に行くのは、氷見さんの弟さんの仕事を見るためなんだ」

「氷見さん……？　お向かいの氷見さんかい？」

と桂二郎は訊いた。

「うん。だから、つまり、熊野には氷見留美子さんと一緒に行くわけで……」

桂二郎は我知らず微笑み、

「ほぉ……。氷見留美子さんとかい」

と言った。

「でも、一緒に行くだけなんだよ。熊野にはどうやって行くのが一番早いのかって訊かれて、早く目的地に着く旅なんてつまらないですよって言っちゃって……。元ローカル列車の旅のサークルのチーフとして、えらそうに、『ぼくが一緒だったら、おもしろい旅ができます』って言ったら、じゃあ、つれてってくれますかって」

「彼女が？」

「うん。まさか、そういう返事が返って来るなんて思ってなかったから、なんだか身の置き所がなくて……」

俊国の言い方がおかしくて、桂二郎は低い声で笑い、

「身の置き所がない、か……。うん、たしかにそうだろうな」

と言った。

「十年前のあの高校生は、じつはぼくですって、言ってしまいそうで……。言わないほうがいいのか、言うほうがいいのか、もうこの五日間、寝ても醒めても、そればっかり考えちゃって……」

そして俊国は、どうしたらいいと思うかと桂二郎に訊いた。

「もう十五歳じゃないんだ。あれから十歳も年齢を重ねて、まだまだ下っ端っていっても立派な社会人なんだ。そんなこと親父に相談しないで自分で考えろよ」

「うん、まあ、そう言うだろうなァとは思ったんだけどね。でも、あの手紙のことを知ってるのは、お父さんだけだし、あのとき、いろいろと相談に乗ってもらったから、いちおう報告しとこうと思って……」

「そういう相談をもちかけられて、親父としては光栄だが、ここはひとつ、自分で答えを出してくれ」

桂二郎はそう言って、持っていたタンブラーで乾杯の真似をした。

「どうして乾杯なんかするの？」

と俊国は桂二郎と視線を合わせないように窓のほうを見やったまま訊いた。

「初恋が実るかもしれないっていうチャンスが訪れたんだから、やっぱり乾杯だろう」

と桂二郎はひやかすように言い、以前「とと一」で氷見留美子とでくわした際、彼女が上原俊国を上原浩司だと誤解していたなと思った。そのことに関しては、自分はあぇて立ち入った質問をしなかったし、俊国にも黙っていた。

十年前のことがばれないようにと咄嗟についた嘘にせよ、またなんと稚拙な嘘であろうとおかしかったのだ。

どのような経緯があったのかはわからないが、俊国と氷見家の長女は親しくなり、一緒に熊野への旅に出ようとしている。

といっても、友だちとして一緒に旅をするだけなのだが……。

桂二郎はそう思い、十五歳の俊国が七歳年長の氷見留美子に書いた手紙の文面を記憶の奥から探し出そうとした。けれども、空飛ぶ蜘蛛についての文章以外は思い出せなかった。

「ぼくの初恋の相手は、氷見さんじゃないよ」

と俊国は苦笑混じりに言った。

「へえ、そうかい」

「小学校五年生のときにおんなじクラスだった女の子だよ。末沢恵利さん。うちに何度も遊びに来たよ。お父さんは知らないだろうけど」

「お前が小学五年生のときのガールフレンドなんか覚えてるはずないだろう。じゃあ、氷見さんは何人目の憧れの人だったんだ？」

「二人目」

「じゃあ、その次は？」

桂二郎の問いに、

「いない」

と答え、俊国は寝室から出て行きかけた。

「氷見さんといつのまに親しくなったんだ？」

笑いながら桂二郎が訊くと、俊国は「とと一」で逢ったあと、また帰りの電車で顔を合わせて、そのとき互いの電子メールアドレスを教え合ったのだと言った。

「お父さんが北海道へ行くとき氷見さんとおんなじ飛行機に乗り合わせたあとだよ」

「へえ、そうかい。うん、やっぱり深き縁ってやつを感じるね」

自分という人間にしては珍しいひやかし方だなと思いながら、桂二郎は微笑を俊国に注いで、そう言った。

「ことしの夏、せめて一日か二日は、総社のおじいちゃんとこに行ってこいよ。俺もそうするつもりだ」

桂二郎の言葉に、盆が過ぎたら、休みを利用して行くつもりだと言い、俊国は台所のほうへと戻って行った。

そうか、この十年間、俊国は氷見留美子以外の女に恋をしなかったのか……。

桂二郎は、俊国という血のつながりのない息子をいじらしく感じ、不慮の事故で若くして死んだ俊国の父であり、自分の妻の先夫である人物に思いをはせた。その人物がもし生きていれば、自分はさち子と出会うことはなかったし、俊国の父親になることもなかったというのは自明のことなのだが、それにしても須藤芳之という人物に会ってみたかった……。

桂二郎は、自分よりもはるかに人間として魅力に富んだひとりの男を心のなかに描いていた。

八月十二日の早朝に家を出て、秘書の雨田とともに八ヶ岳に向かい、取引先の社長の別荘の庭でバーベキューをご馳走になると、桂二郎は夜の八時過ぎに軽井沢に向かった。運転手の杉本は、桂二郎を軽井沢のホテルに送り届けると雨田とともに東京に帰り、桂二郎の休暇に合わせて自分も夏休みを取ることになっている。

「ゴルフの道具、いちおう車のトランクに入れておきましたので」

と雨田は言った。

「ゴルフの道具？　俺は軽井沢ではゴルフなんかしないよ。だいいち、一緒にコースを廻ってくれる相手がいないからな」

桂二郎がそう言うと、雨田は鞄から何枚かコピーしたものを出した。

「ここは最近できたゴルフ場なんですが、ひとりでのプレーもできますし、ここは社長がお泊まりになるホテルから目と鼻の先です。ちっちゃな手押し車にゴルフバッグを載せて、それを自分で引いてプレーできるそうです。早朝割引ってのがありまして、ハーフだけでもかまわないそうです」

雨田の言葉に、

「いやに俺にゴルフをさせたがるんだな」

と桂二郎は言い、ゴルフ場の地図をコピーした紙を受け取った。

「軽井沢での早朝のゴルフって、すごく体にいいだろうなって思うんです」

「そりゃあいいだろうけど、ひとりでコースを廻るつもりで行って、見も知らない誰かと組まされたら、かえって気を遣って、楽しくないだろう」

「いえ、大丈夫です。私の学生時代の友人がこのゴルフ場に勤めてるんです。上原桂二郎氏が行ったら、どんなにコースが混んでても、ひとりでプレーできるようにって厳命しておきました」

「ほう厳命か」

桂二郎は笑ったが、軽井沢でゴルフをしようとは思わなかった。

「せっかくのお気遣いは嬉しいが、俺はきっとゴルフはしないと思うよ」

「はい。でも、ふっとそんな気分になったとき、ゴルフの道具がないと困りますから」

と雨田は言った。

それから、十日間毎日、ホテルの食事というのは食傷するだろうし、どこかへ出掛けるたびにタクシーを呼ぶのも変化がなさすぎるだろうから、ホテルに頼んでサイクリング用の自転車も用意しておいたと雨田は早口でつづけた。

「えー、これはきっと余計なことだとお叱りを受けるでしょうが、社長のパソコンも、いちおうトランクに入れてあります。ホテルには接続用の端末がありますので、係の者に言えば、すぐに使えるように設定してくれます」

「俺のパソコン？ いつのまにそんなものを車に積んだんだ」

桂二郎はあきれつつ、かすかに腹を立てて雨田に言った。

「朝、ご自宅におうかがいして、十日分の荷物を車に運ぶとき、ひょっとしてパソコンも必要になるかもしれないと思いまして」

桂二郎は、雨田が「どうです、私は気が利くでしょう」と暗にほのめかすために、ゴルフ道具やパソコンを車に積んだのではないことはわかっていた。そうすることが、社長の軽井沢での十日間のひとり暮らしに多少なりとも興趣が生じればという雨田なりの心遣いなのだった。

それでも、桂二郎はやはり少しばかり腹が立って、

「俺は、ただぼーんやりしてるために、軽井沢に行くんだ」

と不機嫌な口調で言った。

車は佐久インターを通りすぎて一般道を走り続けた。

「高速で軽井沢のインターまで行かないのか？」

と桂二郎が訊くと、碓氷(うすい)軽井沢インターからホテルまでの道は渋滞して、わずか二、三キロ進むのに一時間近くかかったりするので、浅間サンラインという新しい道のほうへ戻り、追分に出て、そこから国道一八号線に入るほうがはるかに早く着くのですと、

運転手の杉本が説明した。

「杉本さんは、夏休みはどうするんだ？　『奥の細道』の旅かい？」

と桂二郎が訊くと、杉本は、こんなお盆に帰省する人たちが多いときには、家で寝てるのが一番ですと答えた。

「たぶん、孫のお守りをさせられるんだろうって覚悟してます」

夜なので浅間山はまったく見えなかった。追分のあたりから霧が深くなり、それはホテルの玄関に着いたころには雨に変わった。

桂二郎の部屋は一階の端で、ドアの前には松の木が何本も植えられて、芝生が敷きつめてあり、フロントや玄関を使わずにホテルの敷地内に出ることができた。

ホテルの従業員と雨田が荷物を運んでいるあいだ、桂二郎はジャケットを脱ぎ、薄手のカーディガンに着替えると、ホテルの庭に出て芝生の上を歩いた。雨といっても霧雨のようなもので、夜の高原の冷気と混ざって、心地良かった。

「ヒュミドールはここです。パソコンはもう使えます。部屋には電熱コンロと冷蔵庫がついてます」

雨田は、そう言いながら、桂二郎の携帯電話を充電器にセットして、何かあればいつでもご連絡下さいと一礼し、杉本と一緒に帰って行った。

桂二郎は、八ヶ岳でのバーベキューの際に全身にこびりついた肉の匂いのする煙が、依然として体のあちこちに残っている気がして、バスタブに湯を溜め、ゆっくりと湯にひたり、頭髪から足の指先に至るまで念入りに洗った。都会での一年にわたる塵埃(じんあい)を洗い流すという思いもあった。

風呂からあがり、自分でウィスキーの水割りを作ってから、パジャマを着て、桂二郎は雨田が窓ぎわの机に置いたヒュミドールをあけた。ヒュミドールのなかの湿度計は七十八パーセントを示していた。おそらくいまの軽井沢の湿度は八十パーセントを超えていることであろうと桂二郎は思い、昔、一度だけ妻のさち子と軽井沢での夏休みをすごしたときのことを思い浮かべた。

さち子は肋間(ろっかん)神経痛が若いときからの持病で、年に一度か二度、胸や背のしつこい鈍痛に悩まされるのだが、それが軽井沢に来るなり悪化したのだった。軽井沢の冷気と湿度のせいではないかと考え、予定を早めて東京に帰ると、痛みはすぐにおさまってしまった。それで、さち子は軽井沢での夏をいやがったので、以来一度も夫婦で軽井沢を訪れることはなかった。

これだけの霧と雨だから、ひょっとしたら湿度は九十パーセントを超えているかもしれないと思いながら、桂二郎は大きなガラス窓の向こうのおぼろな明かりを見つめながら、葉巻を喫った。味はいつもよりも濃かった。

運転手の杉本が言ったとおり、軽井沢インターから入ってくる車の数は、桂二郎の想像をはるかに超えていて、国道一八号線のほうへと延々とつづいていたが、そこからわずか五百メートルほど東へ入ったところにあるこのホテルの周辺には、物音ひとつなかった。

きょうもいったい何度脳裏に浮かんだか知れない新川緑の顔が、また浮かんだ。なにも緑のことを考えてはいないときでも、それは極く自然に桂二郎のなかから浮かび出てくる。

桂二郎は、いつもはコイーバの「ロブストス」を湿度六十八パーセントから七十パーセントにして喫っている。桂二郎にとっては、その湿度が最もうまくてかぐわしいと感じるからだったが、それよりも十パーセントも湿度を高めたコイーバは、香りだけでなく苦みも強くて、それはそれでまたうまいと感じられた。新川秀道とこのコイーバの「ロブストス」を喫いながらすごした「しんかわ」での時間は、桂二郎のなかで決して薄まることなく生きつづけている。

そしてきのう、桂二郎はまた何度も迷いながらも、杉本の運転する車で「しんかわ」へ行ったのだった。

きっと緑は、仕事をしている現場の前をたまたま通りかかった上原桂二郎と少しの時間、立ち話をしたと父親に話したに違いないと思い、そのことに対して新川秀道がどのような反応を示すかと不安だったからだ。だが、新川秀道は、そのことについてはひとことも触れず、「ハーフ・アンド・ハーフ」を作り、自分も銀座の喫煙具店で買って来たのだと言って、コイーバの「ロブストス」と「シグロII」、それに「エスプレンディドス」を出した。

エスプレンディドスはあまりにも高価なので二本しか買わなかったといい、そのうちの一本を桂二郎にくれた。その、一本喫い切るのに約二時間はかかる長くて太い葉巻に桂二郎と秀道が同時に火をつけようとしたとき、まだ四時半だったのに近所の和菓子屋の主人が友人と一緒に「しんかわ」に入って来た。

それで桂二郎は、自分があしたから軽井沢でひとりきりの夏休みをとることを教え、コイーバの「エスプレンディドス」は東京に帰って来てからの楽しみにしようと約束して、秀道に預けた。

「どこにお泊まりですか？」

秀道に訊かれて、ホテルの名を教え、桂二郎はなんだか逃げるように「しんかわ」から出て社に戻ったのだった。

自分がひどくいじましいことをしたような気がして、きのうは夜ベッドに入ってからも後悔しつづけ、ほとんど眠れなかった。

桂二郎は葉巻を喫い終えると、ルームサービスで温かいミルクティーを頼み、「源氏物語」上中下三巻を机の上に並べた。

ミルクティーを飲み、ベッドに横になって源氏物語を読んでいるうちに、部屋の電気を点けたまま桂二郎は眠った。

翌朝、野鳥の声で目を醒まし、自分が滅多にないほど深く眠ったことにいささか驚きながら部屋の明かりを消し、腕時計を見ると五時半だった。

大窓のカーテンを閉めなかったので、ホテルに隣接するゴルフ場の、朝靄(あさもや)に包まれて静まり返っている光景が眺められた。桂二郎の部屋はそのゴルフ場の何番ホールかのグリーンのうしろにあって、あいだに何の障害物もなかった。下手なゴルファーがクラブ選択を誤れば、打ったボールはいつでも桂二郎の泊まっている部屋か隣の部屋の大窓を直撃しかねないだろうと思われた。

どうしてそれを防ぐためのネットを張らないのだろうと、大窓からあらためてグリーンを見ると、グリーンの奥からホテルの部屋の窓までは意外に距離があり、OB杭が立っていた。まあ、二打目でグリーンをオーバーして、この大窓に当てられたら立派なものだなと桂二郎は思った。

その日は、ルームサービスで早い朝食をとり、ホテルの近辺を散歩し、決めたとおり読書をしてすごしたが、あと一週間以上もこのような日々をおくるのかと思うと、桂二郎は、暑いところで働いている人々に対して肩身が狭いという思いを抱き、雨田が言ったように、手押し車にゴルフ道具を載せて、ひとりでコースを廻ろうかという気になってきた。

それでホテルのフロントへ行き、あしたの早朝、ハーフだけひとりでプレーしたいのだがと言うと、手押し車を引いて廻るコースは、隣接するゴルフ場ではないという。

「ここはカートに乗ってプレーしていただくんです」

と係員は言い、手押し車を引いて歩いてプレーするゴルフ場は二ヵ所あると教えてくれた。

「朝は七時からプレーできます。夕方なら三時半からです。こちらから手配しておきますが」

「じゃあ、そうしてもらおう」

桂二郎は早朝の方を希望し、そのゴルフ場へのタクシーも頼んだ。ゴルフバッグをかついで歩いて行くには遠いが、タクシーに乗るほどの距離ではないので、ホテルのマイクロバスでお送りすると係員は言った。

せっかく涼しい高原に来たのだから、ゆっくりと歩いてプレーしようと桂二郎は思った。

「ゴルフってのは、歩くもんだよ」

そうつぶやきながら、桂二郎は部屋に戻ると、ゴルフバッグからボールやグローブを出し、パソコンのスイッチを入れた。雨田に電子メールで礼を述べておこうと思ったのだった。

新着メールの受信を教える文字が出て来たので、差出人を見ると、一件は俊国からで、もう一件は翠英からだった。

——軽井沢はいかがですか？　東京はきのうから暑くて暑くて。熊野行き、十日後に延期になりました。ぼくに急な仕事が入ったのですが、同時に氷見さんの都合も悪くなったのです。でもお陰で、お盆の帰省ラッシュに巻き込まれないですみます。お父さんのことだから、きっともう退屈して、東京に帰ろうかなんて思ってるかもしれませんが、帰って来たらきっと後悔します。とにかく暑いです。観念して、どうか、軽井沢でごゆっくり。――

俊国からの電子メールを読み、次に翠英からのを読んだ。

――あさって、軽井沢に行くことになりました。大学の友だちのお父さんが軽井沢に別荘を持っていて、ご招待して下さったのです。その別荘で、友だちの誕生日のパーティーがあります。三泊する予定です。ホテルにお訪ねしてもよろしいですか？――

桂二郎は、翠英がこのホテルに訪ねて来るのにはとまどいがあった。翠英だけではない。俊国であろうと、誰であろうと、この軽井沢での休暇中、どんなに退屈でも、人間と話をしたくないという思いは変わっていなかったのだ。

桂二郎が、休暇で軽井沢に来るには来たが、仕事のことでトラブルが生じて、結局、会社が軽井沢に移ったにすぎないという状態になりそうだと電子メールで翠英に返事を書いていると、部屋の電話が鳴った。「くわ田」の女将・鮎子からだった。

「いまどこにいてると思う？」

と鮎子は訊いた。「くわ田」もきのうから三日間の盆休みに入っているはずだった。

桂二郎は鮎子の口調で、ひょっとしたらと思い、

「まさか軽井沢ってことはないよね」

と言った。

「その、まさかやねん」

きょうの夕刻に軽井沢に着き、あしたの昼前の長野新幹線で東京に行き、そのまま東海道新幹線に乗り換えて京都へ帰るのだという。

「私が女将になってお座敷に出るようになって以来、なんやかやとお世話になった方が、もう三十年近く夏は軽井沢ですごしてはったんやけど、三日前に軽井沢の別荘で倒れはってん。心臓の発作で」

救急車で佐久市にある大きな病院に運ばれたのだが、九十歳という高齢で、夫人はすでに亡くなり、息子さんたちは外国で生活している。中年のお手伝いさんが東京からついてきているだけなので、何か役に立てたらと佐久市の病院に見舞ったが、もう私が誰なのかわからない状態に陥っていた……。

鮎子はそう説明した。

「六月にお逢いしたときは、しっかりしてはってんけど……」

「軽井沢のどこにいるんだ?」

という桂二郎の問いに、鮎子は芝居がかった含み笑いをした。

「えっ! まさか」

「その、まさかやねん。たぶん桂ちゃんの部屋から歩いて二十秒くらいのとこ」

「おんなじホテルなのか？」

「私は二階。そやけど、いまはホテルの庭から携帯電話でかけてるねん」

桂二郎は電話を切ると、慌てて部屋から出て、松の老木と老木のあいだを見た。庭園灯に照らされた芝生に腰を降ろして手を振っている鮎子の姿があった。

あちこちから虫の鳴き声が聞こえる芝生の上を歩いて、桂二郎は鮎子のいるところへと行った。

「お尻が濡れるよ。今夜は霧はないけど、軽井沢の夜は湿気が多いからね」

「濡れてもええねん。あとはお風呂に入って寝るだけやから」

自分は、その老人がもう長くはないとわかったので、ここで老人との数十年にわたる交友に感謝の思いを捧げていたのだと鮎子は言った。

「あの部屋に桂ちゃんがいてるんやなァと思いながら……」

昔、「くわ田」が多額の借金をかかえたとき、その老人の口利きで、ある銀行の融資を受けることができたという。

「カーディガンを持って来てよかった。京都は夜でも三十度から下がれへんのに、ここは十七度……。おんなじ日本やとは思われへんわ」

そう言って鮎子は立ちあがり、尻のところが濡れているかどうかをたしかめてから、バーに行こうと誘った。

「飯は食ったのか？」

桂二郎が訊くと、佐久市の病院の近くの食堂で親子丼を食べたと鮎子は笑いながら言った。

「あれほどまずい親子丼には滅多にお目にかかられへんわ」

「あしたの昼には帰るなんて……。せっかく軽井沢にまで来たんだから、せめてもう一泊したらどうなんだい」

桂二郎はホテルの部屋と庭のあいだにある通路をバーへと歩きながら言った。

ホテルはあしたから満室で、今夜は一部屋だけキャンセルがあって空いていたのだと鮎子は言い、

「桂ちゃんの部屋の前まで行ってドアをノックしかけたんやけど、ひょっとして誰かおなごはんが一緒やったらあかんと思て、それで庭から電話をかけたんえ。ほんまにひとり？」

と訊いた。

「残念ながら、ひとりだよ」

鮎子は下戸だし、桂二郎は食事をとってからさほど時間がたっていなかった。

バーのカウンターに腰かけると、桂二郎は「ハーフ・アンド・ハーフ」を註文し、鮎子はカンパリソーダを頼んだ。

しばらく二人で北海道でのゴルフの思い出話をしていたが、桂二郎は新橋の「しんかわ」における新川秀道との会話を鮎子に語って聞かせ、そのあと緑が働いている工事現

場に足を運んだ際のことも話した。

「この世の中には、言葉にでけへんことが、いっぱいあるんやねェ……」

桂二郎の話を聞き終えると、カンパリソーダの入ったグラスを両の掌で包み込むように持って、鮎子はそう言った。

「その新川秀道って人は、どんな思いで、緑さんていう娘さんを育てはったんやろ……」

「新川さんは、『約束』っていう言葉は使わなかったけど、彼と奥さんとのあいだでは何か深い約束が交わされてたんじゃないかって気がしてね。というよりも、そこには、上原桂二郎なんて男がどうにも介入できないどころか、もしかしたら、二人があえて言葉にしなかった大きな約束ってものが存在したんじゃないか……。そんな気がしたよ」

と桂二郎はこの数日間考えつづけてきたことの一端を口にした。

「これは俺という男の身勝手な言い分じゃなくて……」

そこまで言って、桂二郎は鮎子が涙ぐんでいるのに気づいた。だが、それには気づいていないふりをすると、

「ただただ、感謝の思いだけが、この何日間かずっと俺っていう人間のなかにあるよ」

と桂二郎は言った。

鮎子はしばらく沈黙していたが、持っていたグラスをカウンターの上に置くと、

「上原桂二郎というお方は、ほんまに人に恵まれてる……。それって、ものすごうあり

がたい、得がたい運やなアって、私は前々から思うてきたけど、運ていうもんは、ただ天が与えたもんではないんやねェ」

と言った。

「不運な人も、幸運な人も、それを『運』ていうひとことで片づけたりするけど、その運は、なにか人智でははかりしれんもんが分配したんやない……。やっぱり、その人が作りだしたんやって思うねん。上原桂二郎が人に恵まれるという星のもとにあるのは、上原桂二郎という人間の為せる業(わざ)やねん……」

さらに本田鮎子は笑みを向け、

「桂ちゃんは、正直で誠実で、けなげなお方やから」

と言った。

その鮎子の言葉は、桂二郎にとっては多少意外なものであった。

正直……。確かに自分は人を騙そうとしたことはない。だが事業家である限り、自分の意に反して、結果として相手を騙してしまったという場合もなかったわけではない。

誠実……。これは幾分かは胸を張って、仕事に関しても、対人関係に対しても、自分は誠実であったと言えるような気がする。

けなげ……。「けなげ」という日本語は、どのように解釈すればいいのであろう。漢字では「健気」と書くから、すこやかな、とか、勇気があるとか、あるいはそこに「ひたむきで素直な」という意味も含んでいるかもしれない。もし「健気」という言葉が、それらすべてを蔵した言葉だとしたら、はたして自分は「健気」な人間であろうか……。

桂二郎はそう考えているうちに、氷見留美子が話してくれたり、須藤潤介が語ってくれた「空飛ぶ蜘蛛」のことを思い浮かべた。

自らの生存領域をひろげようとする蜘蛛の本能と言ってしまえばそれまでだが、自分の吐き出した糸と、上昇気流と風だけを頼りに飛ぼうとして叶わず、わずか五メートルほど先に落ちた蜘蛛は、与えられた範囲内で生きて行くしかない。

幾つかの僥倖に恵まれて、仮に何百キロも飛行して新天地へ降りた蜘蛛を待ち受けているものが、僥倖とは裏腹な劣悪な環境である場合も多いことだろう。

だがそれでも小さな蜘蛛は、冬の始まりのある日、懸命に飛ぼうとする。

なんと「健気」な行為であろう……。そんな蜘蛛たちと比べたら、自分などは「健気」ではない。祖父や父が作りあげてくれた会社をただ守りつづけてきただけだ……。

「俺は、けなげじゃないよ」

と桂二郎は鮎子に言った。そして東北地方では「雪迎え」と呼ばれる、蜘蛛の飛行という習性のことを鮎子に話して聞かせた。

鮎子は「雪迎え」についてよく知っていた。誰かの招待で二、三度「くわ田」に来たことのある東北在住の大学教授が、「雪迎え」、「飛行蜘蛛」のことを話題にしたのだという。

「その人は、飛んでる蜘蛛は見たことないけど、蜘蛛の体から離れて空中で丸まった糸が何十個もいっせいに空から舞い降りて来るのを見たことがあるって言うてはった。雪にしては透明すぎる、ふわふわとそれ自体が何かの不思議な生き物みたいなものの、なんか幻が浮遊してるような風景やったって……」

その話を聞いて半年後に、桂二郎の妻の重い病のことを知ったのだと鮎子は言った。そしてハンドバッグからボールペンを出すと、鮎子はコースターの上に何かを書いた。

「私、そのふわふわと舞う幻のようなものが、なにかものすごくおごそかな命の結晶みたいな気がして、さち子さんに贈るつもりで下手な句を詠んでんけど、それを渡す前に、さち子さんは死んでしもて……」

桂二郎は鮎子が詠んだという句が書かれた紙のコースターを手元に引き寄せた。

――雪迎え　そは病む君にかかりけり――という句であった。

「さち子のために詠んでくれたのかい」

思いも寄らない驚きとともに、桂二郎は、何度も何度もその句を胸のなかでつぶやいた。

小さな生き物の、けなげでおごそかな命の結晶が、いま病と闘っている君に降りかかれ――。そのような意味として、桂二郎は鮎子が詠んだ句を受け取っていた。

「素人のつたない句やけど……」

と鮎子は微笑んだ。笑うと豊麗さが増す鮎子の顔には、疲れを宿した人特有の寂しさがあった。

「いや、いい句だよ。俺みたいな無粋なやつに誉められたら、かえってこの句の値打ちが下がるだろうけど、いい句だ」

そう言って、桂二郎は句が書かれたコースターをシャツの胸ポケットに入れた。

「女将ひとりがどうしてそんなに忙しいんだ。そんなに働いてると体をこわすよ」

桂二郎の言葉に、鮎子は再び微笑み、

「独楽(こま)とおんなじや。回転してないと倒れてしまうねん」

と言い、今夜はこの涼しい高原で、久しぶりに早く寝ることにするとつぶやき、カンパリソーダをひとくちだけ口に含んだ。

バーを出ると、桂二郎は二階への階段をのぼって行く鮎子を見送り、そのまま部屋には帰らず、ホテルの庭を歩いた。胸ポケットからコースターを出し、鮎子がさち子のために詠んだ句に見入った。

――雪迎え　そは病む君にかかりけり

どう生きようが一生は一生だ。俺も働くぞ。そんな思いが、桂二郎のなかで膨れあがっていた。

部屋に戻り、パソコンのスイッチを切ると、桂二郎はきのうよりも長く、ぬるめの湯につかり、きのうよりも二時間も早くベッドに入って目を閉じた。

朝の四時に目醒め、野鳥の声の夥しさにカーテンをあけた桂二郎は、まだ夜明けというにはあまりにも暗すぎるのに当惑して、自分の腕時計が壊れたのかと思ったほどだった。

高原の朝というのは、都会よりも明け方が遅いのだろうかと考えながら、庭に出て、朝露に濡れる芝生の上で軽く体操をし、ルームサービスが始まる六時まで時間を持て余して、パソコンのスイッチを入れ、昨夜、翠英に返信することを忘れてしまったことに気づいた。

適当な口実を設け、軽井沢では逢えない旨を書いて、翠英からの電子メールに返信しようとすると、送信元のメールアドレスが、いつもの翠英のそれではなかったので、しばらく思案したあと、桂二郎は送信するのをやめた。きっと翠英は、昨夜、友人のパソコンを借りて電子メールを送ってきたのであろうと推測したのだった。

友人のパソコンに上原桂二郎からの電子メールが送られてきてもさしつかえないと、翠英も友人も判断したのであろうが、桂二郎は見も知らない人間のパソコンに、翠英への返事を送ることには抵抗があった。返事がなければ、翠英は自分からの電子メールが読まれなかったと判断して、ホテルに訪ねて来るのをやめるだろう。

桂二郎はそう思った。自分がパソコンを持参して軽井沢にやって来たことを翠英は知らないのだから、返事がなければ、パソコンは目黒の家に置いたままなのであろうと考えるはずだった。

それにしても、軽井沢にいる上原桂二郎がパソコンを持参しているかどうかわからないのに、翠英はどうしてこのような電子メールを送って来たのか……。それは翠英らしくない……。

何か切羽詰まった事情でも生じたのであろうか……。

そう考えだすと、いやに気にかかってきたが、桂二郎は六時きっかりにルームサービス係に電話をかけ、朝食を運んでくれるよう頼むと、ゴルフバッグをドアのところに置いた。

朝食をとり、フロント係にゴルフに行くと伝えるための電話をかけると、きのうのフロント係はマイクロバスを用意したので、いまからボーイがゴルフバッグをお運びすると言った。

桂二郎は、やって来た若いボーイと一緒にロビーへ行き、フロント係に、

「鳥は早起きだけど、日が昇るのは遅いね」

と言い、部屋の鍵を渡しかけて、驚いて振り返った。

夏物らしい薄い白地に幾つかの牡丹の刺繍をほどこしたチャイナドレスを着た翠英がロビーの奥のソファに腰かけていたのだった。

そのチャイナドレスのスリットはさして深くはなかったが、朝の六時過ぎの高原のホテルでは、目を惹くというよりも、一種奇異な風情を翠英の全身にもたらしていた。

「どうしたんだい」

そう言いながら桂二郎が近づいて行くと、翠英はソファから立ちあがり、

「すみません。怒らないで下さい」

と言った。

「怒ってないよ。びっくりしたんだ」

その桂二郎の言葉に、きのうの夜中に軽井沢の著名なホテル数軒に電話をかけ、上原桂二郎という人が泊まっているかどうかを訊いたのだと翠英は説明し、

「私、あの男につけ狙われています」

と言った。

「あの男？　呉倫福って男？」

「はい。あの人は、私に仕返しをするつもりなんです。そうとしか思えません」

桂二郎は、コーヒーショップに行こうと翠英に言い、フロント係に、急用ができたのでゴルフはキャンセルしてもらいたいと頼んだ。だが、コーヒーショップはまだ営業していなかった。

「散歩でもしながら話を聞こうか」

桂二郎は言って、翠英と一緒にホテルの玄関を出た。おそらくこれからゴルフに行くのであろう客の何人かの視線を感じて、桂二郎は、

「まるで別人だね。そのチャイナ服、よく似合って、眩しいくらいだよ」

と笑顔で言い、ホテルの別棟へとつづく白樺の木立ちのなかを歩きだした。

「横浜から軽井沢までの車のなかでは、よれよれのTシャツとジーンズだったんです。

でも、このホテルに入るには、それではあんまりホテルに失礼でしょう？　でも他に服は持ってこなかったから……」

と翠英はやっと笑みを浮かべて言った。そして、あの懐中時計の弁償金は、自分も兄も受け取る資格がないとつづけた。

「あの時計は盗品です。ジュネーブの有名な時計店から大量に盗まれた高価な時計のうちのひとつです。盗まれたのは一九四〇年。私の祖母はジュネーブには行ったことがありませんから、祖母が泥棒の一味だとは思えません。でも、つながりはあったんです」

「つながりって、その窃盗団と？」

桂二郎の問いに、小さく頷き、翠英は木洩れ日のなかで歩を止めた。

ジュネーブで逢った女は、自分の祖母・鄧明鴻のことをよく知っていた。その女の名を仮にTとしておく。

Tはいま七十五歳で、ジュネーブで中華料理店を営んでいる。

明鴻を姉と慕っていたときもあったが、これが人間かというほどの裏切りに遭って、明鴻とは縁を切り、フランスに渡ったあとスイスのジュネーブで暮らすようになった……。

そこまで喋ると、翠英は、不安そうにうしろを振り返った。

そして、なんだか怖くてたまらなくて、中華街の呂おじさんに電話をかけたのだが、どこかに出かけていて留守だったので、誕生日のパーティーの準備のために一日早く軽井沢に行くという友人に頼んで、昨夜、車で横浜を発ったのだと翠英は説明した。

「慌ててたので、このパーティー用の服だけしか持ってこなくて……」

「翠英に仕返しをするって、あの男が言ったのかい？」

と桂二郎は訊いた。翠英は首を横に振り、

「あんたのおばあさんが、どれほどの悪人だったかを、あんたはちゃんと知っておくべきだ。おんなじ血が流れてるかもしれないからって……。呉倫福は、私が住んでいるマンションの玄関で私をずっと待ってたんです。私がジュネーブでTと逢ったことも知ってました」

「一九四〇年か……。遠い昔のことだよ。六十年も前のことだ。横浜の中華街で起こったことだって、はるか昔の、もう覚えてる人もほとんどいない、何が真実なのか、誰も証明できないことだよ。翠英が呉倫福を怖がる必要なんてない」

「あの時計は、呉倫福の妹のものだったそうなんです。私の祖母は、たくさんの高級時計と、宝石を横取りしたあげく、呉倫福の妹を殺したそうなんです。ジュネーブのTさんも同じことを私に言いました。あんたのおばあさんのような悪党は滅多にいないって……」

「その呉倫福って男は、翠英に具体的に何を要求してるんだい」

と桂二郎は訊いた。

「具体的には何も要求していません。だから余計に怖いんです」

「よくわからんな。横浜の中華街は日本という国のなかにあるんだよ。そこで人が殺されたら、そう簡単に中華街のなかだけで秘密裡に闇から闇へと葬り去ることができるとは思えないね。だいいち、呉倫福の妹の死体はどこに消えたんだ？　黄さんの人脈からは、あの当時、横浜の中華街でそんな事件が起こったってことを、たとえ噂にせよ耳にした人はいないんだよ」

そう言いながら、桂二郎は、呂水元の華僑としての人脈もまた広いことを思い、

「呂おじさんに相談しなさい」

と言った。

「マンションには帰らずに、呂水元さんのところに身を寄せて、様子を見たらいい」

木洩れ日が、翠英のチャイナ服に斜めの幾筋もの光を描いて、ロビーで見たときよりも色艶の良くなった顔には、単なる助けを求めているだけではない、凭(もた)れかかってくるような、それでいて意思的な目があった。

「上原さんが助けてくれる……。私、怖くなるたびにそう思いました。上原さんのいるところへ行ったら安心できるって……。友だちのパーティーが終わったら、またここに来てもいいですか？」

と翠英は訊いた。

ある日突然消滅した厄介なものが、桂二郎のなかで、まるで音をたてるかのような甦(よみがえ)り方をして大きく膨れあがった。

桂二郎と翠英は、どちらからともなく、もと来た道をゆっくりと引き返して行った。

「パーティーはいつ終わるんだい？」

と桂二郎は訊いた。

「あしたの夜です。きっと十時くらいには」

翠英はそう答えた。

ロビーに戻ると、桂二郎は翠英のためにタクシーを呼んでくれとフロント係に頼んだ。

「とにかく、呂水元さんと連絡をとることだよ。呉倫福の目的は……」

そう言って、桂二郎は木洩れ日の道の途中から脳裏を駆けめぐり始めた翠英の、チャイナドレスに隠された乳房や腰や、そこからつづく女体の芯のようなものの映像にひたりつつ、

「金だよ。たぶん、金だ」

と翠英の耳元でささやいた。

そして、ロビーにいる人々に視線を向け、

「人目を惹くね。そのチャイナドレス、似合いすぎる……」

と言った。

千ヶ滝にあるという友人の別荘に翠英が帰って行くと、桂二郎は自分の部屋に戻り、しばらく椅子に腰かけて、まだプレーヤーの姿のないゴルフ場全体を濡らす朝露に見入ってから、フロントに電話をかけ、いまからでもゴルフをすることができるかと訊いた。

「ハーフだけでも可能かな」

「おひとりだけですから、いつでもスタートできます。上原さまのゴルフバッグは、まだマイクロバスに載せたままですし、バスはいますぐにでもゴルフ場にお送りできます」

というフロント係の言葉が返ってきた。

時計を見ると八時を少し廻っていた。

ゴルフ場は意外なくらい客が少なかった。受付で申し込みをしてプレイフィーを支払うと、アウトコースでもインコースでも好きなほうを選べるという。

桂二郎は、自分の前にも、ひとりでプレーするつもりらしい同年代の男がティーグラウンドで念入りに素振りをしているアウトコースを選び、手押し車にゴルフバッグを積んだ。

男は、ひとりで三球打ってスタートした。なるほど、そんなやり方もあるのか……。

ひとりだから、三つのボールを打ちながら、三通りのスコアをつけていくのか……。桂二郎は自分もそうしようかと思ったが、素振りを始めたころ、うしろに三人の組が来たので、

「一球入魂だ」

とつぶやき、ティーショットを打った。ボールはクラブの下に当たって低く右に曲がりながら飛んだ。

遠くの空にあった雲が消えて、浅間山の頂上があらわれた。

前をひとりでプレーする男は、最初のホールを三球ともパーであがったが、桂二郎はダブルボギーだった。

三ホールを廻り終えたころには、朝日はかなり高く昇って、それまでフェアウェイやグリーンを白く光らせていた朝露は消えた。

浅間山とは別の、ゴルフ場の近くにある「離山」という低いこぢんまりとした山のほうに雲は移って、自分の前で淡々と三球ずつ打って進む男の姿以外には、隣のホールにも、うしろにもゴルファーの姿はなかった。

桂二郎は、ボールを打つときは、そのことのみに集中したが、前を行く男との距離が縮まるごとに、手押し車を止め、ゴルフ場内の林や、離山や、グリーンに立てられたピンフラッグを眺めた。けれども、そこには、つねに翠英の、まだ見たことのない裸体が、磨りガラスに淡く描かれた絵のように、輪郭をぼかしてあらわれた。

「なるようになるさ。たいしたことじゃない……」

そのたびに、桂二郎は自分にそうつぶやきかけた。だが、いったい何が「なるようになる」のか、何に対して「たいしたことではない」のか、よくわからなかった。

「こんなものは恋じゃないな。ただの肉欲だ。俺も人間だからな」

そう胸のなかでつぶやくたびに、肉欲なるもので目までが熱くなっている自分をなさけなく感じ、肉欲という言葉にたまらない嫌悪を抱いた。

六ホール目を終わって、次のホールへと歩きながら、桂二郎はいまのところ七オーバーというスコアでプレーしたことに気づき、自分としては上出来だと思った。

前でひとりでプレーしている男が、七番ホールのティーグラウンドの横に置いてあるベンチに腰掛けて、缶ジュースを飲んでいた。

「よろしければ、どうぞお先に」

と男は桂二郎に言った。

「私は三球ずつ打っていますが、あなたは一球だけのようですから」

桂二郎もベンチに腰掛け、三球でも四球でも、私に遠慮なくゆっくり楽しんでくれと桂二郎は言った。

「私は、ぼんやりと景色を楽しんで、あなたのあとからプレーさせていただきます」

男は、じゃあそうさせていただくと言い、七番ホールのティーグラウンドに立った。

その桂二郎が腰掛けているベンチからは、カラマツの林越しに雷のための避難小屋と、おそらくインコースであろうと思われるショートホールが見えた。そのショートホールの向こうの林のなかで動くものがあった。そしてそれはショートホールを横切って、避難小屋のうしろに隠れるように消えた。

なんだ、人間か……。

桂二郎はそう思ったが、ボールを捜しているゴルファーではなさそうだったし、ゴルフ場の従業員でもなさそうな気がした。その避難小屋の近くに、飲み物の自動販売機があったので、桂二郎は冷たい茶でも飲もうと思い、手押し車をベンチのところに残したまま六番ホールを横切って歩いて行った。

自動販売機から缶入りの緑茶を抜き出し、ベンチのほうへと戻りかけた桂二郎は、避難小屋のうしろに立って自分を見つめている女と目が合った。

桂二郎は、一瞬、全身が鳥肌立つのを感じながら、立ちつくして女と見つめあった。白いノースリーブのシャツと白いスカート、そして白いスニーカーのような靴を履いた新川緑がそこにいたのだった。

無言で見つめ合っている時間は、桂二郎にはひどく長い時間だったように思えた。桂二郎は、缶入りの冷たい緑茶を持ったまま、無意識のうちに緑のほうへと歩を運んだ。

「父の車を借りて、朝の五時に家を出たんです。道が混んでるだろうと思ったんですけど、ぜんぜん混んでなくて……」

と緑は、なんだか幼児がおとなに懸命に抗(あらが)っているかのような表情で言った。

「お父さんは、緑さんが軽井沢に行ったってことをご存知なんですか?」

その桂二郎の問いに、緑は首を横に振り、すぐに縦に振り直して、

「わかってると思います」

と答えた。

「ぼくがここでゴルフをしてるってこと、どうしてわかったんです?」

ホテルのフロント係が不用意に教えるはずはなかったので、桂二郎はそう訊いた。

「ホテルの駐車場で、十時になるまでお待ちしてようと思ったら、上原さんがホテルのマイクロバスにお乗りになったもんですから、あのバスのあとを車でついて来ました」

そう言って、緑は、さっきまで桂二郎が腰掛けていたベンチのほうに視線を向けた。

桂二郎がその視線を追って振り返ると、桂二郎のうしろの組の者たちが、六番ホールのグリーンにいた。

「私、キャディーをします」

そう言うと、緑は七番ホールのティーグラウンドへと走りだした。

「ゴルフ、できるんですか?」

「イギリスで少しだけ習ったんです」

「本場仕込みですね」

「三日間練習して、一回だけコースにつれて行ってもらいました」

「誰に?」

「イギリス人の友だちのご両親に」

「スコアは幾つでした?」

「八十八と九十二でした」

「じゃあ、ぼくのほうが少しうまいかな」

緑は手押し車を引いて、七番ホールのティーグラウンドに近寄ると、初めて笑顔を見せた。

空振りだけは勘弁してくれよ……。桂二郎は自分にそう言い聞かせ、ドライバーでティーショットをした。

「グッド・ショットですね」

と緑が言ったが、桂二郎は自分の打ったボールがどこへ飛んだのかわからなかった。右の林に消えたような気がしたが、緑が指差すあたりに目を凝らすと、フェアウェイの真ん中の、グリーンまで残り百ヤードもないと思える地点にボールはあった。

「いまのショットで、この人はゴルフが上手なんだなァなんて思わないようにね。いまのは、まぐれもまぐれも大まぐれ。数年に二回か三回っていうショットなんです」

手押し車を引いてフェアウェイを歩きだした緑のうしろから桂二郎はそう言った。新川秀道が何を判断の基準としたのかはわからないが、いずれは緑に真実を明かさなければならないと考えつづけていたことであろう……。

永遠に隠しつづけるという、人間への冒瀆とも言えるようなことをやる男ではないと思ってはいたが、彼はきっとこの自分などの想像を絶して悩み、煩悶したに違いないのだ……。

桂二郎はそう思いながら、一緒に並んで歩くことを避けるかのように急ぎ足で手押し車を引いていく緑のうしろ姿を見つめた。

「家を出たのが朝の五時なら、朝食はまだなんじゃありませんか?」

桂二郎がそう訊くと、

「はい。でも、ぜんぜんお腹がすいたって気がしないんです。途中、サービスエリアの自動販売機でコーヒーを買って飲みました」

と緑はうしろを振り向かずに答えた。

「もう残り七十ヤードですね。三百六十五ヤードってティーグラウンドに標示板があったから、いまのショット、二百九十五ヤードも飛んだんですね。私、どんなによく飛んでも百五十ヤードがやっとです」

緑はピッチングウェッジと、サンドウエッジの二本を出し、二打目をどっちで打つかというふうに桂二郎を見やった。

「ぼくが三百ヤード近くも飛ばせるはずはないですよ。若いころから馬鹿力だって言われたけど……。ここはリゾート用のゴルフ場だから実際の距離よりも長く標示してあるんでしょう。たぶん三百四十ヤードあるかないかで、そのうえ標高約千メートルの場所ですから、他の場所にあるゴルフ場よりも十五ヤードから二十ヤード近くよく飛ぶはずです」

桂二郎はそう言って、緑からサンドウエッジを受け取り、フルスウィングした。ボールはシャンクして、グリーンの右サイドのバンカーに入った。そしてそこからボールをグリーンに載せるのに五打も叩き、スリーパットして十であがった。

「ねっ？　ぼくはこの程度の腕前です」

桂二郎は笑って言い、あと残り二ホールはパスしようかと思い、

「このホールで切りあげましょうか」

と訊いた。だが、緑はゴルフ場を歩いていたいと答えた。

八番のショートホールで桂二郎がティーショットしたあと、緑は言った。

「私の父は新川秀道という人です。私が生まれる前から、そして、これからも永遠に」

「そうです。そのとおりです。私もそう思います」

「じゃあ、上原桂二郎という方は、私の何なんですか？」

その、まるで若い教師が小学生に問いかけるような緑の質問に、桂二郎は即座に答え返すことができなかった。いまの緑に必要なのは、こんな自分のつまらない答えよりも時間であろうという気がした。

「ぼくに、それを答える資格はないですね。ただ……」

「ただ……、何ですか？」

「ただ、ぼくが新川緑さんの長い将来における永遠の味方であることだけは間違いがありません」

「永遠の味方……ですか」

「ぼくが生きているかぎり、頼りがいのある味方でありつづけましょう。約束します」

緑は、ショートホールのグリーン手前のバンカーに入っている桂二郎のボールを見つめ、それから屈(かが)んでスニーカーの紐を結び直した。その動作があまりに緩慢(かんまん)だったので、桂二郎はきっと緑が涙を見られたくないのであろうと思い、サンドウェッジとパターを持って、バンカーへと歩いて行った。

なんと礼儀正しく、なんと自己を律することのできる、なんと清潔感に溢れる、なんと賢い娘に育ったことであろう……。桂二郎はそう思った。

新川秀道が立派な父であったからだ。千鶴子が立派な母であったからだ。人間として立派であったからだ……。

「それにひきかえ、俺のバンカーショットのなんと下手くそな」

わざと茶化すように自分につぶやき、桂二郎は砂に半分埋まっているボールを打った。ボールはピン側三十センチのところで止まった。

「すごい！　いまのバンカーショット、プロみたいでしたね。それを入れたらパーですね」

緑が大声で言い、グリーンの上に走って来て、ピンフラッグを抜いてくれた。

「うん。いま、アメリカのあるプロゴルファーのバンカーショットを思い浮かべて打ったんです。なるほど、これがバンカーショットってやつなんですね」

そのホールをパーでおさめ、最後のホールをダブルボギーにして、ハーフで十四オーバーで終わると、手押し車を引く緑と並んで受付のほうへと戻って行きながら、桂二郎はどこかに客の多くない静かなレストランはないものかと思った。

まだ昼食の時間には早すぎて、レストランなどどこも店をあけていないかもしれない。自分が泊まっているホテルには地下にフランス料理店があるが、あそこは昼は営業しているのだろうか。

そう考えながら、どんなものを食べたいかと桂二郎は緑に訊いた。

「軽井沢に詳しい人に、いい店を教えてもらいましょう。ぼくがお昼をご馳走します」

「きょうは、私、帰ります」

「いまから？　東京へ？」

「はい。いまの私には、どんなおいしいものも喉を通らないでしょうから」

と緑は言った。

桂二郎は、緑には言いたいことがたくさんあるに違いないと思った。感情などというものをはるかに超えたものが心のなかで渦巻いていることであろう。その大半は、この上原桂二郎という男への怒りであり、侮蔑であり、憎悪であろう。さらには、それらをまたはるかに超えた何物かであるはずなのだ。

だが緑はそれを胸にしまって口にしようとはしない。口にしたら、それらはことごとく別の何かへと変化して、感情こそがあたかも心のすべてであるかのように暴発しかねないと知っているのだ。

桂二郎はそう思いながら、

「じゃあ、気をつけてお帰りなさい。安全運転でね」

と言い、緑の車が停められているであろう駐車場へと向かった。

緑は父親に借りたという白い車に乗ると、エンジンをかけてから、軽井沢に近づくにつれ脚が震えだし、アクセルやブレーキを踏むとき力が入らなくなって怖かったと言った。

「いま、私、とても後悔しています」

「どうしてですか?」

「上原さんのせっかくの夏休みに水をさしてしまって……」

「とんでもない。手前勝手な言い方だけど、ぼくは」

そこまで言って桂二郎は口をつぐみ、軽井沢へと入って来る車の渋滞が始まった広い道路に目をやった。

ぼくは、こんなふうにしてあなたとここで逢えて、とても幸福だ……。そう言おうとしたのだが、桂二郎はそれを口にするのをやめたのだった。

「わざわざ訪ねて来て下さって、ありがとうございます」

これがきっと社員たちが恐れているという上原桂二郎独特の怖い顔なのであろうと思いながら、桂二郎は緑の目に見入ってそう言い、深く頭を下げた。

人間は、己の心に真に誓ったことは、決して口にはしないものなのだという持論をみずから放棄して、「永遠の味方でありつづける」と緑に約束した自分が面映ゆくもあった。

「気をつけて。途中、どこかで何か食べるんですよ」

桂二郎がそう言いかけたとき、緑の車はゴルフ場の駐車場から出て、高速道路へとつながる広い道ではなく、ゴルフ場の裏側の、別荘が点在する森のなかの道へと消えて行った。

きっと緑は、森のなかのどこかで、ひとりになって心を鎮める時間を持ちたいのであろう……。

桂二郎はそう思った。

ゴルフバッグだけをホテルに届けておいてくれないか……。桂二郎は受付にいる青年にそう頼むと、緑の車が消えた森のなかの道へと歩きだした。道は幾つかに枝分かれしていて、どれも木洩れ日の斜めの光の断層で覆われていた。

桂二郎は、自分も心を鎮めたいと思った。高原の木洩れ日の縞のなかを黙念と歩くことで、これからのことを考えなければならぬ……。

緑のこと。会社のこと。さち子と先夫の子である俊国のこと。さち子と自分との子である浩司のこと……。

桂二郎は、森の径を歩きだした途端、さしあたって自分が為すべきことは、謝翠英との危うい夜を迎えないでおこうという決断だと思った。

そう思うと同時に桂二郎は踵を返し、いま来た道を引き返し始めた。

翠英が電子メールを送信してきた友人のパソコンに返信して、自分は急用ができて、社に戻らなければならなくなったと伝えようと決めたのだった。

静かに余命を生きようとしている黄忠錦に、ここは一肌脱いでもらって、あの呉倫福なる男の真意を探り、翠英の周辺から消えてもらうためのてだてを施すという面倒な役廻りを受け持つことで、自分のなかの無様な肉欲にけりをつけるのだ。

桂二郎はそう思った。

翠英が友人のパソコンに送信された上原桂二郎からの電子メールをあしたの夜までに目にするかどうかはわからないが、それ以外に方法はあるまい。

「俺は臆病だな」

と桂二郎はゴルフ場の駐車場の前の、車の渋滞する道を小走りで横切りながら、そう言った。

そしてホテルの長いまっすぐな横道へと曲がり、ズボンのポケットのなかに入れたままのゴルフボールを強く握りながら、視線を落として歩きつづけた。

このいまの自分の歩く姿は、鮎子のフェアウェイを歩くうしろ姿と似ているに違いないと気づいた瞬間、桂二郎は本田鮎子という女の何かが少しわかったような気がした。

――雪迎え　そは病む君にかかりけり――

鮎子は、この句を病と闘っているさち子のために詠んでくれたのだが、これから長い人生を生きようとしている緑にも、俊国や浩司や、上原工業で働いてくれている多くの社員たちにも、けなげな命の結晶が降りかかれ。

桂二郎はそう思い、東京に帰ったら、すぐにも岡山県総社市の高梁川の畔の、須藤潤介に逢いに行こうと決めた。

自分もまた空飛ぶ蜘蛛を見たいものだ。潤介の住む総社市の田圃や畑は、高速道路の建設や農薬などによって、飛行を試みる蜘蛛の数が減ったという。しかし、この日本には、秋が終わるある日、たくさんの蜘蛛が空を飛ぼうとして糸を吐き出す場所がまだ存在しているのではなかろうか。

もしいつの日かそのような場所に、緑と一緒にたたずむことができたら……。

桂二郎は、自分も「雪迎え」という季語を使って句を作ってみようと思ったが、その五文字だけが脳裏を駆け巡るだけで、残りの十二文字はまったく浮かんではこなかった。

第九章

まとまった夏休みをとれないまま八月が終わり、決算期を迎える多くの顧問先の税務事務が集中して、檜山(ひやま)税務会計事務所の明かりが夜の十時前に消える日はなく、氷見(ひみ)留美子は、九月も休みを三日しかとれなくて、やっと十月に入って一息ついた途端、風邪をひいて寝込んでしまった。

お天気のいい日、午後からの風はたいてい氷見家の裏庭に面した佐島家のほうから吹いてくるので、金木犀(きんもくせい)の香りはつねに留美子の家のなかに満ちている。

佐島家の門の近くの二本の金木犀は、木全体が黄色い花に覆われたかのような咲き方で、その香りも他の家々の金木犀よりも強いと母は言うのだが、風邪をひいて寝込んでいた留美子の嗅覚は、なにかしら多くの思い出とつながっていそうな秋の芳香を楽しむことができないまま、その季節を終えてしまった。

「何のために生きてるのよ」

やっと熱が下がったのに、しつこい洟水(はなみず)と咳がとまらない留美子に、母は言った。

「留美子の会社の人使いは、もうほとんど人権無視よ。労働基準法違反だわ。八月に入ってからきょうまで、いったい合計で何日休めたっての？　きょうは十月の十五日よ。二カ月と半分のうちで、留美子が休めた日は、えーっと……」

「会社だって、そこで働いてる人間だって、頑張らなきゃいけないときってのがあるのよ。ことしの夏から九月末までが、檜山税務会計事務所の勝負どころだったの。二十社も顧問先が増えたんだもん。どこもみんな、これまでの顧問先がうちの事務所の優秀さを他社の人たちに紹介してくれて、その口コミで増えたの。だからそれに応えられる仕事をしないと、何のためにいままで頑張ってきたのかわからないじゃない……」

留美子は母にそう言い返し、風呂に湯を溜めた。これは本格的な風邪をひいてしまったなと思った日からかぞえて七日間、留美子は風呂にも入れず、髪も洗ってはいなかった。

「あしたもう一日休むのよ。風邪は治りかけたときが危ないんだから」

という母の言葉に、

「あしたは、美容院に行くの。いつも行くとこにさっき電話で予約したから」

そう言って、留美子は、五日間一度もスイッチを入れなかったパソコンを起動させるために、二階の自分の部屋へと行った。

「三十二だもんねェ……。私ももう歳だわ」

高熱で寝込んでいたからか、階段をのぼる脚どころか、廊下を歩く脚にも力がなく、留美子はそうひとりごちて、きっと何通も溜まっているであろう未開封の電子メールの送信元にまず目を通した。

全部で十二件だった。

そのうちの七件は、檜山や、檜山税務会計事務所の者たちからで、あとの五件は、芦原小巻、弟の亮、サーバーのメンテナンスの通知、そして上原俊国からの二通の電子メールだった。

——殺人的な忙しさ、もうなんとか乗り切った？　私も九月は忙しくて、毎日残業でした。十月十八日に東京に行きます。近づいてきたらまたメールします。——

小巻はそう書いていた。

——いつ熊野に来ますか？　ぼくはあさってから木材の買いつけのために先生と一緒に新潟と秋田へ行きます。先生が、ぼくの持っていた木を買ってくれたので、いま少し金持ちです。お母さんは元気ですか？　お盆に帰らなかったこと、まだ怒ってるかな？

——

亮からの電子メールはきのうの夜に送信されていた。

——風邪、どんな具合ですか？　うちの会社も人使いの荒さには定評がありますが、留美子さんのところは我が社どころではないようですね。早く良くなりますように。

——

上原俊国はその電子メールを送った日から二日後に、

——風邪、ひどい熱らしいですね。夏からの疲れが一気に出たのでしょう。どうかお大事に。以前、教えてくれと仰言っていたぼく「お勧め」のローカル列車の旅、添付ファイルにして送ります。ぼくはあしたから関西に出張です。十月十八日に帰ります。

——

という電子メールを送信して来ていた。

留美子は俊国の電子メールに添付されているファイルを開いた。

——北海道の富良野線。JR旭川駅から上富良野駅。そこからバスで十勝岳へ行くコース。

新潟の新津駅から福島県の会津若松までのコース。復活したSL列車に土日祝日だけ乗れます。阿賀野川沿いの景色はのどかですし、津川駅で寄り道する麒麟山温泉はとても静かな温泉です。

長野県の上田駅から、上田交通別所線で別所温泉へ。この三十分ほどの区間はお勧めです。

他にもたくさんありますが、別の機会に。——

留美子は、風邪で寝込んだ数日間がひどく勿体ない気がして、夏以来、自分が出勤した休日の日数をかぞえてみた。

九月の分も含めると、十四日分もあった。

風邪で寝込んだのは五日間だから、十一月に入ったら、檜山に頼んで一週間ほど休みをもらえないだろうかと留美子は考えた。

俊国とは、小樽から帰ったあと、二回逢っている。

初めて二人きりで逢ったときは、映画を観て、そのあと青山にあるパスタ専門店で食事をした。二度目は、東京ドームでプロ野球を観戦した。俊国が取引先の人からチケットを貰ったので、プロ野球には興味がなかったが、誘われるままつきあったのだった。けれども、電話では何度も長話をしている。

お盆休みに弟に逢いに行くつもりだと話したのは、プロ野球を観た帰り道だった。

ローカル列車の旅は得意なので一緒に熊野に行こうと、なんだか近くの公園に一緒に散歩しようというふうな屈託のない誘い方だったし、自分と一緒だったらおもしろい旅ができると俊国に言われて、留美子は抵抗なく、

「うん、じゃあ、つれてって」

と答えてしまったのだが、あの誘い方は、女に手練な男のやり口だったのではないかと考えて、ひどく後悔した。旅をともにしようと誘われて、即座に応じてしまった自分が恥ずかしくもあった。

お互い、仕事のために熊野行きは中止になったのだが、中止と決まったときの安堵と落胆は、留美子の心をそれから長く乱しつづけた。

その「乱れ」は、自分が七歳も歳上だということと、十年前の少年の正体を知っているのにそれを隠していることとへの、負い目が根底にあるからだと留美子は思ったのだっ

た。

　自分は俊国に惹かれている。しかしそれは、あのときの十五歳の少年が上原俊国だという前提に立っているからではないのか……。そしてそれこそが、自分が最も嫌いな「不遜」と「うぬぼれ」というものではないのか……。

「いい気になっちゃって……」

　留美子が、自分にそうつぶやきかけるのが癖のようになってからもう一ヵ月以上たっていた。

　と同時に、その言葉を胸の内で言い、自分をいましめながらも、留美子は、近づきつつある十二月五日のことを夢想してしまう。

　上原俊国は、ことしの十二月五日にどうするのだろうか、とか、あるいは俊国は、すでにあの手紙の送り主が自分だということが氷見留美子にばれてしまっているのを知っているのではないのか、とか考えてしまう。

　――心配して下さってありがとうございます。やっと風邪は治ったようです。あしたは午前中、美容院で髪をカットしてもらって、それから仕事に行きます。――

　俊国にそう返信してから、花はとうに落ちて、枯れたようになった茎だけが突き出ている蘭の鉢植えに見入り、留美子は、これをまた咲かせるにはどうしたらいいのかを佐島老人に教えてもらおうと思った。

　佐島老人は、風呂場での大怪我の後遺症で、ほとんど家から出なくなっていた。傷が肉体的な何らかの影響を与えているのではなく、転ぶということに恐怖心を抱いてしまったらしい。

そのために佐島老人は、恐る恐る足元に気を配って歩くので、この数ヵ月でひどく老けたように見えるのだった。

佐島老人が恐怖心を抱いてしまったのは、転ぶということだけではないのを、留美子は裏の塀越しに佐島家のお手伝いと言葉を交わした際に知った。

ガラスもまた佐島老人の恐怖の対象となったという。そのために、蘭のための温室にも出向かなくなり、浴室のドアも、大男が力まかせに体当たりしても割れないという半透明の樹脂に替えたらしい。

留美子は、佐島老人が蘭の栽培のために作った大きな温室を見たことはなかったが、おそらくそこにあった多くの蘭は手入れされないまま枯れてしまったのであろうと思っていた。

貰った蘭の鉢植えのうち三鉢を庭に運び、塀越しに佐島家の裏手をのぞくと、自転車に乗って買い物に行っていたらしいお手伝いの女が帰って来た。

留美子は、この蘭を枯れさせてしまわないためにはどうしたらいいだろうかと訊いた。

「旦那さまに教えてもらったほうが」

と女は言い、裏口から台所へと消えたが、すぐに戻って来て、佐島老人が氷見家の家のなかを見学させてもらいたがっていると伝えた。

「ご迷惑だろうなァって……」

「いいえ。ちらかってて恥ずかしいですけど、よろしければ、いまお越しになりませんか?」

と留美子は言った。

母にそのことを伝え、テーブルにひろげてあった新聞などを片づけていると、チャイムが鳴った。あの矍鑠（かくしゃく）とした佐島老人は、わずかなあいだに、まさに「よぼよぼ」という感じに変貌して、氷見家の玄関から廊下へと足を運び、

「いやァ、あつかましくも、おうちを拝見させていただきにまいりました」

と言い、廊下の木を見つめ、柱を見あげ、壁を手でさわった。

「いまじゃあこれだけの木目の細かい杉を、こんなに太く使えませんよ。いやァ、すばらしい柱だなァ」

慌ててテーブルを拭いていた母が廊下に急ぎ足でやって来て、留美子に紅茶をいれるよう耳打ちし、佐島老人に挨拶をした。

「歩かないと、脚って弱っていくばかりですよ」

と母は言い、佐島老人を居間へと案内した。

「これですな。亡くなられたご主人さまの自慢のテーブルは」

佐島老人はそう言って、テーブルを撫でた。

「私の息子夫婦は、じつに迷惑なお礼の仕方をしたようで……。どうしてあんな変人に

育ったのかって考えて、結局、親の私や女房も変人だったんじゃないのかって気がつきました。あの変人と仲良くつれそってるんだから、息子の女房も、もともと変人なんですね」

留美子は、その佐島老人の張りのある声を聴いて、ああ、歩き方だけがひどく老けたように見えるだけで、体も心もお元気なのだと思った。

「この天井の梁の見事なこと。どうです、この堂々たる太さ、色と艶。床の板の立派なこと。これが人間の住む家なんですよ」

佐島老人はそう言って、蘭の鉢植えは、次の花を咲かせるまで、自分がお預かりすると断固とした口調で約束した。

「また温室通いをすることにしました。人生の終わりを、ガラスを怖がって生きるなんて、あんまり臆病すぎますからね」

「お元気になって、よかったですわね」

母は佐島老人に椅子を勧めながら言った。

この家の建築が始まったときから完成するまで、自分はほとんどその工程を見ていたのだと佐島老人は言って椅子に腰を降ろした。

「工務店の若い社員と現場の棟梁とが、よくケンカをしてましたよ。その棟梁は、こんなはんぱな板、何に使えってんだって怒鳴りながらも、妙に楽しそうでした。あの板は、どこに使ったのかなァ。イチョウの木の一枚板でしてね。ちゃんとした寿司屋のカウンターはたいていイチョウのぶ厚い一枚板なんです。寿司を直接載せますから、匂いのある木は駄目なんです。イチョウの木はほとんど無臭で、腐りにくい」

「イチョウの一枚板ですか？」

そんな木は、この家のなかで見たことがない……。そう思いながら、留美子は台所に目をやった。寿司屋のカウンターに使うような板はなかった。

「二階も拝見させていただいてよろしいですか？」

佐島老人は紅茶には口をつけず、そう訊いて椅子から腰をあげた。

留美子は、そっと佐島老人を支えて階段をのぼり、自分の部屋へと走って、ベッドの上を片づけ、窓をあけた。

「こっちが父の書斎なんです。父は一度も使えませんでしたけど」

留美子の言葉にうなずき返し、佐島老人は、いまはほとんど留美子の物思いにひたる部屋となった父の書斎に入った。

「この机もいいですねェ。もうこれひとつだけで宝物ですよ」

そう言って、佐島老人は書斎から廊下のほうを見やり、大窓へと近づいた。

「上原さんのお庭がここからよく見えますね。それほど大きくないけど、風雅なお庭です。小堀遠州流とはまったく異なる自由自在な庭なのに、なんだか風雅です。もともとは型通りの日本風のお庭だったんですが、お嫁さんが来られてから少しずついまのお庭へと変わっていったんです。桂二郎さんは、小さいときから、私、よく存知あげておりますが、二歳の子づれのお嫁さんをお貰いになったときは、いささかびっくりしました。あの奥さんのお子さんと桂二郎さんとの仲の良いのにも驚きますが」

佐島老人は、うっかりと余計なことを喋ってしまったと思ったのか、すぐにその話題を切り上げ、書斎をあらためて見廻した。

留美子は、お嫁さんとは上原桂二郎の亡き妻のことであり、二歳の子とは俊国であるということをすでに知っていたが、いかにも初耳だというふうに、

「その二歳の子って、俊国さんですか?」

と訊いた。

「ええ、まあそうなんです」

佐島老人は言葉を濁しながらもうなずき返してから、書斎にある奇妙な四角い穴蔵に目をやり、

「これですよ、あのイチョウの一枚板は」

と言った。

「ほう、あれを切って、ここに使ったんですねェ。これは何のための穴ですか?」

「さあ、何なんでしょう。この穴蔵に入って、私、ときどき本を読んだり、音楽を聴いたり、ただぼんやり体を丸めてたりするんです。たぶん父もそんな場所として、ここにこんな変な空間を作ったんじゃないのかなァって……」

なるほど、これが元はイチョウの一枚板だったのか。この氷見家にはそれをそのまま

の形で生かす場所がなかったので、棟梁は、仕方なくぶ厚い一枚板を切って、奇妙な穴蔵の床にしたのか……。

留美子はそう考えながら、次に自分の部屋へと佐島老人を案内した。けれども、ここが留美子の部屋だと知ると、佐島老人は、ちょっとなかを覗いただけで階段へと踵(きびす)を返した。

留美子は佐島老人を家まで送り、戻って来てすぐに二階へあがると、廊下の大窓から上原家の庭を見やった。

上原桂二郎を、俊国という二歳の子がある女と結婚すると決めさせたものは何であろう……。若い桂二郎は、俊国の母に、よほど烈(はげ)しい恋をしたのにちがいない……。自分たちがここに引っ越して来たとき、家族揃って上原家にも挨拶に行ったが、あのとき応対してくれた上原桂二郎の妻の顔立ちは、もうほとんど記憶から消えている……。

留美子はそう思いながら、書斎の穴蔵に入った。

俊国は、ことしの十二月五日、あの地図に示した場所で私を待つだろうか。私はどうするだろうか……。

「私は行かない。そんなはしたないこと、しないわ」

留美子は、イチョウの木だという穴蔵の床を撫でながら、胸の内でそう言った。

十二月五日が訪れるまでに、私は十年前の少年があなただということを知っていると俊国に告げたほうがいい……。

いや、その前に、俊国の現在の気持ちを知らなくてはならない。いまでも私のことを好きかどうかを……。

「それって、うぬぼれの塊みたいなことよねェ。打算的だわ」

留美子は穴蔵のなかで膝をかかえ、自分はこの一ヵ月のあいだに、いったい何回、これと似た胸の内での自問自答を繰り返してきたことだろうかと思った。

問題は至極簡単なのだ。そして、難解な答えを求められているわけでもない。

俊国があの手紙に書いたことは、十年前の十五歳という年齢における少年らしい一途さと幾分かの自己愛に粉飾されているはずで、彼にとっては赤面ものの、もう忘れてしまいたい、あるいは忘れてしまった、いや、忘れても誰も批難しない、ひとりよがりの「約束」なのだ。

俊国が、あの地図に示された場所で氷見留美子を待ったとしたら、かえってそのほうが不気味だと言える。

私をあそこで待つだろうかと考える自分もまた不気味な人間だと言えるかもしれない……。

「結局、私って、十五歳のガキンチョの手口にまんまとのせられたわけよね」

留美子はそう小声でつぶやき、わざと大きく舌打ちをした。そして、風邪で寝込んでいた五日のあいだに何度か胸のなかを走って行った思いを、初めて言葉にして自分に言ってみた。

「待っててくれたら嬉しい……。でも、私は行かない。三十路の女が、七つも歳下の男のところに物欲しそうな顔をして行けるもんかってんだ……」

病みあがりの体のだるさが、ふいに襲ってきて、留美子は穴蔵から出ると自分の部屋へ行き、ベッドに横になった。


夜、上京した芦原小巻と東京駅の丸の内側の改札口で待ち合わせをしていて、そのために仕事を早く片づけようとパソコンの画像にあらわれる数字の羅列に見入っていた留美子の肩を檜山鷹雄が軽く叩いた。

留美子が振り返ると、檜山は、夏から九月末までのあいだ、みんなをこき使って申し訳なかったと、所員たちに笑顔を向けながら言った。

「えー、そのお礼としてだね、冬のボーナスの前に、つまり金一封をお配りしたいと思うわけです」

所員たちも留美子も歓声をあげて、檜山が鞄から出した袋に目をやった。

「えー、一律十万円ということで。みなさん、ご苦労さまでした。ありがとう」

檜山は、ひとりずつに現金の入った袋を手渡した。

みんなはさっそく袋をあけ、十枚の一万円札を袋から出した。

「うーん、まさに手が切れそうな新札。この匂い。好きだわ」

と誰かが言った。

留美子も袋の封を切ろうとすると、檜山が「あけるな」というふうに目配せをした。トイレに行って、中身を見てみると、二十万円入っていて、同封のメモ用紙には「みんなの倍、働いてくれたんだからね」と書かれてあった。

それとなくお礼の合図を送ろうと事務所に戻り、檜山を捜したが、新規の顧問先との打ち合わせに行くと言い残して、もう出かけてしまったという。

事務所には、はしゃいだ気分が満ちていた。

留美子はたしかに自分は、他の所員の倍どころか三倍近く働き、仕事をこなしたのだから、うしろめたさは抱かないでおこうと決め、

「小巻め、運のいいやつ……。今夜は『とと一』でご馳走してやるぞ」

とひとりごちて、仕事をつづけた。

東京駅の改札口に小巻は先に来て待っていた。朝一番の飛行機で羽田に着き、そのまま病院で検査を受けてから、立川まで行ったのだと小巻はタクシーのなかで説明した。

「立川？　どうして？」

「お兄ちゃんの子分たちを覚えてる？」

と小巻は小樽で逢ったときよりも三キロ太ったという言葉どおり、ふっくらした頰を紅潮させて訊いた。

留美子が頷き返すと、

「あのとき、ずっと作業服を着てた人のお姉さんが立川に住んでるの。彼と二人で、そ

のお姉さん夫婦の家に行って来たの」

と小巻は言った。そして、あの作業服を着ていた岩崎孝之と結婚するのだとつづけた。

「彼、お父さんを子供のときに亡くして、お母さんもおととし亡くなって、一番近い身内は、そのお姉さんなの。だから、婚約したことの報告と、私を紹介するために、立川のお姉さんとこに……」

岩崎孝之はあすの早朝から仕事があるので、夕方の飛行機で先に帰ったという。

「あの暗号メールでプロポーズした八千丸さんは?」

留美子が訊くと、

「大事なことを自分の生の言葉で言えない人を好きになんかなれないわ。それに岩崎さんは、私の病気のことも全部知ってくれてるし」

と小巻は言った。

「あの番屋で結婚報告のパーティーをやろうって……。入籍は、来月。住むところがみつかったら、一緒に暮らすつもり。パーティーに来てくれる?」

「あの番屋で披露宴? それって素敵ね。行くわ、万難を排して」

「お母さんは、あんなお化けが出そうな廃屋で披露宴なんて、縁起でもないって怒ってるけど、お兄ちゃんとお兄ちゃんの子分たちは大乗り気なの。私も彼も、あの番屋には思い出がたくさん詰まってるから……」

「とと一」のカウンターに腰かけると、留美子は日本酒の飲めない小巻の盃に熱燗(あつかん)をつぎ、お祝いの乾杯をした。

「飲む真似だけでいいのよ。無理に飲んじゃ駄目よ。お祝いだから、やっぱり鯛よね」

留美子は、小巻のために鯛の尾頭付きを焼いてもらえないものかと思ったが、到底、二人だけでは食べきれないであろうと推測し、若い板前に、手で大きさを示して、

「このくらいの鯛を焼いてもらうなんて、できないですよね？」

と訊いた。

「はあ、このくらいですか……」

若い板前は、留美子と同じように両手で鯛の寸法を示し、

「もう少し大きいのならありますが」

と言い、厨房から一尾の鯛を持って来た。

「二人で食べきれなかったら、家に持って帰ってもいいですか？」

留美子が訊くと、きちんと折りに詰めてさしあげますと板前は答えた。

「彼女、結婚が決まったんです。そのお祝いに鯛の尾頭付きをと思って……。これを焼いてもらったら、お値段はお幾らくらいですか？」

板前は少し考え込み、ちょっとお待ち下さいと言って、厨房に消えた。

「気持ちだけでいいのよ。ありがとう。きっと高いわよ」

小巻は言い、盃に口をつける真似をした。

板前は戻ってくると、お代のことはご心配なくと言った。

「いま、うちの大将に連絡したら、うちからのお祝いだ、うんとでかいのを焼けって……」

「えっ！　そんなつもりで訊いたんじゃないんです」

留美子は、また厨房に戻って、四十センチ以上ありそうな別の鯛を持ってきた板前を制したが、

「これぞ『おめで鯛』っていう焼き方をしましょう」

と板前は言い、三本の串をその鯛に刺し始めた。

「お客さんに教えてもらった『徒然草』の言葉、うちの大将、大きな紙に書いて、本店の厨房にも、この店の厨房にも貼って、私たちが仕事を始めるときに声を出して読めって……。お陰で、うちの板前たち、みんな覚えちゃいましたよ。声に出して読むと覚えやすいんですね」

鯛の尾が見事に跳ねるように串を刺してから、板前は、視線を宙に向け、その徒然草の第百五十段をそらんじた。

「能をつかんとする人、『よくせざらんほどは、なまじひに人に知られじ。うちうちよく習ひ得てさし出でたらんこそ、いと心にくからめ』と常に言ふめれど、かく言ふ人、一芸も習ひ得ることなし。いまだ堅固かたほなるより、上手の中にまじりて、毀り笑はるるにも恥ぢず、つれなく過ぎて嗜む人、天性その骨なけれども、道になづまず、みだりにせずして年を送れば、堪能の嗜まざるよりは、終に上手の位にいたり、徳たけ、人

に許されて、双なき名を得る事なり。

　天下のものの上手といへども、始めは不堪の聞えもあり、無下の瑕瑾もありき。されども、その人、道の掟正しく、これを重くして放埒せざれば、世の博士にて、万人の師となる事、諸道かはるべからず」

　淀みのない朗々とした声に聞き惚れ、留美子は、自分もこの文章を覚えようと思った。「諸道」とは何も特別な技量が求められる道だけではあるまいと思ったのだった。

　あらゆる人間の営みがもし「諸道」ならば、

「その人、道の掟正しく、これを重くして放埒せざれば、世の博士にて」となるのであろう。

　仕事も、恋も、家庭を築くことも、人と人とのつきあいも、根本において「道の掟正しく」あれば、きっと多くの何物かを得ていくはずなのだ。

　留美子は、そう考えながら、北海道の厚田村の、月夜の海を思い浮かべた。

　半月の下であお向けになって海面に浮かぶ自分の姿が、なにかしらあどけない神々しいものとして映し出された。それを見ている自分こそが、あのときの月であるかのような気さえしてきた。

「あの番屋、いつまであそこにあるのかしら」

　その留美子の言葉に、

「さあ……、いつまでも、あってくれたらいいんだけど」

と小巻は言った。

「私、これから毎年、あの厚田村の浜辺に行くわ。あの番屋がなくなっても、毎年、夏になったら必ず」

と留美子は言った。そして、なんとささやかな約束であろうと思った。だが、いまのところ、自分が小巻と交わせる新しい約束は、それ以外にあるまいと思った。

「あそこで、ぷかぷかとあお向けに浮かびに行く……。約束するね」

「うん。あの番屋、いつまでもあそこにあったらいいのにね。七十歳になるまでは断じて生き抜いて、毎年、夏は北海道の厚田の浜辺で、ぷかぷか浮かぶ……。この約束を果たすのは、なかなか大変よね」

そう微笑みながら小巻は言った。

「七十歳なんて、目標が低いわね。八十五歳にしようか。八十五歳になったら、癌がでてきても八十五歳の癌……。もうよぼよぼの癌……」

小巻はさらにそうつづけ、結婚のためにお金を貯めなければならないので、岩崎孝之から葉巻禁止令が出たのだと言った。

「葉巻を喫わない生活なんて、もう私には考えられないってのに……。一日の終わりに、葉巻をしみじみと味わって、それからお蒲団に入る……。あの歓び……。そう言ったら、タカさん、あきれてた」

「葉巻って、高いもんねェ」

と留美子が言うと、鯛の焼け具合に目を凝らしていた板前が、

「葉巻、お好きなんですか？」

そう驚き顔で小巻に訊いた。

「好きになっちゃったんです。どういうわけか……」

小巻はそう答え、初めてこの店に来た夜に、葉巻なるものを喫ったのだと笑いながら言った。

松竹梅の飾りをあしらった大皿に載って、大きな鯛の尾頭付きの塩焼きがカウンターの上に置かれた。

留美子は、自分たちが「とと一」のカウンターに腰かけてから註文したものは、熱燗一本だけだと気づいた。この鯛の塩焼きは、「とと一」の主人からのお祝いなのだ。

そう思い、留美子は慌てて品書きを手に取った。けれども鯛の塩焼きはあまりに大きすぎて、何か別のものを註文すれば食べきれなくなって残してしまう……。

留美子は品書きに「土瓶蒸し」と書かれていたので、

「もう松茸、あるんですか？」

と訊いた。

「ありますよ。いい松茸です」

「国産ですよね」

「勿論ですよ。うちは外国産は使いません。丹波の松茸です。特別のルートで手に入れ

るんです。ことしの夏は暑すぎたし、梅雨は雨が少なかったから、松茸が不作なんですけど、うちで使う松茸はいい出来ですよ」

と板前は言った。それまで客は留美子と小巻だけだったが、土瓶蒸しを註文しようかどうか迷っているうちに、三組の客が入って来た。

高いだろうなァ……。贅沢よねェ……。

留美子はそう思いながら、土瓶蒸しを註文してしまった。

「えっ？　いいの？　私までご馳走になっちゃってもいいの？」

と小巻は小声で訊いた。

「うん、いますごく後悔してるけど、もう註文しちゃったから」

「一人前だけにして、半分こしようよ」

「銀座のこんなお店で、そんな恥ずかしいこと……」

留美子は、そう言って、小巻のためにビールも頼んだ。

急にカウンター席は満席になり、厨房にいた他の板前たちも出て来て、店内は賑やかになった。

小巻は器用な箸の使い方で、焼いた鯛の身を取り皿に載せ、土瓶蒸しの器の蓋をあけて中身に見入り、香りを嗅ぎ、

「私、こんな上等の松茸が入った土瓶蒸しって、生まれて初めて」

と言った。

「私は二回目。去年の十一月に、ここでうちの所長にご馳走してもらったから」

と留美子は言った。そして、土瓶蒸しをすべて味わい尽くすまでの二十分近いあいだ、二人はひとことも喋らなかった。

「こんなおいしい料理、日本人てよくも考えついたもんよねェ」

汗ばんでいる額をハンカチでそっと押さえて、留美子がそう言うと、

「もうあと四十八日だよね」

と小巻が言った。

何のことなのかわからなくて、留美子が小巻を怪訝そうに見やると、

「十二月五日まで、あと四十八日」

と小巻は言った。

小巻は、あの十年前の少年からの手紙に書かれてあったことを正確に覚えていたのかと、半ば驚きながら、

「土瓶蒸しを食べながら、残りの日数を計算してたの？」

と留美子は苦笑して訊いた。そして、俊国と熊野へ行くつもりだったがお互いの仕事の都合で中止になったことや、映画を観たり、プロ野球観戦に行ったことを話して聞かせた。

「静かに進行してるのね」

と小巻は微笑みながら言った。

「でも、須藤俊国が、じつは上原俊国だってことを私が知ってるって、まだ明かしてないの」

そう言って、留美子はこの数日、堂々めぐりのように自問自答してきたことを話した。

「私が留美ちゃんだったら……」

小巻は笑顔で言い、それきり口をつぐんだ。

「小巻ちゃんが私だったら、どうする？」

と留美子は訊いた。

だが小巻はそれには答えず、

「留美ちゃんにとっては、俊国さんが自分のことをどう思ってるか、とか、自分は彼を好きなのかどうか、とかよりも、十年後の十二月五日に、その人間がどうするかってことに眼目をおいてるのよ」

と言った。

留美子は、小巻がさらに言葉をつづけるものと思ったが、小巻は、あとは黙り込んでしまった。

「それって子供じみてて馬鹿みたいよね」

留美子がそう言ったとき、板前たちが、いっせいにいらっしゃいましと言い、満席のカウンターを申し訳なさそうに見やって、入って来た客に、

「みなさんがちょっとずつ詰めて下さると一席だけなら作れますが」

と言った。

入口の戸を半分あけて、上原桂二郎が立っていた。

「おつれは？」

という板前の言葉に、

「きょうは、ぼくひとりなんだ」

と上原桂二郎は言い、留美子に気づくと、少し微笑んで会釈をした。

留美子は、自分たちはそろそろ帰るつもりだと言い、上原桂二郎に小巻を紹介した。

小巻は男が上原俊国の父親だと知ると、椅子から立ちあがり、

「私、弟が待ってるから、お先に失礼します」

と言って、自分の席を譲ろうとした。

けれども、他の客たちが少しずつ席を詰めてくれたので、自然に留美子の隣に上原桂二郎が腰かける場所ができてしまった。

上原桂二郎は客たちに礼を述べ、大きな鯛の尾頭付きに目をやって、

「何かお祝い事ですか？」

と留美子に訊いた。

「はい。彼女の結婚が決まったお祝いなんです」

そう留美子は言った。

「それで、結婚生活のスタートにはいろいろとお金がかかるから、大好きな葉巻を断っ

ことにしたそうなんです」

「葉巻？　芦原さんは葉巻がお好きなんですか？」

留美子の笑顔混じりの言葉に、上原桂二郎は驚き顔でそう訊いた。

「好きといっても、一週間に一本だけ、あしたはお休みだっていう夜に喫うだけなんです」

と小巻は言った。

上原桂二郎は、小巻にどんな銘柄の葉巻を喫うのかと訊き、上着の胸ポケットから葉巻ケースを出した。

「これはコイーバのエスプレンディドスです。もともとはキューバのカストロ首相が自分や賓客用に特別に作らせたものらしいんですが。太くて長くて、一本喫うのに、一時間半から二時間近くかかります。でも、いやになったら、そのまま灰皿に置いて自然に消えるのを待って、ラップに包んで保管しといて、また喫いたくなったら火をつける……。それは邪道だ、葉巻はいったん火をつけたら最後まで喫い切らないと味も香りも落ちる、って言う人がいますが、日本人の体力では、葉巻を二時間近く喫いつづけるなんて無理ですよ。このコイーバのエスプレンディドスは、四回か五回くらいに分けて喫っても、味も香りもさほど落ちません。ご婚約のお祝いにプレゼントします。たったの二本ですが」

そう言って、上原桂二郎は板前にラップをくれないかと頼み、そのラップで二本の葉巻を包んで小巻に手渡した。

「うわあ、コイーバのエスプレンディドス。長さは百七十八ミリ、太さは直径十八・六五ミリ。つまりコイーバの『チャーチル・サイズ』ですね。私には一生喫えない葉巻だと思ってました」

小巻は両の掌でラップに包まれた二本の葉巻を大事そうに持って、そう言った。

「サイズが正確に言えるなんて、私よりも葉巻にお詳しいじゃないですか」

上原桂二郎は笑いながら、

「どうぞご遠慮なく」

と言って小巻を見つめた。

上原桂二郎が註文した柳川鍋が運ばれてきたとき、小巻は、弟が待っているからと言って腕時計を見た。板前はすでに鯛の尾頭付きを折りに詰めてくれていた。

留美子が勘定を頼もうとすると、小巻はそれを制して、

「私、電車で弟のアパートへ行くから、送ってくれなくても大丈夫。留美ちゃん、もっとゆっくりしていったら？」

と小声で言い、上原桂二郎に丁寧に礼を述べて、「とと一」から出て行った。

上原桂二郎は、留美子の猪口(ちょこ)に酒をついでくれて、自分の車で家まで送るから、迷惑でなければ、この柳川鍋を食べ終わるまでつきあってくれと言った。

「うちの富子さんが、きのうからお友だちと温泉旅行に行ってまして、家に帰っても晩

ご飯がないんです。きのうの夜は岡山で京都から送ってもらった鯖と穴子の棒寿司を食べました。今夜は『とと一』で柳川鍋。この店で柳川鍋に使うどじょうは、ほんとにおいしいですね」

上原桂二郎の言葉に、

「岡山へはお仕事ですか?」

と訊き、留美子は酌をしようとした。すると上原桂二郎は、十時からゴルフのレッスンを受けることになっているので、酒はこのへんにしておくと言った。

「いえ、仕事ではありません。倉敷の近くに総社市というところがありまして、そこに高齢の知人が住んでいらっしゃるんです。その人に逢うために行ってきました」

上原桂二郎は、板前にご飯と漬物を註文して、そう言った。

岡山という言葉が上原桂二郎の口から出たとき、留美子はほとんど反射的に総社市という地名を思い浮かべてしまったので、

「夜の十時からゴルフのレッスンですか?」

と話題を変えた。

「ええ、二十四時間営業のゴルフ練習場ですから、レッスンプロの都合さえよければ、夜中でも教えてくれるんです。もう三回もそのレッスンプロとの約束をキャンセルしてしまって……。どういうわけか、私がレッスンを受ける予定がある日にかぎって、夜、急な用事ができるんです。今夜、キャンセルしたら、私はもうそのレッスンプロに合わ

せる顔がありませんからね」

だから携帯電話の電源は、岡山空港からずっと切ったままなのだと上原桂二郎は言い、柳川鍋をおかずにご飯を食べ始め、食べ終わると茶を飲み、

「行きましょうか」

と留美子に言った。

「きょうは私にご馳走させて下さい。氷見さんのお友だちの婚約のお祝いに」

上原桂二郎は板前に目配せし、財布を出そうとしていた留美子に有無を言わせぬといった口調でもう一度、

「行きましょう」

と言って微笑んだ。

運転手は「とと一」の近くで待っていた。

「あのう、私たち、高い物を食べたんです」

車に乗るなり、留美子はそう言った。

「土瓶蒸しなんです。鯛はあそこのご主人からのお祝いだったんですけど」

「土瓶蒸し二人前くらいで社長の財布が寂しくなるようでは上原工業もおしまいですよ。そうかァ、土瓶蒸しかァ……。松茸の季節になったんですねェ。私も柳川鍋じゃなくて土瓶蒸しにしたらよかった」

その上原桂二郎の言葉に運転手は、ことしは全国的に松茸が不作だと言った。毎年、

この時期になると信州の穂高に山を持っている友人のところへ松茸狩りに行くのだが、ことしはどこを捜しても一本もみつからなかったという。

「私のその友人は、よちよち歩きを始めたころから山へキノコ狩りにつれて行かれたっていうくらいで、とにかくキノコに詳しいんです。彼が言うには、キノコの不作と人心の荒廃とは深い関係があるそうなんです」

運転手は信号待ちで車を止めたとき、振り返って留美子を見てそう言った。

「人心ですか……？」

と留美子は訊き返し、上原桂二郎に視線を向けた。

「ええ、天候も大きな影響があるのは勿論なんですが、キノコは人心と呼応しあうって、私の友人は自信たっぷりに言うんです。世の中の乱れが、キノコにはわかるんだって」

「ほう、キノコだけかい？　人心や世の中の乱れと呼応しあうのは」

と上原桂二郎は訊いた。信号が青に変わって、車は再び動きだした。

「私の友人は、キノコに関しては、そこいらの植物学者なんか足元にも及ばないくらい詳しくて、キノコについて知らないことはないって自他ともに認めてます。ですから、キノコに関しては自信をもってそう断言できるそうなんです。でも、植物はみんなおんなじじゃないかと思うって言ってました。木を切って、その年輪を見ると、世の中が乱れた年の年輪はいびつで薄いそうなんです。戦争とか、天災とかだけじゃなくて、山の持ち主の自分たち一家に何か不幸があった年もおんなじだって……」

運転手はそう言ってから、おふたりの会話に余計な口を挟んでしまってと自分の後頭部を軽く叩いた。

「いや、いろんなことを考えさせられる話だよ。家内が死んだ年に、庭のハナミズキの木が枯れたことを思い出したよ」

と上原桂二郎は言った。

そういえば、父が死んだ年に、伯母の家の庭に植えられていた金木犀に花が咲かなかったなと留美子は思った。あの金木犀は、伯母が家を改築した際のお祝いにと、父が買って植えたものだった、と。

「じゃあ、来年も松茸は不作だろうな。人心の荒廃と世の乱れは、ますます拍車がかかっていきそうだから」

そう上原桂二郎は言い、

「氷見さんの弟さんは、木を扱うお仕事でしたね」

と留美子に訊いた。

「はい。わざわざアメリカに留学してコンピューターの勉強をして、大きな会社に就職したのに、突然、木工職人になるって言って、勝手に会社を辞めてしまったんです。千六百人の就職希望者のなかでたったの六人しか採用されなかったっていうのに……」

その留美子の言葉に、

「物を作る人間が、これから大きな脚光を浴びていきますよ。日本は古来物作りの国です」

　と上原桂二郎は言った。

「物といっても、そこには農業、工業のほかに教育というものも含まれてます」

　人間を作らなければならないのだと上原桂二郎は声を少し大きくさせて言った。

「教育は、人間を作る作業ですからね。そのことがわかっていない教育関係者が多すぎますね」

　さらに何か言おうとしたようだったが、上原桂二郎は苦笑を浮かべて留美子を見つめ、

「中年のおじさんがこんな演説を始めたら、若い人は迷惑ですね。ゴルフの話でもしましょうか……。あっ、氷見さんはゴルフをなさらないんでしたね。ゴルフをしない人の前でゴルフの話は決してしてはならないって、ある人が力説してました」

　と言った。

「私もゴルフを習おうかなって思うときもあるんですけど、女は一年間はみっちりと練習しないとコースに出られないって脅す人がいて……。それに、ゴルフはお金がかかりますから、私には無理だろうなって思って……」

　留美子がそう言うと、

「じゃあ、思い切って今夜から始めますか」

　と上原桂二郎は真顔で言った。

「私もとにかく一年間はレッスンプロの言うとおりに練習するつもりなんです。氷見さ

んも、今夜から一年間、時間をやりくりしてレッスンを受ける。一年後、一緒にコースに出ましょう。健康のために体を動かすのだっていうふうに考えたらいいんです。一年間、内緒で練習して、氷見さんのボスをぎゃふんと言わせてやるってのは、なかなか楽しい企みですよ」

「今夜からですか？」

留美子は、上原桂二郎が本気で言っているのかどうか判断しかねて、そう訊き返した。

「えい、やってやるって決めて踏み出さなきゃあ何事も始まりませんからね」

「家に着くまでに、一年間ちゃんと練習をつづける自信があるかどうか考えます」

と留美子は言った。そして、いつも同じ日に一緒に練習できないにしても、この上原桂二郎という何かしら大きくて懐の深い「父」のような人物と触れ合える時間を持てるのは、かけがえのないことのような気がした。

一年後、なんとか曲がりなりにもゴルフコースでプレーできるようになって、檜山の机に挑戦状を置いたら……。

留美子は、そのときの檜山の顔を想像して我知らず微笑んだ。

「やります。私、今夜からゴルフの練習を始めます。とにかく一年間は、レッスンを受けて練習をつづけます」

そう言ってから、留美子は、家に帰り着くまでにという言葉を口にしてまだ三分もたっていないなと思った。

「よし、これで仲間ができた」

上原桂二郎は笑って言い、少しおどけた身振りで運転手の肩を叩いた。

「どうだ、こんなきれいなお嬢さんが仲間になってくれたんだぞ。うらやましいだろう」

「氷見さんだけがどんどん上手になっても、私は知りませんから」

運転手も笑いながら、そう言い返し、

「きょうはいやに道がすいてますね」

とつぶやくと少し車のスピードをあげた。

留美子は、上原桂二郎の横顔を盗み見た。以前とは異なるものが、この上原工業の社長から横溢（おういつ）しているような気がしたのだった。

留美子が上原桂二郎との数少ない触れ合いで感じたのは、彼が礼儀正しくて、決して尊大でも不遜でもないのに、どこか人を寄せつけないところがあって、それがまた上原桂二郎という人物の魅力となっている点だった。けれども、今夜の上原桂二郎は、なんとなくいつもよりもさらに気難しそうでありながらも、心のなかではすべてを許容してくれているといった安心感に似たものを他人に与えつづけている……。留美子には、そう思えてならなかった。

周りを安心させてくれる人……。そうだったのか。上原桂二郎とは、そのような人間だったのか、と留美子は思った。

この人は、まだ五十四歳。妻を亡くして四年以上がたっている。再婚という可能性もある……。

留美子は、何かいいことがあったのですかと訊きかけて、やめた。そして、それをうっかりと口にしなかった自分を自分で誉めた。私も少しは「おとな」に近づいたのかもしれないと思った。

氷見家と上原家の前で車が止まると、

「じゃあ、三十分後にここで」

そう言って上原桂二郎は門扉をあけ、ズボンのポケットから鍵を出した。

俊国はきょう関西出張から帰って来るはずだが、まだ家には帰っていないようで、玄関の明かりは灯っていなかった。

留美子は慌てて服を着替え、スニーカーを履いて、自転車にまたがり、上原家の門扉の前に行った。上原桂二郎が出てくるまで、留美子は何度も駅からの夜道に目を凝らした。俊国が帰ってこないかと待ち望む気持ちが強くなっていた。

「私、行くからね」

と誰もいない夜道に向かって留美子は小声で言った。

「十二月五日に、あの地図の場所に」

そして留美子は、そこで俊国が待っていなくても、それはそれでいいのだと思った。

「私、行ったのよ、十二月五日に総社市の田圃（たんぼ）のなかに」

俊国にそう言ってやるのだ。俊国は私に頭があがらなくなることだろう。

留美子はそう思い、俊国があの場所に来ないでくれたらいいのにとさえ願った。そのためには、自分からは決して十年前の手紙のことを話してはならないと己に言い聞かせた。

自転車と一緒に門扉から出てきた上原桂二郎は、一本だけゴルフのクラブを持ち、荷台にシューズケースを載せていた。

「氷見さんのクラブは練習場で借りましょう。女性用のクラブも何種類かレンタル用のが置いてあります」

と上原桂二郎は言った。

「ぼくは当分はこの六番アイアンだけで練習するそうなんです。いま練習場に電話をかけて、レッスンプロに、正真正銘のビギナーの若いお嬢さんもよろしくお願いしたいって頼んどきました」

「あのう、これからは、おい、留美子って呼び捨てにして下さい」

上原桂二郎と並んで自転車を漕ぎながら、留美子はそう言った。

「じゃあ、これからは留美子さんとお呼びしましょう」

住宅街を右に曲がり、広い道の交差点を渡って、また閑静な住宅街に入った。

「俊国さんは関西への出張からまだ帰ってらっしゃらないんですね？」

と留美子は訊いた。

「ええ。でも、もう東京には着いてるでしょう。台所に、留美子さんとゴルフの練習に行くってメモを残しておきました。家に帰ってきて、それを見たら、あいつ、びっくりするでしょうね」

遠くの夜空に一部分だけ明るいところがあった。上原桂二郎は「あれです」とそのサーチライトで照らされているらしい場所を六番アイアンで指し示した。

俊国は、私と映画を観に行ったり、プロ野球観戦に行ったりしたことを父親に話したのだろうかと留美子は思った。

「私、俊国さんと電子メールのやりとりをしてるんです」

と留美子は言った。

「そうらしいですね。ぼくは自分のパソコンの電源をもう長いこと切ったままです」

「どうしてですか?」

「ぼくに電子メールをくれる人がいないんです。政治や経済なんかの、なかなか勉強になるネット・サイトは、会社のパソコンでつながりますからね。パソコンの画面は五十四歳のおじさんの目にはこたえます」

そう言って上原桂二郎は笑った。

ゴルフ練習場の駐車場には車が数台停められていて、一階の打席にも二階の打席にも、それぞれ二、三人がボールを打っているだけだった。

留美子は売店でゴルフ用のグローブを買い、上原桂二郎と一緒に二階打席へと行った。

「この時間帯がいちばん人が少ないそうです。夜中の一時を過ぎると、満席になる日もあるらしいんですが……」

「夜中の一時から混みだすんですか？」

「夜のお仕事の人が、仕事を終えてから練習に来るそうです。その人たちが帰ると、こんどは、きょうゴルフ場へ行くって人たちが来て練習するんだってレッスンプロが言ってました。上手になる人ってのは心構えが違いますね。朝の四時にここで何十球か打ってからゴルフ場に行くなんてこと、ぼくには一生できない芸当ですよ」

そして上原桂二郎は、これがレッスンプロに教えてもらったゴルフのためのストレッチ運動なのだと言って、手首、肩、背、腰と分けられた準備体操を留美子の前でやってみせてくれた。

「とにかく、ちゃんとストレッチしとかないと、ぼくみたいに肋骨にひびがはいったりしますからね」

その言葉で、留美子は上原桂二郎を真似て筋肉と関節を動かした。

それがひととおり終わると、次は脚のストレッチだった。ふとももの裏側の筋肉や膝の関節や、ふくらはぎや足首を入念に動かすだけで、留美子は体が汗ばみ、息が荒くなった。

「私、もうなんだか疲れました。いかに運動不足かですねエ。去年のいまごろ買ったスカートが、きのう穿いてみたら、きつかったんです。ぜったいに腰廻りが二センチは大きくなってると思って、愕然としちゃって」

「それはスカートが縮んだんでしょう」

上原桂二郎が微笑みながらそう言ったとき、三十代後半と思える背の高い男がやって来た。ゴルフのレッスンプロというよりも、実直な学校の教師といった風情で、大森と名乗り、

「氷見さんは、ゴルフはまったくの白紙ですね？」

と訊いた。

「はい。ふざけ半分で、五、六球打ってみたことがあるだけです」

留美子はそう答え、よろしくお願いしますと頭を深く下げた。

「きょうは、氷見さんはボールは一球も打ちません。グリップとアドレスの練習から始めましょう」

レッスンプロはそう言って、ゴルフのボールは、なぜ真っすぐ飛ばずに曲がるのかという理論的な講義を始めた。

「つまり、この理屈がわかれば、どうすればボールが真っすぐ飛ぶのかがわかるでしょう？」

留美子は、レッスンプロの講釈がわかるようでわからなかったが、はいと答え、教えられるままにグリップを握った。

次にアドレスという構え方も言われるままの形にした。

「それを何回も何回も繰り返して下さい。普通にクラブを持って、アドレスの体勢に入って、グリップを作り、完全なアドレスの形をつくる。何回も何回もです。そのグリップとアドレスが自然にできるようになるまで何回もです」

留美子は、なんだ、こんなことくらい簡単だわと思ったが、実際にやってみると、一筋縄ではいかなかった。

レッスンプロは、上原桂二郎に、前回教えたスウィングで五、六球打ってくれと言った。

「クラブヘッドの軌道をイメージして下さい。クラブを振るんですよ。体を振るんじゃありませんよ」

何回か素振りをしてから、上原桂二郎は五球打った。一球も真っすぐに飛ばなかった。利き腕で打ちにいっているのだというレッスンプロの言葉がうしろで聞こえていたが、留美子は、そこにボールがあると仮定してクラブを握り、アドレスを作るという一連の動作を繰り返しつづけた。

「氷見さん、もっと背筋を伸ばして」

とレッスンプロは言った。

三十回ほど同じ動作をつづけているうちに、留美子の腰はだるくなり、教えられたとおりに構えることがつらくなってきた。まだ一球もボールを打っていないのに、膝が震え、指のすべてが痛くなった。

「そうです。いまのスウィングです。いまのボールは使い物になりますよ」

レッスンプロの声で、上原桂二郎の打ったボールが飛んでいくのを留美子は目で追った。ボールは「百八十ヤード」の標示板の手前まで飛んでいた。

しばらくその調子で打ちつづけてくれと言って、レッスンプロは事務所のほうへと戻って行った。

「いまビデオカメラを持って来るそうです」

と上原桂二郎は言って、留美子に微笑みかけた。留美子は微笑を返してから、上原桂二郎の微笑が自分に向けられたものではないことに気づいた。その微笑の先を追うと、いつのまにそこに来ていたのか、俊国が立っていた。俊国は背広を着てネクタイを締めていたが、ゴルフ練習場の明かりを浴びて、首から上だけがいやに白かった。

留美子は小さく声をあげそうになった。十年前のあの少年の顔がそこにあらわれていたのだった。

「びっくりしたよ」

と俊国は言い、打席のうしろの椅子に腰を降ろした。

「家に帰ったら、テーブルの上に、『氷見さんとゴルフの練習に行って来ます』ってメモが置いてあったから……」

「私、きょうからゴルフを始めるの」

と留美子は言い、真っ赤になっている掌を見せた。

「もう百球くらいボールを打ったような掌でしょう？　でも一球も打ってないの。そのうえ、もうへとへと。腰と膝が、へへへって笑ってる……」

「ゴルフという悪魔の棲む世界に留美子さんを引きずり込もうと思ってね」

と上原桂二郎は言い、椅子に腰かけてハンカチで汗を拭いた。

「正しいグリップ。正しいアドレス。これが自然にできるようになるまで、何回も何回も繰り返す……。それができるまでボールは一球も打たない。見てろよ、うまくなってやるから」

留美子がそう言うと、俊国は父親の打席にあるボールを一個持って来て、留美子の打席に置き、

「一球だけ打ってみたら？　ボールを打たなきゃおもしろくないだろう？」

と言った。

「いやよ、ボールは、先生が打ってもいいって許可してくれるまでは打たないの。先生に言われたとおりにするってのが『習う』ってことでしょ？」

留美子がそう言うと、俊国は留美子の手から七番アイアンを取り、それでボールを打った。クラブはボールの頭をかすめただけだった。わずか四、五十センチしか転ばなかったボールを、俊国は苦笑しながら父親の打席へと返しに行き、

「ちっくしょう」

と小声で言った。

「こら、留美子さんの邪魔をするんじゃないぞ」

上原桂二郎が笑いながら言ったとき、レッスンプロが三脚に取りつけたビデオカメラを持って戻って来た。

留美子は再び、グリップとアドレスの練習を始め、上原桂二郎は、真うしろからビデオカメラで自分のスウィングを写されながら、ボールを打ちつづけた。

二十分近くアドレスの姿勢を繰り返していると、腰と脚が震えてきて、留美子は立っていられなくなり、休憩するために俊国の隣の椅子に坐った。

「俊国も、ゴルフ、始めたら?」

ただ握るという行為だけで痺れたようになってしまった両の掌を振りながら、留美子は言った。

「まだ安月給だから……。日本は、ゴルフは高くつくから」

そう俊国は言って、

「ねエ、ローカル鉄道の旅、いつ行く?」

と訊いた。

「友だちが、予土線の旅を勧めてくれたんだけど」

「予土線て、どこを走ってるの?」

「四国の愛媛県宇和島駅と高知県のなんとかってところを結んで、山間部を走ってるんだ。伊予の予に土佐の土。途中、四万十川の上流に沿って走る区間が、すごくきれいなんだって」

「四万十川の上流かァ……。きれいでしょうね。いつ行く?」

「十二月の初旬に休みを取ってるんだけど……。土日も入れて六日間。ことしの一月から上司に休ませてくれって頼んであるんだ。それだけ早くから休暇届を出しといたら、どんな用事があっても休ませてくれるだろうと思って」

「一月から計画してたの? その予土線ていうローカル鉄道の旅のために?」

留美子は軽い失望と腹立ちを隠して、そう訊いた。

「いや、そうじゃなくて、おじいちゃんに逢いに行くために取った休みなんだけど、留美ちゃんがもし行けるなら、松山か高知かのどっちかで待ち合わせて、その予土線に乗ってみたいなァって思うんだ」

「私のこと、好き?」

留美子は自分の手に視線を落として、そう訊いた。口が勝手に動いて、言葉が出てしまったという思いのなかで、留美子はもう我慢できなくなってきた。

「うん」

とだけ答えて、俊国は黙りこんでしまった。

「私、十年前、いまの家に引っ越してきてすぐに、駅の近くで男の子から手紙を貰ったの」

そう言って、留美子は手紙の内容を話して聞かせた。俊国の顔を見てはいけない気が

して、上原桂二郎が打つボールの飛んでいくさまばかり見つめ、

「その子の名前も覚えてないし、手紙も、捨てちゃった……。ねェ、俊国は、あれから十年たったその子が、空飛ぶ蜘蛛がたくさんいるその場所で私を待ってると思う？」

と訊いた。

「きょうは、このくらいにしときましょう」

というレッスンプロの声が聞こえた。上原桂二郎は汗を拭きながら、再生されたビデオの画像をレッスンプロと一緒に見入り、アドバイスに頷き返した。

レッスンプロは、次に留美子に、七番アイアンを持ってアドレスしてみてくれと言った。

留美子は椅子から立ちあがり、グローブをはめて、アドレスの姿勢をとった。心臓の鼓動が頭のてっぺんで響いていた。

「あっ、氷見さんは筋がいいですね。しっかりとアドレスできてますよ。女の人って、最初は、へなへなって感じのアドレスしかとれないもんなんですけど、氷見さんは、クラブを振るためのアドレスになってます。次回からスウィング軌道を覚える練習に入りましょう。ゴルフシューズは、買っといて下さいね」

レッスンプロはそう言って事務所へと戻って行った。二階打席にいた客はいなくなり、一階打席の二人の客も、帰る用意をしていた。

上原桂二郎は、自転車の鍵を俊国に渡して、車のキーを渡すよう促し、

「お前は留美子さんと自転車で帰りなさい。俺は車で先に帰って風呂に入ってるよ。背中も胸も汗まみれだ。いままでいかに横着なスウィングをしてたかだな」

と言い、留美子に微笑みかけると軽く手を振って帰って行った。

留美子は、あと二十回、七番アイアンを正しく握り、正しくアドレスの姿勢を作ろうと決め、一回、二回、と胸のなかでかぞえながら、同じ動作を繰り返した。

そうしているうちに、ひょっとしたら上原桂二郎は、何もかもを知っているのではないかという気がしてきた。

俊国は自動販売機で缶入りの茶を買って来ると、それを留美子に差し出し、

「そいつ、その地図の場所に、行くに決まってるよ」

と言った。

「そんな気がするよ」

「どうして?」

と留美子は訊いた。

俊国は留美子と目が合うのを避けるかのように、視線を「二百三十ヤード」と標示されたゴルフ練習場のいちばん奥のネットのほうに向けた。

「私、その人よりも、七つも歳上なのに……」

と留美子は言った。心のなかに、一匹のけなげな蜘蛛が、空を飛ぼうと糸を吐き始めた姿があると思った。

「そんな、七歳の違いなんて……」

俊国はそう言ってから、くすっと笑った。

そして、自分の祖父について、亡くなった母について、上原桂二郎という血のつながりのない父について語り始めた。

留美子は、俊国の隣に坐り、語りつづけている俊国を見つめ、その頬に自分の唇を押し当てた。俊国も同じ動作を返してきて、

「ありがとう」

と言った。

留美子には、それ以上に心のこもった言葉はないような気がした。そのありきたりな五文字のなかに、自分のぶんも含めた万感の思いが秘められていると思ったのだった。

留美子も同じ言葉を返し、

「私、空飛ぶ蜘蛛のこと、勉強したの」

と言った。

「錦三郎っていう人が書いた『飛行蜘蛛』って題の本を図書館で借りて。東北地方では『雪迎え』って言うのね」

「うん、あの本、ぼくも読んだよ」

俊国は、不平や不満が自分のなかに芽ばえて、それが自分というものを汚していると感じると、いつも、お前は蜘蛛以下かと自分に向かって怒鳴りつけるのだと言った。

「高校生のとき、一度だけ親父にすごく叱られて、家出して、他に行くとこがないから、岡山のおじいちゃんとこへ行って、もう目黒の家に帰りたくない、ここでおじいちゃんと暮らしたいって言ったら、おじいちゃんに『お前は蜘蛛以下か』って……」

もう自分たち以外の客はいなくなったと留美子は思ったが、そうではなく、一階の打席から小気味のいい打球音が響き、空気を切り裂くような音を立ててボールが飛んで行った。

それは二百三十ヤード地点のネットの手前でさらに加速し、ネットを破るかのような勢いでそれに当たった。ネットは大きくうねった。二球目も三球目も、同じ弾道を描いて、ほとんど同じ場所にボールは突き刺さって行った。

「ミサイルみたい」

と留美子は言った。

「これは、アマチュアの球筋じゃないよ」

と俊国も言った。

ボールを打っている人の姿は、留美子と俊国が坐っているところからは見えなかった。

留美子は、もう一度、

「ありがとう」

と俊国にささやき、一定のテンポで打ち出されるゴルフのボールの見惚(みと)れるような球筋に見入った。

厚田村の浜辺の半月が心に浮かんだ。留美子は打ち出されるゴルフのボールが、その半月に向かって飛んで行く勇敢な蜘蛛に見えると俊国の耳に触れるほど唇を近づけてささやいた。

最終章

十二月に入ってすぐに上原桂二郎は秘書の雨田洋一を伴って台湾へ向かった。

夏の早朝の軽井沢で、場にあまりにもふさわしくない華やかなチャイナドレスで桂二郎に逢いに来て、厄介な問題を何も解決しないまま去って行った謝翠英がその二日後に台湾に帰ってしまったのを知ったのは十一月の半ばだった。

桂二郎はそのことを呉倫福の台湾からの電話で教えられた。

「あんな若い娘をしつこくつけ廻して、要領の得ない脅しをつづけて、呉さんにいったい何の得があるんです？　私は翠英さんと軽井沢で逢って以来、ずっと呉さんからの連絡を待ってたんです。私には詳しいことはほとんど何もわかりませんが、二兎を追う者は一兎をも得ずです。呉さんは一兎を追うべきですね。それは翠英さんじゃなく、この私だという気がします」

時計の弁償金三百万円に多少の上乗せをしてもいいという算段で桂二郎は呉倫福にそう言ったのだった。

翠英のためではなかった。須藤潤介が亡き息子のために作った三百万円という大金は正当な受け取り人に支払われなければならない。呉がはたして正当な受け取り人かどうかはもはや誰にもわからない。だとすれば、呉倫福というわずらわしい蠅を翠英や自分の周りから追い払えて、なおかつ須藤潤介の長年の心のつかえが晴れるようにすればいい。潤介にとっては、弁償金を確かに支払ったという事実だけでいいのだ。「誰に」ではなく「それを欲する者に」で充分なのだ。桂二郎はそう決めた。

「私もゲーム・イズ・オーバーにしたいですね。そのためにお電話をかけています」

と呉は言った。

「そのためには、謝翠英さんと彼女のお兄さんの了解を得なければなりません。あの高価な懐中時計をめぐっては私とは無関係のいろいろないわくがあるようですが、亡くなった鄧明鴻さんの身内は、翠英さんと彼女のお兄さんだけですから」

その桂二郎の言葉には答えず、台湾に来たら連絡をくれと言って、呉は電話番号を教えた。

「台湾？　私に台湾まで来いという意味ですか？」

「台湾まではすぐです。沖縄に行くのとたいした差はありません。台湾は暖かいですし、台湾の薬膳料理はうまくて体にもいいのです。腕のいいマッサージ師もたくさんいますしね。楽しい台湾旅行のついでに、私にあの金を渡して、それで何もかも解決です」

あの金？　そうか、三百万円でいいのか。上乗せはしてこないのだな……。桂二郎はそう考え、いまの予定では、十二月の初旬なら三日ほど時間が取れると伝え電話を切った。そしてその夜、横浜の中華街へ行き、呂水元と逢って事のいきさつを話し、台北市内の翠英の住所と電話番号を教えてもらった。

「金を払う上原さんには脅迫的言葉はいっさい使わない。呉ってやつは、小悪党のくせに頭が良くて粘り強いですね。上原さんが自分からあの金を払うように、仕掛けた網をじっくりたぐり寄せた。呉が突いたのは翠英だけです。翠英っていうドミノの一個をちょっと突いただけで、上原さんが預かった金にまでカタカタと他のドミノが倒れていった」

呂は苦笑しながら言って、万一、難儀なことが起こったら、この男に相談すればいいと一枚の名刺を桂二郎に渡した。

「たぶん、難儀なことなんて起こらないでしょうが……。難儀なのは、翠英かもしれない。男はいつも女に振り廻されます。どんな女も、したたかで恐ろしい」

呂の苦笑は柔和で静かな微笑みに変わった。桂二郎は自分も微笑んでいることに気づき、チャイナドレス姿の翠英を思い浮かべて、

「中国紅軍が長征の果てについにきょう北京を制圧するっていう日の朝、疲れて泥のように眠ってる兵士たちにまだ若い周恩来が『てめえら、四千年にわたってまみれてきた化粧の匂いにたぶらかされるんじゃねェぞ！』って日本語で檄(げき)を飛ばしたそうですね。中国と関係の深いある財界人から聞いた話です。真偽のほどはわかりませんが」

と言い、呂の店を辞したのだった。

「セーターなんか持ってこなきゃよかった。あったかいですねェ」

空港からタクシーに乗るなり、腕時計の針を一時間戻して現地時間にすると、雨田洋一は背広の上着を脱ぎながら言った。

「台湾は南国だぞって言っただろう。台北市から台南市へ行く途中で北回帰線を越えるんだから」

と桂二郎は言い、高速道路にひしめく車の群れと、おそらくそこが台北市内なのであろうと推測される夜空の一角の丸い薄明かりを見つめた。

頑固一徹な職人といった風情の、小柄な呂水元の微笑みが胸に甦った。きっと呂は、この俺の、翠英への男の視線を見抜いていたのであろう。ひょっとしたら、俺と翠英とのあいだに男と女の営みがあったと勘違いしているかもしれない。そうでなければ、この忙しい十二月に、得体の知れない男に金を支払うためにわざわざ台湾へまで行ったりするものか、と。

だがそれは違う。俺は俊国の祖父との約束を果たしに行くのだ。ある時期、執拗に俺の心のなかで創り出された翠英の裸体は、憑き物が落ちるようにきれいさっぱり消えてしまった。もし残っているものがあるとすれば、あの軽井沢の早朝における翠英に対する俺の突き放し方への後悔の念だけだ。

俺はあのとき、翠英の話に嘘があると感じたが、それまでの親身な接し方とあきらかに異なる、翠英から見れば迷惑がっているようにも感じられたであろう俺の態度はそのせいではなかった。早朝の軽井沢のホテルのロビーにチャイナドレス姿であらわれた翠英の、その幼い企みに無頓着でありたかったのだ。

新川緑という娘の存在が、あの早朝の俺をそのようにさせたのだ。あるいは、虫の報せというものが確かにあるとすれば、俺の精神のどこかでは、あの日、緑が忽然とあらわれることを感じていたからかもしれない……。

少々ストイックで、これもまた少々色男ぶっていると自分で自分を笑ってやりたくなるが、あの夏の朝の翠英への罪滅ぼしも兼ねて、台湾へ金を持って来いという呉倫福の要求に応じたのだ。

上原桂二郎はそう考えながら、雨田が覗き込んでいる台北市の地図を見て、

「ホテルはどのあたりだ?」

と訊いた。

「台北市の中心部から少し南東にはずれたところだそうです。建ってまだ七年くらいしかたっていない新しいホテルです。敦化南路ですから、たぶんこのあたりですね」

雨田は地図の一点を指差した。

「日本流に言うと、このホテルの周囲は〈億ション〉が建ち並んでて、東京の白金台って感じのところらしいです」

「詳しいな」

「旅行代理店の、台湾のことなら何でも訊いてくれっていう担当者からレクチャーを受けてきました」

仕事のための同行ではなく、社長の私用の海外旅行だということが雨田を常よりもはしゃいだ口調にさせていると思い、桂二郎は色の異なるマーカーで○や△や×の印が幾つも描かれている地図に見入り、

「その印は何だ?」

と訊いた。

「私の仕事用の暗号です」

「暗号……。マルと三角とバツしかない暗号か? すぐ解けそうだな。マル印は何なんだ?」

「暗号ですから内緒です」

「マルは、おおかた食べ物屋だ。台湾料理店、広東料理店、北京料理店、四川料理店……」

「料理店は三角の印です」

雨田はそう言って地図を折り畳み、大きなショルダーバッグにしまった。

台湾行きの日を決める前に、桂二郎は謝翠英と電話で三回話していた。時計の弁償金を呉倫福に渡すことへの承諾を得なければならなかったからだ。

最初の電話では、翠英は自分ひとりでは決めかねるとどことなくすねたような口調で言った。兄と相談しなければならないが兄はまだ仕事から帰ってはいない、と。

翌日、二回目の電話をかけた桂二郎に、翠英は、兄は優柔不断な性格なので迷っていると伝えた。呉倫福のような気味悪い男につきまとわれて身に危害が及びかねない日々からは一日も早く解放されたいが、日本円で三百万円という大金が労せずして手に入る幸運も逃がしたくない。単純に計算しても、その金額は台湾で一千万円を超える価値がある……。きのうの夜遅く帰宅して以来、兄はもう何回もそのような言葉を繰り返して埒があかないというのだった。

桂二郎は自分の意見は一切口にしなかった。決めるのは翠英とその兄だと思った。

三回目の電話でも結論は出そうになかったので、

「渇しても盗泉の水を飲まずという言葉があるよ」

と桂二郎は言った。

「トウセン？　どんな字ですか？」

桂二郎がその二つの漢字を説明すると、翠英は、自分もそうであるべきだと思うと答えた。

「上原さんがあの男に逢ってお金を渡して下さるんですね。わざわざ日本から台湾まで来て……」

そうつぶやいてから、翠英は、もう自分は兄には相談しないと言った。

「じゃあ呉倫福に金を渡すよ」

「はい。そうして下さい。台北に着いたらもう一度お電話を下さいますか？　おいしい台湾料理のお店にご案内します。私にご馳走させて下さい」

「ホテルから電話をかけるよ。でも台湾料理をご馳走になるのは、呉倫福に金を渡してからにしたいね」

　話が決まると、桂二郎は即座に台北市の呉倫福に電話をかけたが、呉が電話に出たのは、三日後だった。その三日のあいだに、桂二郎は十数回、誰も出ない電話の番号を押しつづけた。


　ホテルの三十六階にある部屋に入り、西に面した大窓から曇り空のせいなのか排気ガスのせいなのか区別のつかない厚い闇を眺めたあと、桂二郎はソファに腰を降ろした。

「台北の広い道路は、どれも大阪の御堂筋に似ていますね」

　冷蔵庫からミネラルウォーターを出し、それを部屋に備えつけの電気ポットに入れて湯を沸かしながら雨田が言った。

「街の区画は京都に似てるな。碁盤の目みたいで、わかりやすいよ」

　桂二郎は言って腕時計を見た。中正国際空港から市内の中心部までは約四十キロの道のりだったが、車が混んでいてホテルに着くのに一時間四十分もかかった。

「聞きしにまさる車の渋滞ですね。バイクとスクーターの数にびっくりしました。台北市には駐車場が少ないので、バイクかスクーターで通勤する人がどんどん増えてるそうです」

雨田は桂二郎が脱いだ背広の上着をクローゼットのハンガーに架けながら言い、食事はどうなさいますかと訊いた。

「何を食べたい？」

「私は何でも。社長は何を召しあがりたいですか？」

「なんだか食欲がないな。ちょっと行っては停まり、またちょっと行っては停まり、のタクシーに一時間四十分も乗ってたからだろう」

「私は自分の部屋におります。いつでもお電話下さい。お粥なんていかがですか。この近所に〈お粥横丁〉っていうところがあります。歩いて十五分くらいだと思います。台湾のお粥はあっさりしてて日本人の口に合うそうです」

雨田が部屋から出て行くと、桂二郎は手帳を出し、呉倫福に電話をかけた。

「ようこそ、台北へ」

電話に出るなり呉倫福は低い声で言った。

「お疲れでしょうが、いまからまた空港の方向へ少し戻っていただけませんか」

「いまからですか？」

「ええ。上原さんも私のような人間とはさっさと無関係になりたいでしょう」

呉倫福は店の名を教え、

「タクシーの運転手ならほとんど知っています。お茶を飲ませる店です。大陸風に言うと茶館。台湾では茶藝館と言います。いまから私も行きますが、たぶん上原さんのほうが先に着くでしょう」

と言って、桂二郎が言葉を返す前に電話を切った。

またあの渋滞の道を戻るのかとうんざりしたが、今夜中に面倒な用事が片づくのは確かにありがたかった。

日本を発つときは、自分ひとりで呉と逢おうと思っていたのだが、桂二郎は雨田もつれて行くほうがいいと考えた。まさかとは思うが、ここは外国なのだ。一見屈強そうな雨田と一緒なら、そのまさかの割合も減るだろう、と。

桂二郎は雨田の部屋に電話をかけて、

「いまから人と逢うことになってね。その人に逢ったら、俺の台湾での用事は終わりだ。仕事とは何の関係もない俺の私用だけど、一緒に行ってくれないか」

と言った。

「勿論、お伴します」

雨田はそう答え、一分もたたないうちに桂二郎の部屋のチャイムを鳴らした。

タクシーはさっき来た道とは反対方向に走り高速道路に入ったが、中正空港とはまだかなり距離の離れているところで一般道に降りて故宮博物院のほうへと走った。

町はずれといっても雑居ビルの建ち並ぶ、車の通行量の多い交差点を曲がったところで停まり、運転手は自動車の修理屋の隣の、そこだけ茶色い木の壁の家を指差した。ぶ厚い一枚板の看板には店名の下に「香茶坊」と書かれている。

「ああ、この店ですね。台湾では有名な茶藝館だって書いてあります」

雨田はガイドブックに載っている店内の写真を桂二郎に見せてからタクシー代を払った。

店内はひどく静かで滝の音だけが響いていた。築山があって、そこから流れ落ちる人工の小さな滝の音だった。池には十数匹の錦鯉が泳いでいた。池の周りにはテーブル席があり、壁の隅は履き物を脱いで上がる小さな座敷風の席になっている。客は二組だけだった。

桂二郎は雨田と一緒に池の横のテーブル席に坐り、あらためて古い木の壁や柱や池の周りの手すりを見やった。二階にも席があった。座敷風の席にはそれぞれ名前がつけられている。

「古（いにしえ）の中国に戻ったって感じだな」

その桂二郎の言葉に、雨田はガイドブックをまたひらいて、

「蘇州風庭園を模した店内って書いてあります」

と説明した。

「その人が来たら、お前は席を外してくれ。うしろの座敷席のほうへ移ってくれたらいいよ」

「はい。でも空いてますねェ。向こうの二組も、どうも日本人みたいだし。観光スポットなんでしょうね」

チャイナドレスを着た若いウェートレスがメニューを持って来た。

「うわっ、高い。社長、これは高いですよ。お茶の料金と席に坐る料金とは別になってます。席に坐るだけで金を払わなきゃいけないんです。テーブルチャージってやつですね。一般の台湾人には高すぎますよ。二人で来たら日本円で三千円くらいかかります」

と雨田は声をひそめて言った。桂二郎は適当にメニューのなかの一人分二百五十元のお茶を指差して註文し、ポロシャツの上に着たジャケットの内ポケットに入れてある封筒をさわった。ホテルを出るとき旅行鞄のなかからジャケットの内ポケットに突っ込んだのだが、そのとき桂二郎は自分がうっかり関税法違反を犯したことに気づいたのだった。台湾の関税法がどうなっているのか知らなかったが、三百万円という現金を持ち込むには、どこの国であろうと税関に申告しなければならないはずなのだ。

調べられなかったから助かったものの、もし調べられていたら俺はいまごろ……。

桂二郎はそう思い、なんだか無性に腹が立ってきた。呉倫福に腹を立てているようでもあったし、翠英に対してであるような気もした。

俺は、まわりくどい無駄なことをしている。この金はさっさと翠英に渡してしまえばよかったのだ。そしてこの金は、翠英、もしくは彼女の兄が、呉倫福に渡すべきなのだ。邪心というよりも婬心(いんしん)といったほうが正確な翠英の若い体への妄想を正当化するために、俺は物わかりのいい親切な紳士を演じていたにすぎない。

俺は翠英への妄想とはおさらばしたつもりだったが、どうやらそうではなかったようだ。まだくすぶっているのだ。幾つかの国々とも取引のある会社の社長が、関税法のことを忘れて、無申告で大金を外国に持ち込むなどという愚を犯すなんて……。

申告するのをうっかり忘れていましたなんて、誰が信じるものか……。

ウェートレスが茶を飲む道具と湯の入った重い鉄瓶と、それをさらに沸かすためのコンロを運んで来た。

やり方がわからないので、あなたがやってくれないかと雨田が身振りでウェートレスに頼んだ。

小さな猪口(ちょこ)のような茶碗で熱い茶を飲むうちにも、桂二郎の自分自身への怒りはおさまらなかった。

この金を呉倫福に渡すのはやめよう。翠英か、翠英の兄に渡すのが本筋だ。俊国の父は、翠英の祖母の時計を壊したのだ。それが盗品であろうとなかろうと、そんなことはどうでもいい。翠英と台湾で逢うのもやめよう……。金は合法的な方法で日本から翠英に送金すればいい。

桂二郎はそう決めた。

「出よう」

と桂二郎は雨田に言った。

「えっ、出るって……」

「あんまり逢いたい相手じゃないんだ」

雨田は、ウェートレスを呼んで勘定を払おうとした。桂二郎はそれを制した。この無申告で持ち込んだ三百万円の現金を、また台湾から持ち出し、日本の税関を通って帰国しなければならないことに気づいたのだった。

「これを、この人に渡してくれないか」

桂二郎はジャケットの内ポケットから現金の入った封筒と手帳を出しながら雨田に言った。

「謝翠英って女だ。この人のお兄さんにでもいいよ。お兄さんの名は謝志康。住所と電話番号はこれだ。俺の名刺を持って行け。名刺の裏に俺からの伝言を書いとくよ」

桂二郎は自分の名刺の裏に、

「急用が出来たので急遽日本に帰らなければならなくなりました。この三百万円は、あなたがたご兄妹のお好きなようにお使い下さい」

と書いた。

「今夜中に済ませて、あしたからはのんびり台湾を楽しもう。俺の私用でこきつかって申し訳ない」

「これはお金ですか?」

「そうだ。三百万円入ってる」

「領収書は貰いますか？」

「貰ってくれ」

雨田は茶藝館から出て行った。その雨田の、岩が転がって行くようなうしろ姿が、桂二郎にはひどくくたのもしく見えた。

呉倫福がやって来たのはそれから十五分ほどたってからだった。呉は大きな格子縞のジャケットを着てステッキを持ち、右脚を少しひきずるように歩いて来ると、さっきまで雨田が坐っていた木製の椅子に腰を降ろしながら、

「お待たせしてしまって」

と言った。

桂二郎は腕時計を見て、

「そうですね。私は四十分ほど前にここに着きました」

と応じ返した。

「私の住んでるところは、ここからは遠くて。そのうえタクシーがなかなか拾えなかったもんですから」

「四十分も待たされてるあいだに腹が立ってきましてね」

桂二郎はその理由を呉に説明した。

「持ち物を調べられてたら、私はひょっとしたらこの国の刑務所に送られるはめになっていたかもしれません。そう思うと、私は呉さんに腹を立て、自分の馬鹿さ加減にも腹

を立てました」

「そういうのを日本語では八つ当たりっていうんでしょう？」

呉は雨田が使った茶碗を見つめ、

「どなたとご一緒だったんですか？」

訊いた。

「十五分ほど前まで私の秘書がおりました」

残った茶葉の量を見て、呉はウェートレスに自分用の茶碗だけを頼み、鉄瓶の湯を急須に注いだ。

「私は腹を立てているうちに、急に気が変わりました。この金は私が呉倫福さんに渡すべきではない。鄧明鴻さんのお孫さんに渡すべき金だ。呉さんは、あの兄妹から金を受け取ればいい。それが最も正しい方法だと思ったんです」

呉倫福は口に運ぼうとしていた小さな茶碗をテーブルに戻し、

「それで？」

と訊いた。

「三百万円の入った封筒を私の秘書に渡して、これを謝翠英さんに届けてくれるよう頼みました。もし翠英さんと逢えなかったら、お兄さんの志康さんでいい、とね」

呉はしばらく無言で桂二郎を見つめてから、目を細めたり額に皺を寄せたりした。そして、

「なんですって？」

とつぶやいた。

「あの懐中時計が誰のもので、どんないきさつがあろうと、私には関係がありません。壊れた懐中時計を弁償しようとしてる人にも関係がない。そう思いませんか？　それは呉さんと謝兄妹とで話し合えばいい。考えてみれば、呉さんが最初に私の会社にお越しになったときに、私はそう言えばよかったんです。遠回りをしたもんです」

「その秘書は、いつごろここから出て行ったんです？」

と呉は背広の内ポケットをまさぐり、携帯電話を出しながら訊いた。

「二十分ほど前、いやもう三十分はたったかもしれません」

呉はステッキをつかず、携帯電話を持って池の向こう側のトイレの近くまで行き、どこかに電話をかけた。滝の音で呉の声は聞こえなかった。

桂二郎は、この自分に危害を加えるために誰か仲間を呼んでいるのだろうかと思ったが、逃げようとは思わなかった。たとえ逃げても、宿泊しているホテルをみつけるのは簡単であろうと考えたのだが、不思議なほどに怖さを感じなかったからであった。携帯電話で誰かと話している呉倫福の表情には滑稽なくらいの狼狽があった。

足をひきずりながら戻って来た呉は、携帯電話をテーブルの上に投げるようにして置き、茶を飲み、それから煙草に火をつけた。

「あの兄妹が住んでるところは、ここから車で十分ほどです。上原さんの秘書はもう着いて、謝志康に金を渡したでしょう」

と呉は言い、中国語で何かつぶやいた。

「いま何て仰言ったんです？」

桂二郎の問いに、

「女と組むとろくなことがないって意味ですよ」

と呉は答え、

「なにもこんなところまで上原さんを呼び出さなくても、私がホテルへ出向けばよかったんです。私はそうするつもりだったんですが……。女ってのは、いったい何を考えてるのか……」

そう言って笑った。

お前のほうの内輪もめなんて、俺にはどうでもいい……。桂二郎はそう思い、茶藝館の代金を払おうと財布を出した。

「私はこれで失礼します。私の台湾での用事は終わりました。……まだ終わってないかもしれない。私の秘書が、ちゃんと謝翠英さんのところに着いたかどうか」

その桂二郎の言葉に自嘲めいた笑みを返し、呉はまた自分の茶碗にゆっくりと茶を入れた。

ウエートレスを呼ぼうとして、桂二郎はまた自分がうっかりとまだ日本円を台湾ドルに換金していないことに気づいた。

この茶藝館で日本円が使えるとは思えない。この店の支払いどころか、このままではタクシーに乗ることもできない……。

桂二郎は理由を呉に説明して、この店でクレジットカードは使えるだろうかと訊いた。呉は片方の手で頰杖をつき、もう片方の手を出すと、

「私が換金しましょう。五千円分くらいの台湾ドルなら持ち合わせがあります」

そう言って詰まった何かを出すように声を立てずに鼻だけで長く笑った。

「日本からここまでご足労いただいたんです。この店の代金は私が払います。でもいまはタクシー代まで払ってあげる気にはなれません。二千円分換金したら、上原さんはタクシーに乗ってホテルへ帰れるでしょう」

桂二郎が千円札を二枚渡すと、呉はきょうの為替レートはわからないが、まあだいたいこの程度であろうと言って、数枚の紙幣と硬貨をテーブルに並べた。

確かにこの男に茶藝館の代金を払ってもらっても罰は当たるまい。桂二郎はそう思い、椅子から立ちあがりかけて、

「呉さんの日本語は完璧ですね。翠英さんの日本語も見事なもんですが、ところどころ発音が中国人らしいときもあります」

と言った。

「私は日本で生まれて育って、日本の大学を出ましたから。大学は関西の私大でしたので、関西弁も上手でっせ」

そして呉は、池で泳いでいる錦鯉に視線を移し、翠英の最初の日本語の教師はこの自分なのだと言った。

「横浜の呂水元が、お前のおばあさんに逢いたがってる人がいるよって電話を翠英の兄貴にかけてさえこなかったら、こんな手間暇をかけた茶番劇なんて必要なかったんですよ」

呉倫福が何を言いたいのか皆目わからなかったが、手間暇をかけた茶番劇という言葉で、桂二郎は次の言葉に耳をそばだててしまった。けれども呉はそれきり口をひらこうとはしなかった。

桂二郎は腕組みをして呉倫福の表情をみつめた。呉は急須のなかの茶を捨て、新たに鉄瓶の熱湯を注いで、それを桂二郎の茶碗に入れてくれた。

「ここでは葉巻を吸ってもいいんでしょうか」

と桂二郎は訊いた。

「勿論。ここは茶藝館です。席料を払って茶を註文したら、一日中いたっていいんです。本を読むもよし。将棋や碁をするもよし、です。昔は大学生が試験勉強をするために茶藝館を使ったもんですよ。そうでなきゃいくら上等の茶葉を出すといっても高すぎますからね。この店の二階には本棚があって、いろんな本や雑誌が置いてあります」

桂二郎はジャケットの内ポケットから葉巻入れを出した。呉は葉巻を見て、それは何という葉巻かと訊いた。

「吸い口の部分が細くて、先へ行くほど太くなってる。そんな葉巻は初めて見ました」

「これはアップマンのNo.2という銘柄です。トルピード型っていいまして、昔はこの形の葉巻は多かったそうです」

葉巻に火をつけ、煙が茶褐色の木の柱にまとわりつきながら同じ色の天井にのぼっていくのを見つめて、桂二郎は氷見留美子の家のなかもこのような造りと風情なのかもしれないと思った。そのとき桂二郎はあしたが十二月五日であることに気づいたのだった。あしたが、あれから十年後の十二月五日だ、と。

「呉さんが、翠英さんの最初の日本語の先生だったなんて、信じ難い話ですね。正直申し上げて、私はなんだかいやな予感がしています」

いままでに吸ったアップマンのNo.2のなかで、これはとびきりうまい一本だなと感じ入りながら、桂二郎はそう言った。

「翠英が小学校を卒業したときです。私は友人と二人でビルの一室を借りて、日本語と英語を教える教室を開いたんです。日本語を教えるのは私。英語の担当は友人です。翠英はいちばん若い生徒でした。もうじき十三歳になるってころでした。頭のいい子で、教えたことはすぐ覚えました」

呉は葉巻の煙を目で追いながら、

「そそのかしたのは私です」

と言った。

「もし兄が金を手にしたら、またどうせ失敗するに決まってる商売に全部使ってしまうのは目に見えてるってね。志康は日本にいる翠英に、早くその上原って男から三百万円を貰ってしまえって、しょっちゅう電話をかけてきました。そのうち業を煮やして、金を受け取りに自分が日本へ行くって言いだしたんです。志康はパソコンのソフトを作る会社を作ったんですが、ただ流行りの商売だっていうだけで、パソコンの知識もろくにないまま見切り発車をしたもんですから、すぐに行き詰まって資金繰りに困ってました。そこへ上原という日本人の突然の登場です。謝志康にしてみれば、大金が天から降って来たのとおんなじです。まったく、天から降って来た……」

だが自分は、翠英の兄と逢ったのは上原桂二郎という人物が彼女の前にあらわれてからなのだ。翠英と彼女の母親とは面識があったが、謝志康とは顔を合わせたことがなかった。呉倫福はそう言って腕時計を見た。

「さっき私が電話で話した相手は翠英です。私が上原さんから金を受け取ったら逢うことになっていて、翠英はその待ち合わせ場所にいたんですよ」

この男は真実を喋っていると桂二郎は思った。腹立ちはなく、少しばかりの驚きだけがあった。

「あの懐中時計が盗品で、鄧明鴻が殺人に絡んでいるというのも作り話ですか?」

と桂二郎は訊いた。

「鄧明鴻が組織的な窃盗団と関係があったのは本当です。第二次大戦中、時計の蒐(しゅう)

集家だったフランス人の屋敷から精巧な置き時計や懐中時計が七つ盗まれるっていう事件がありました。どれも博物館に展示すべきほどの貴重な機械時計でした。鄧明鴻がその窃盗団と関係があったことは間違いありません。明鴻が時計を壊した少年を寛大に許すしかなかったのは事をあらだてるわけにはいかなかったからです。盗品なんですからね。しかし、人殺しが行われたというのは私の作り話です」

と呉は答えた。

「翠英は、ジュネーブまで行ってTという女と逢ったって私に言いましたが、それは？」

桂二郎の問いに、呉倫福は、そんな話は自分は知らない。おそらく翠英の作り話であろうと答えた。妹が金をひとり占めしようとしているのではないかと疑い始めた兄と、さっさと上原桂二郎に決断させろと迫るこの呉倫福の剣幕と、女心とで、翠英の心が揺れ動きだしたのは夏に入ったころだった……。

「女心？」

桂二郎は葉巻の灰がテーブルに落ちたが、それをそのままにして訊いた。

「上原桂二郎って人への女心ですよ」

と呉倫福は無表情に言った。桂二郎が葉巻の灰を指でつまんで灰皿に捨てると、呉はウェートレスを呼んで代金を払った。

「私はいつでもあの金を謝翠英に渡すつもりでした。そのことは翠英も知ってたんですよ。どうして翠英はそうしなかったんです？　私から金を受け取っておいて、お兄さんにそれを取られないようにする方法は幾らでもあったはずです。呉さんと組んでひと芝居うたなくてもね」

桂二郎が訊くと、呉は小さく頷き返し、

「私も翠英から相談されたとき、金はお前が受け取って、俺がそれを台湾ドルに換金すればいいじゃないかって言ったんです。でも翠英は、どうしても自分が上原さんから金を受け取るのはいやだといってきかない。自分が受け取ったという既成事実を作りたくないってね。そのときには、あの懐中時計が盗品だってことを翠英は私から聞いて知ってましたから、そんなものへの弁償金を自分が受け取ることへの罪悪感があるんだろうって私は思いました。まあ確かに罪悪感もあったでしょうが、上原さんへの女心も絡み合ってたんですな。私はさっきの翠英との電話でやっとそう気づきましたよ」

この俺が上原桂二郎から金を受け取ったあと、お前は何をどうしたかったのかわからないが、ホテルに出向いてさっさと金を受け取ったほうがいいという俺に、この茶藝館で逢うようにと言い張った翠英をなじり、じつはこれは俺と翠英とで仕組んだ狂言なのだとばらしてやると言って電話を切ったのだ。

呉はそう言って再び苦笑を浮かべた。

「あのときは私も頭に来てたんです。でもいまは後悔してます。ほんとのことを話すんじゃなかったってね。あのまま黙って消えればいいものを……」

「翠英は呉さんをどこで待ってるんですか?」

「ここから歩いて五分ほどのところにあるコーヒーショップです。でももう待ってませんよ。さっきの電話で私が全部ばらすって言ったからです。彼女は私がそうしたと思ってるでしょう」

ステッキをついて立ちあがった呉倫福に、

「私はあなたがこんなに口の軽い男だとは思いませんでしたよ」

と桂二郎は言った。

呉が茶藝館から出て行ってしまってからも、桂二郎は十分近く椅子に腰かけたまま、短くなった葉巻を吸いつづけ、店内の池で泳ぐ錦鯉に見入ったり、誰もいない座敷風の小部屋を眺めたりした。こんな茶藝館のような店が日本にもあればいいのにと思った。葉巻の火が消えるのを待って、桂二郎は茶藝館から出ると、通りのあちこちに視線を投じながらしばらく立っていた。翠英がどこかに隠れて自分を見ているような気がして去り難かったのだ。

謝志康さんと翠英さんの兄妹が住むマンションは、一階が漢方薬店で、オーナーはどうやらその漢方薬店の主人のようだった。

翠英さんは不在で、兄の志康さんは初め警戒してドアチェーンを外そうとはしなかったが、社長の名刺を見せるとやっと私を部屋に入れてくれた。

志康さんは日本語はまったく出来なかったが、日常会話程度の英語が話せた。その英語と、漢字による筆談とで、志康さんは私がどんな用件で訪れたのかを理解した。

私は念のために、あなたが謝志康さんであるという証拠を提示してくれと頼んだ。志康さんは自分の運転免許証とパスポートを私に見せた。そして自分が仕事で使っている領収書にサインをしてから、何度も翠英さんの携帯電話に電話をかけたが、翠英さんは出てこなくて留守番電話になった。

志康さんは、領収書を受け取って帰りかけた私に古い一枚の写真を持って来た。自分の祖母の写真だということだった。そして私に握手を求めた。志康さんの掌は汗びっしょりで、彼がどんなに興奮しているかが伝わってきた。彼はしつこいくらいに何度も、上原さんに感謝の意を伝えてくれと言った。——

ホテルに帰り着いた桂二郎に雨田洋一はそう報告した。

「俺の胃のなかにはお茶以外入ってないはずなのに、何かを食いたいって気にならん。お前は腹ぺこだろう？」

桂二郎がそう言ってベッドにあお向けに寝転ぶと、

「腹は減ってますが私は大丈夫です。でも社長は何か召し上がったほうがいいと思います。そういう胃の状態のときこそお粥です」

そう答えて、桂二郎のためにスリッパを持って来た。

「うん、そうだな、お粥がいいな。でもその前に酒だ。ウィスキーをダブルで二杯。それを飲んでから、お粥を食べに行こう」

「社長の部屋にも私の部屋にもウィスキーはミニチュアボトルが一本しかないんです。ルームサービス係に一本持って来てもらいましょうか」

「ミニチュアボトルを二人で一本ずつ飲んで、今夜の配給はこれでおしまいってのはちょいと寂しいな」

　桂二郎の言葉で雨田はルームサービス係に電話をかけた。

　運ばれてきたウィスキーを飲みながら、桂二郎は、俺は怒ったりなんかしてないよと翠英に胸の内で何度も語りかけた。

　だが、俺と翠英とのつながりは、完全に切れたのであろう。翠英はもう二度と俺の前に姿をあらわしはしない。電話もかけてこないだろう……。

　桂二郎はそう思った。腕時計を見るともうじき十一時だった。日本はあと五、六分で十二月五日になる。俊国は総社のあの田圃(たんぼ)で氷見留美子を待つのだろうか。俊国ならきっとそうするに違いない。留美子が来るかどうかなどはどうでもいい。自分は待つと約束したのだからそこへ行く……。俊国にはそんなところがある、と桂二郎は考え、死んだ妻の顔を思い浮かべた。

「もう一杯いただいてもよろしいですか」

　二杯目のウィスキーを飲み干して、雨田が訊いた。

「遠慮なくやってくれ。好きなだけ飲んでくれ。あしたは自由行動だ。起きたいときに起きて、行きたいところへ行ったらいいよ」

「社長はあしたはどうなさいますか」

「そうだな、故宮博物院へ行こうかな。俺は無粋な人間だから、書も山水画も焼物も、さっぱりわからんが、台湾に来て故宮博物院に足を向けないわけにはいかんだろう」

「私も行こうと思ってるんです」

「じゃあ博物院のなかでばったり出くわすかもしれんな」

桂二郎は笑って言った。そのときふいに空腹を感じた。お粥ごときでは満たされそうにないある種の飢餓感であった。

桂二郎も三杯目のウィスキーをタンブラーに注ぎながら、

「雪迎えって言葉を知ってるか？　蜘蛛が空を飛ぶんだ。小さな蜘蛛が自分の吐き出した糸を使ってね。するとその二、三日あとに雪が降る。だから雪迎えっていうそうだ」

と雨田に言った。

「はい、知ってます。子供のころ何度も見ました」

その雨田の言葉に、桂二郎は驚いてタンブラーを持ったまま雨田の顔を見つめた。

「見た？　蜘蛛が空を飛んでいくのをか？」

「はい。風と上昇気流に乗って、見事に飛んでいくんです。糸が銀色に光って、すごくきれいなんです」

銀行員だった父が東京から伊豆の畑毛に転勤になったので、小学校三年生だった自分も三年間を畑毛で暮らした。畑毛は畑と田圃と温泉以外は何もないところで、四方を見渡しても遠くに低い山があるだけ。都会で生まれ育った子供にとっては退屈極まりない土地だった。

　十二月に入ってすぐだったと記憶しているが、母にお使いを頼まれて町の雑貨屋に行くために自転車にまたがろうとしたら、サドルの上に光って揺れているものがあった。何だろうと顔を近づけて見入ると、小さな蜘蛛が逆立ちをするような格好でお尻を空に向け、しきりに糸を吐き出していた。マッチ棒の先ほどの大きさの蜘蛛だった。よく見ると一匹ではなかった。蜘蛛は、自分の自転車のサドルだけではなく、ハンドルや荷台のところでも同じ格好をして糸を吐いていた。その蜘蛛のしていることがひどく異様なものに見えて、自分は家のなかにいた二歳下の弟を呼びに行った。

　自分と弟は、空に向かって二メートルくらいに伸びた蜘蛛の糸が、絡まることなくかすかな風になびいているさまを息をひそめて見つめた。するとと一匹の蜘蛛が空中に浮きあがり、銀色の糸に引っ張られるように眩い日の光に向かって飛んで行った。

　蜘蛛は小さかったし、日の光は強かったので、その姿はたちまち視界から消えた。次にはハンドルのところにいた蜘蛛が、その次には荷台のところの蜘蛛が、糸と一緒に空へとのぼって行った。

自分も弟も、蝶やトンボなどをむやみに捕えたがる年頃だったが、その小さな蜘蛛には手を出そうとはしなかった。蜘蛛だから気味悪かったというのではない。なんだか邪魔をしてはいけないという思いがあったのだ。

自分と弟は、学校でも親からも、蜘蛛が吐き出した糸を使って空を飛ぶなどという知識を与えられていなかったが、風にさらわれて偶然に蜘蛛が浮きあがったとは思えなかった。蜘蛛たちは、空を飛ぶためにお尻を上にして糸を吐いていたのだと子供心にもわかったのだ。

自分と弟は、同じようなことをしている蜘蛛はいないかと、いなか道を忍び足で歩きながら捜した。畦道(あぜみち)の雑草の上にもいた。農家の小さな物置きのトタン屋根の上にもいた。浮きあがる前に糸が切れて、それだけが飛んで行き、日溜まりのなかにぽつんと残された蜘蛛は、もう二度と糸を吐こうとしなかった。自分にはそんな蜘蛛がとても不運な可哀相な生き物に見えた。

畑毛で暮らした三年間に、自分はその時期になると同じ光景に接した。

雨田は話し終えると、

「あのころは表現する言葉を知らなかったんですが、私も弟もきっとおごそかな何かを感じたんだと思うんです。だからいま邪魔をしちゃいけないって……」

と言った。

「腹が減った。お粥じゃ物足りないよ。豚か牛か鶏の内臓みたいな、脂ぎとぎとの、腹にずしんとくるものが食いたいな」

　桂二郎は三杯目のウィスキーを飲み干してから言った。

「そんなときは夜市ですよ」

　雨田も立ちあがり、クローゼットから桂二郎のジャケットを持って来て言った。

「夜市？」

「台湾名物の屋台が並んでるところです。ここから西へ歩いて十分ほどのところに夜市があります。牛肉麵、中華風の焼きソーセージ、イカ焼き、揚げたカニやエビ、内臓料理。あっ、これなんかうまそうですよ」

　ガイドブックを桂二郎に見せ、

「生煎包。シェンジェンパオってカタカナでルビがふってあります。たっぷりの野菜やニラ、豚肩のロースの挽肉(ひきにく)が入った肉まんで、鉄板で蒸し焼きにするので、もっちりカリカリのたまらない食感て書いてあります」

　と言いながら雨田は桂二郎の部屋のドアをあけ、エレベーターのボタンを押した。

「うまそうだなァ。まずそれをむさぼり食ってから、この豚の腸の醬油煮を食べて、そのあと牛肉麵でしめよう」

　桂二郎は雨田とホテルを出て広い敦化南路を西へと渡ると、そのまま真っすぐ歩いた。

　車の数は幾分減っていたが、ミニバイクやスクーターは相変わらず排気ガスを撒き散らして走り、クーラーの熱気と思える生温かい空気が高層ビルの林立に挟まれた道に満ちていた。

小さな食堂があり、その隣は弁護士事務所で、「牙医科」と書かれた看板は歯科医院だった。そんなさまざまな職種が小さな雑居ビル群の一階や二階にひしめいているが、それらを左右から圧しつぶすかのように高級マンションの高層ビルが突き出て、桂二郎には街全体が長さの異なる棒グラフであるかに見えた。

――都会は石の墓場です、というロダンの言葉が桂二郎の心に浮かんだ。

初老の女が犬を散歩させていた。その女の着ている服よりも、小さなヨークシャーテリヤの胴体を包む服のほうが高価そうだった。

「いろんな看板を見てると頭が疲れてきますね」

と雨田が言った。これはどんな意味だろうと漢字から連想してしまい、頭の休まる暇がないという。

「品質最高ってのはわかりますが、そのあとの口碑最高ってのは何でしょうね」

雨田は日本の電気器具メーカーの電飾看板を指差して言った。

「人気も最高って意味じゃないかな」

と桂二郎は言い、その隣の看板の漢字に目をやった。「彩色影印」と書いてあった。

「あれはわかります。カラーコピーのことです」

と雨田は言った。

四つ角をさらに西へと歩くと次第に騒音が近づき、食べ物の匂いがたちこめ、ミニバイクやスクーターの数が増えた。車が二台やっとすれちがえるほどのアスファルト道に屋台が並んでいるのが見えた。

車の運転手と屋台の女とが口論していた。それをバイクにまたがった若者たちが面白そうに眺めている。

店をもっと奥に引っ込めろ。車が通れないじゃないか。運転手はそう言って怒っているらしかった。屋台の女は負けていなかった。食器を洗うための大きなバケツを指差し大声で応酬していた。

「これはすごいな」

桂二郎は、観光用ではなく、この界隈の人々が相手なのであろうさして規模の大きくない夜市全体から発している騒音と人間たちの生気にたじろいでそう言った。

食べ物を売る屋台だけではなく、日用雑貨品を路上に並べた店もあった。Tシャツ、スカート、ベルト、靴、安物のイヤリングやネックレス……。

車は注意深く進まないとそれらの商品をタイヤで轢いてしまいかねない。

中華風焼きソーセージの屋台の周りには、それを立って食べる者、道にしゃがみこんで食べる者が群れている。

串に刺した鶏の臓物を売る店の前でも、台湾式お好み焼きの屋台の周りでも、肉饅頭屋の横にも、バイクとスクーターと人間たちがひしめいていた。それら屋台に吊り下げられた何十個もの電球の強すぎる光は、夜の街の一角の気温を上昇させていて、桂二郎は額や首筋にたちまち汗が滲み出て来るのを感じた。

どの屋台も椅子はひとつか二つしかなかった。

桂二郎と雨田は屋台の並ぶ夜市の東端から西端まで歩いて何を食べようかと相談し合い、肉饅頭屋の前に戻った。客たちはみな立ったまま食べていた。

「これを食べたら次はあの焼き鳥屋だな。まったく日本の焼き鳥とおんなじだよ」

桂二郎は言って、湯気の噴き出る大きな蒸籠のなかの肉饅頭を二個買った。車やミニバイクが通りすぎるたびに居場所を変えなければならなかった。

「麺はあの店のがうまそうですね。他にも麺の店はあるのに、あの屋台の前だけ人が並んでます」

雨田は肉饅頭を頬張ったまま、五メートルほど先にある屋台を指差し、その向かい側の「臭豆腐」とペンキで書いた看板の屋台のところへ歩いて行くと、店の主人と何やら身ぶり手ぶりで交渉し、木の丸椅子を借りて来た。

「社長、これに坐って下さい。立って食べるのは疲れます」

と言った。そして焼き鳥屋に行って串に刺した鶏肉やレバーや手羽先を紙製の皿に盛って戻って来た。

「椅子を貸してくれたら、あとで臭豆腐を食べるってあの屋台の女の子に約束したんです。でも後悔してます。あの臭豆腐の匂い……。あれは何日間も履きつづけた靴下の匂いですよ。このあと麺を食べたら、約束を破って、走って逃げて行きたいですね」

雨田の、実際そうしかねない表情に、

「約束したんなら果たさなきゃいかんな。俺はあのての食い物は意外に平気なんだ。お前が食えなかったら、俺が食ってやるよ」

と桂二郎は笑いながら言った。すると、俊国の顔が浮かび、緑の顔が浮かび、氷見留美子の顔が浮かんだ。なぜか死んだ妻がこの夜市のどこかにいそうな気さえした。須藤潤介が総社の川べりから菜の花畑を横切って真っすぐに歩いてくる姿が甦った。

「俺は約束を果たしに来たんだ」

桂二郎の言葉は、三台並んで夜市から走って行くバイクの音のせいで雨田には聞こえなかったようだった。だが、かまわずにつづけた。

「だけど、果たしそこねたって気分だな。約束は果たしたが、どうもなんとなく果たしそこねた……」

「はい？　何ですか？」

雨田が手羽先の串を持ったまま、上体を前に折って耳を近づけて訊いた。

「台湾でも蜘蛛が空を飛ぼうとするのは、この時期かな」

と桂二郎は言った。

「さあ、どうなんでしょう。台湾は南国ですからねェ。でも生き物の生理サイクルってのは、どこでもおんなじじゃないでしょうか」

「あした、空飛ぶ蜘蛛を捜しに行こうか」

「えっ！　台湾でですか？　そりゃまあ蜘蛛が生息してないところなんて、北極か南極の氷の世界くらいのもんでしょうから」

「あした、いやあしたじゃないな。もうきょうだな。台北市から遠く離れた、どこかいなかに行こう」

「いなか、ですか……」

　雨田は桂二郎を見つめ、紙製の容器のなかの焼き鳥を勧めると、臭豆腐屋の女の子のところへと歩いて行き、それから少し離れた惣菜屋の主人に声をかけた。

　ガイドブックの地図を見せ、メモを出して筆談を始め、その惣菜屋で売っている三品の炒め物を買って戻って来ると、

「台北駅から電車で二時間くらいです。あのおじさんのふるさとには、いまでも農家の人たちが水牛を使って鋤や鍬で田圃や畑を耕してるそうです。このあたりです」

　雨田はそう言って台湾全土の地図の一点を指で示した。台北市からは南東にあたる太平洋に近い地域だった。

「ここでは蜘蛛が空を飛ぶのか？」

　桂二郎が驚いて訊くと、雨田は筆談したメモ用紙を見せ、

「いや、蜘蛛って漢字が思い出せなくて……。でも、社長、行きましょう、空飛ぶ蜘蛛を捜しに行きましょう。電車に揺られて、水牛が田圃や畑を耕してる台湾のいなかにお弁当を持って行きましょう。私がうまい弁当を調達しておきます」

と言い、再び夜市の人混みのなかに入って行った。

桂二郎は焼き鳥をたいらげ、椅子を持って臭豆腐屋の前に行き、二人分の[illegible]げもの代を払い、雨田を捜した。

バイクにまたがった若者たちの群れをなぎ倒しかねない勢いで、牛肉麵の入った[illegible]を両手に持って戻って来ながら、

「朝早くに出発しましょう」

と雨田が大声で言った。

〈完〉

あとがき

この『約束の冬』は、平成十二年十月一日から一年余にわたって産経新聞朝刊で連載した小説である。

『約束の冬』を書き始める少し前くらいから、私は日本という国の民度がひどく低下していると感じる幾つかの具体的な事例に遭遇することがあった。民度の低下とは、言い換えれば「おとなの幼稚化」ということになるかもしれない。

受けた教育とか社会的立場とか、その人が関わっている仕事の種類や質といったものとは次元を異にする領域において、日本のおとなたちは確実に幼稚化している。いったい何がどう幼稚化したのか。

現代の若者たちはいかなる人間を規範として成長していけばいいのか……。

私は小説家なので、小説のなかでそれを考えて、小説として具現化していかなければならない……。

そこで私は『約束の冬』に、このような人が自分の近くにいてくれれば
だけをばらまいて、あとは彼たち彼女たちが勝手に何等かのドラマを織り成

あろうという目論見で筆を進めた。

しかし、『約束の冬』を書き始めるとき、強く私のなかにあったのは、冬が来る直前に、自分が吐き出したか細い糸を使って空高く飛ぼうとする蜘蛛の懸命な営みの姿だった。

私はその光景を何年か前にテレビのある番組で観たのだ。胸を衝かれる思いで、そんな蜘蛛を見つめたことを忘れることができない。

おそらくこの蜘蛛たちに幸運な飛翔をもたらす大自然の慈愛に似た何物かを、現代のおとなたちは学んではこなかったのだ……。私は自分自身への戒めも込めてそう思った。だから『約束の冬』の真の主人公は、空を飛ぼうとする蜘蛛たちと、微風と、冬の始まりのある日の暖かな陽光と、それによって生じる上昇気流であるかもしれない。

なお、作中に幾度か登場する「雪迎え　そは病む君にかかりけり」という句は、私の友人の志村竜二氏の作であることも併記させていただく。

この作品を書くにあたっては、故・錦三郎氏の著作『飛行蜘蛛』を参考文献とし、その蜘蛛の特異な生態についての研究書から多くの示唆を得た。

ところが、作中の『飛行蜘蛛』からの引用に誤りがあること、蜘蛛が飛ぶ現象についての記述に不正確な箇所があることが、刊行後、錦氏のご遺族からの指摘で判明した。

間違った引用のために、錦三郎氏が蜘蛛が遠くまで飛ぶところを見ていなかったような印象を与えたことは、私の本意ではない。錦氏は飛び立っていく蜘蛛の様子を長年観察し、「雪迎え」の現象を最初に解明された。私は、この故・錦三郎氏の研究をもっと多くの人に知ってもらいたいと思いこそすれ、意図的に改竄（かいざん）しようなどという気持ちは夢寐（むび）にも考えなかった。また、飛行蜘蛛とは蜘蛛の子供が飛ぶことと思っていたが、そうではなく成熟した蜘蛛が飛ぶ現象と知った。

この誤りはすぐに糾すべきと考え、改訂版を刊行した。この文庫版も、改訂版に基づいている。

このことで、故・錦三郎氏とご遺族の方々にご迷惑をおかけしたことを改めてお詫びする。

平成十八年三月一日　　宮本　輝

解説

桶谷秀昭

この反時代的な、美しい小説を書いた動機として、作者は、「日本という国の民度がひどく低下している」といふ実感を挙げてゐる。それをさらに、「おとなの幼稚化」と言ひ換へてゐる。

この実感は、なにも作者だけに限らず、心ある人々に共有されてゐるであらう。平成の泡沫景気が消えて以来、日本人の心の民度の低下は、いちじるしいのである。

作者は、この実感を、文明批評として小説に造型するかはりに、大自然の慈愛と小動物のけなげな意志が織りなす「雪迎へ」とよばれる光景を心に秘めて生きる、精神の血縁者たちの出合ひの瞬間から成る世界を描いた。

この世界は、今日の世の平均的な日常世界とは別のものではないが、たとへば近隣の人々と朝夕に交はす挨拶に、心が涼しくなるやうな感動の瞬間があるとすれば、それを拡大鏡にかけて眺めるやうな造型方法を、作者はこころみたのである。

この小説の主人公を一人にしぼることはできないが、主要人物の一人は、上原桂二郎といふ五十代の男である。鍋釜等食器類を製造する中小企業では大手の会社の社主で、妻を失ひ、独身生活を送つてゐる。有能な経営者で、ゴルフと葉巻煙草を喫烟する趣味をのぞけば、これといふ趣味もない。

しかし、上原桂二郎は、他人の心の動きや、こころざしと呼ばれる精神に鋭敏に感応する感受性があり、その起居振舞において、人生の達人たりうる陰翳を曳いてゐる。

彼の亡くなつた妻は、前夫とのあひだに生まれた男の子を連れて、上原桂二郎と再婚した。かういふ尋常でない結婚生活において、相手の女を幸福にする度量があつた。またその連れ子の少年を、実の子以上に愛した。なぜか「気が合ふ」といふ自然の心のはたらきである。

岡山県総社市の郊外に須藤潤介といふ八十歳の老人が独り暮しをしてゐて、上原桂二郎の亡妻の義父に当る。はじめて会つたとき、潤介は桂二郎に、「あなたは、いいお顔をなさっておりますな」と言つたといふ。「無愛想でして、若い社員たちからは恐い顔だと言われておりますようです」と応じながら、桂二郎は潤介こそ「いい顔」の持主だなと思つた。「いい顔」とは美男といふ意味ではない。人格的韻律があらはれてゐる顔のことをいつてゐるのである。

この小説の主要人物は、さういへば、男女を問はずみな「いい顔」をしてゐる。上原桂二郎の青年時代の恋人で、故あつて別れた女性を妻にし、新橋で小さなバアをいとなむ新川秀道といふ人物も、さうである。この女性は桂二郎の子種を宿したまま、新川秀道と結婚した可能性がある。彼女もまた死んだが、新川秀道は、死んだ妻を「器量の大きい」女だつたと桂二郎に話すのである。小さな酒場で、バアテンと客といふ関係で出合ふ二人の出合ひの雰囲気は、岡山県総社市郊外の須藤潤介の家で、一夜を訪れた桂二郎と語る場面とともに、この小説の忘れがたい描写である。

新川秀道は、亡妻とのあひだに生まれたひとり娘の緑が、上原桂二郎の子であることに、おそらく気づいてゐる。しかし、そのことを、おくびにも出さない。そして、亡妻の器量の大きさをほめ、けつして嘘を言はない女だつたと語る。

作者は、人間の深い善意を信じてゐるのである。善意は悪意と相対的であり、両者の葛藤から生まれる人間ドラマは、近代レアリズム小説にくりかへされる主題となつたが、作者は、絶対的な善意が、相対的な善意と悪意の彼岸にあり得ることを信じ、描写によるその実現をこころみたのである。

この小説には、金銭の事が、人間関係の処理に当つて、出てくる。

新川秀道夫妻の娘緑が、病死した母親の手紙に添へて、二百二十万円の小切手を持参して、突然、上原桂二郎の自宅へやつてくる。その手紙には、遠い以前、借用した金を返すときが来たといふ文面が書かれてゐる。

上原桂二郎は、大学を出て会社員になつたとき、同僚の女社員と恋仲になり、からだの関係をもつた。恋人の義理の兄といふのが極道で、桂二郎と父の会社に姿をあらはし、因縁をつけてきた。父の厳命によつて、桂二郎は女と別れることになり、二百二十万円の手切金を渡した。女は事情を納得し、その金を感謝して受け取つた。桂二郎は、男女の割りない仲を金で解決する遣り方に馴染まなかつたが、せめてもの誠意を示す他の方法がなく、女に詫びた。女の別れ際は、すがすがしかつた。女はその金で新橋の酒場を買ひとり、新川秀道と結婚し、緑を生んだ。

金といふものは、所有する人間の性質によつて変るものである。二百二十万円の金額は、どんな理屈をつけようと、手切金である。しかし、それを受け取つた女の手の中で、三十年の歳月が過ぎ、手切金は別の何かに変つた。女は生涯の最期に、それを借金と言つて、返さうとする。利息のつかない借金である。

桂二郎は、女の娘に嘘をつき、昔、或る仕事をしてもらつたことに対する礼金だから、返すに及ばないといふ。このとき、二百二十万円の金額は、手切金でもなく、借金でもなく、人間の意思を象徴する使用価値となる。

岡山県総社市の須藤潤介は、死んだ息子からひきついだ三百万円の負債を抱へてゐる。中学生のとき一時ぐれた息子が、悪友の盗みにまきこまれて、盗品のスイス製高級懐中時計をこはした。そして、持主の中国人鄧明鴻に対して、出世払ひで弁償するといふ誓約書を書いた。その修理不能の破壊された懐中時計の時価が三百万円である。

息子は大学を出て、勤め人となり、月々三万円の貯金をして弁償を八年間で果さうとするが、不慮の事故で死ぬ。須藤潤介は息子のこころざしをよしとして、未済の弁償をひきついだ。それをしなければ、自分の人生に「画龍点睛を欠く」と思ふ。

しかし、鄧明鴻といふ中国人がどこにゐるかわからない。生きてゐるか死んでゐるかもわからない。そこで鄧明鴻探しを上原桂二郎に依頼する。

　この弁償の約束を果すといふ須藤潤介の意思は、世間のとりきめに忠実な義理固さを超えて、無償の行為の性質を帯びる。そのとき三百万円の弁償金は、弁償といふ社会契約の性質から無償の行為といふ絶対的な性質の象徴に変はる。

　もう一人の主要人物である氷見留美子は、小学生の頃、小さな約束をひとつ破つためだに、裏切られた友人が、西日を浴びて、地面に長い影を曳いて、淋しく去つてゆくうしろ姿を胸にきざみつけられて、忘れることのできない感受性の持主である。

　不慮の事故で父を失ひ、女性の自活の生き方を考へて、税理士になる勉強をしてゐるとき、妻子もちの男が好きになつた。三年後に結婚するといふ約束を男は裏切つた。失意と屈辱を抱いて、税務事務所に勤めて、多忙な毎日を送つてゐる。若いといつても、留美子はすでに三十を過ぎてゐる。

　ところで、十年前に、彼女は、路上で、突然、見知らぬ少年から奇妙な求婚の手紙を貰つた。

「十年後の十二月五日の朝、地図に示したところでお待ちしています。お天気が良ければ、ここでたくさんの小さな蜘蛛が飛び立つのが見られるはずです。ぼくはそのとき、あなたに結婚を申し込むつもりです」

　この奇妙な手紙の主が、隣家の上原家の長男の俊国であり、あの「雪迎へ」の感動的な光景をみたら、その感動を共有するにちがひないといふ確信を、はじめて会つた日の氷見留美子に対して抱いたことを、留美子自身が疑はなくなつてゐる。十年はすでに過ぎてゐるのである。地図に示された岡山県総社市の郊外の田園に、この年の十二月五日の朝、留美子は必ず行くであらう。そして俊国がそこに待つてゐることを疑はない。

その予感において、小説の結末は発端に円環する。過去と未来を失つて現在だけがある日本の時代的現実に対して。

（文藝評論家）

参考文献　錦三郎著『飛行蜘蛛』
（一九七二年　丸ノ内出版刊
復刻版　二〇〇五年　笠間書院刊）

初出　産経新聞朝刊
（二〇〇〇年十月一日から二〇〇一年十月三十一日まで連載）

単行本　二〇〇三年五月　文藝春秋刊

文春文庫

約束の冬 下

定価はカバーに
表示してあります

2006年5月10日 第1刷

著者 宮本輝
発行者 庄野音比古
発行所 株式会社 文藝春秋
東京都千代田区紀尾井町3-23 〒102-8008
TEL 03・3265・1211
文藝春秋ホームページ http://www.bunshun.co.jp
文春ウェブ文庫 http://www.bunshunplaza.com

落丁、乱丁本は、お手数ですが小社製作部宛お送り下さい。送料小社負担でお取替致します。

印刷・凸版印刷 製本・加藤製本

Printed in Japan
ISBN4-16-734821-7

文春文庫

宮本輝の本

（　）内は解説者。品切の節はご容赦下さい。

星々の悲しみ
宮本輝

大学受験に失敗し、喫茶店の油絵を盗む若者を描く表題作他、青春を描き、豊かな感性と卓抜な物語性を備えた珠玉の短篇集。「星々の悲しみ」「西瓜(すいか)トラック」「北病棟」「火」「小旗」他二篇。

み-3-1

青が散る
宮本輝

新設大学のテニス部員椎名燎平と彼をめぐる友人たち。青春の短い季節を駆けぬける者、立ちどまる者。若さの不思議な輝きを描き、テニスを初めて文学にした傑作長篇小説。（古屋健三）

み-3-2

春の夢
宮本輝

父の借財をかかえた一大学生の憂鬱と真摯な人生の闘い。それを支えた可憐な恋人、そして一匹の不思議な小動物。生きようとする者の苦悩と激しい情熱を描く青春小説の傑作。（菅野昭正）

み-3-3

道行く人たちと 対談集
宮本輝

深い人生の歩みを通して語られる〝このひとこと〟を聞くよろこび。作品背後の生活と自らの使命と宿命を素直に語るさわやかさ。注目の小説家のすべてを赤裸々に伝える十の対話。

み-3-4

メイン・テーマ
宮本輝

悠々とたくましく、自らが選んだ道をゆく人々と、あるときは軽妙に、あるときは神妙に、人の生き方と幸せを語る心ゆたかなひととき。宮本氏の小説世界を深く知るための絶好の一冊。

み-3-5

愉楽の園
宮本輝

水の都バンコク。熱帯の運河のほとりで恋におちた男と女。甘美な陶酔と底知れぬ虚無の海に溺れ、そして脱け出そうとする人間を描いて哀切ここにきわまる宮本文学の代表作。（浅井愼平）

み-3-6

文春文庫

宮本輝の本

（　）内は解説者。品切の節はご容赦下さい。

海岸列車（上下）
宮本輝

幼い日、母に捨てられた兄と妹。その心の傷をいだきながら、二人は愛を求めてさまよい、青春を生きぬく。そして青春との訣別。人生の意味を深く問いかける一大ロマン。（栗坪良樹）

み-3-7

真夏の犬
宮本輝

照りつける真夏の日差しのなかで味わった恐怖の時間。歳月のへだたりを突き抜けて蘇る記憶を鮮烈に刻みつける短篇小説の魅力。「真夏の犬」「暑い道」「階段」「力道山の弟」「香炉」他四篇。

み-3-9

葡萄と郷愁
宮本輝

東京とブダペスト。人生の岐路に立つ二人の若い女性、純子とアーギ。同時代を生きる二人はどんな選択をするのか。幸福への願いに揺れる生と性を描く、宮本文学の名篇。（大河内昭爾）

み-3-10

本をつんだ小舟
宮本輝

コンラッドの『青春』、井上靖の『あすなろ物語』、カミュの『異邦人』等、作家がよるべない青春を共に生きた三十二の名作。自伝的な思い出を込めて語った、優しくて痛切な青春読書案内。

み-3-11

異国の窓から
宮本輝

ドナウ河の旅をふりかえり著者は述懐する。「この旅が私の人生の喜びと悲しみをつくった。喜びと悲しみの種を持ち帰った」。小説『ドナウの旅人』の原風景を記す紀行文集。（松本徹）

み-3-12

魂がふるえるとき
心に残る物語――日本文学秀作選
宮本輝編

川端康成、井上靖、水上勉、武田泰淳、荷風……。宮本輝氏自身が若き日に耽読し、こよなく愛する十六篇を精選。「あなたに読んでもらいたい」日本文学名作集。宮本氏によるエッセイも。

み-3-17

（ ）内は解説者。品切の節はご容赦下さい。

僕は結婚しない
石原慎太郎

「僕」三十四歳建築家。つき合っている女はいるけど、結婚はしない。ヨットの事故、売春シンジケイトを巡る事件……。若者たちの恋と性を描いてゾクリと怖い傑作中篇小説。（斎藤環）

い-24-7

骨は珊瑚、眼は真珠
池澤夏樹

旅をかさね、人と世界を透徹した目で見すえ、しなやかな文体で描きつづける著者の九〇年代前半の短篇集。「眠る女」「アステロイド観測隊」「北への旅」「眠る人々」「パーティー」ほか。（三浦雅士）

い-30-4

花を運ぶ妹
池澤夏樹

一瞬の生と無限の美との間で麻薬の罠に転落し、投獄された画家・哲郎。兄を救うため、妹のカヲルはひとりバリ島へ飛んだが。絶望と救済を描く毎日出版文化賞受賞作。（三浦雅士）

い-30-6

空の穴
イッセー尾形

哲学的な音楽理論をふりまわす演歌歌手と引き籠りの父親のためにビデオを回すシンガー・ソングライターとの奇妙な巡業など、一人芝居の異才が描く不思議なフシ～ギな短篇小説全九本。

い-50-1

ミカ！
伊藤たかみ

思春期の入口に立つ不安定なミカを温かく見守るユウスケ。両親の別居、家出、隠れて飼った動物の死……。流した涙の分だけ幸せになれる。キュートな双子の小学校ライフ。（長嶋有）

い-55-1

表層生活
大岡玲

青年が人工頭脳を駆使して人間を支配しようと企てた時、何が起こったか？　現代に潜む前人未到のテーマに挑んだと評された芥川賞受賞作。「わが美しのポイズンヴィル」を収録。（西垣通）

お-16-2